D0409832

€ 1,-

AFGESCHREVEN

Over de grens

Over de grens

Filosofie op reis

Carolien van Bergen

Werkelijke filosofie betekent de wereld opnieuw leren zien

Maurice Merleau-Ponty, *Fenomenologie van de waarneming*

Ik hoop dat mijn ontsnapping me naar mezelf terugvoert, via een nieuwe route, zodat ik mijn leven en de mogelijkheden ervan als voor de eerste keer kan zien.

Ben Okri, *In Arcadië*

Over de grens
Filosofie op reis
Carolien van Bergen

ISBN 90 5573 647 3
NUR 730/500
Trefw.: Filosofie, reizen

Copyright © 2005 Uitgeverij DAMON Budel

Alle rechten voorbehouden. Niets van deze uitgave mag worden verveelvuldigd en/of openbaar gemaakt door middel van druk, fotokopie, mikrofilm of op welke andere wijze dan ook zonder de voorafgaande schriftelijke toestemming van de uitgever.

Voor zover het maken van kopieën uit deze uitgave is toegestaan op grond van artikel 16B Auteurswet 1912 juncto het Besluit van 20 juni 1974, St.b. 351, zoals gewijzigd bij het Besluit van 23 augustus 1985, St.b. 471 en artikel 17 Auteurswet 1912, dient men de daarvoor wettelijk verschuldigde vergoedingen te voldoen aan de Stichting Reprorecht (Postbus 3060, 2130 KB Hoofddorp). Voor het overnemen van gedeelte(n) uit deze uitgave in bloemlezingen, readers en andere compilatiewerken (artikel 16 Auteurswet 1912) dient men zich tot de uitgever te wenden.

Realisatie: Uitgeverij DAMON bv
ISBN 90 5573 647 3

Inhoud

Inleiding

Tot mijn zeventiende was Duitsland voor mij een even exotische bestemming als Mexico of Thailand. Het buitenland was ver en onbereikbaar, daar reisden andere mensen naartoe. Ons gezin niet. Wij gingen zelden op vakantie; de wereld buiten Nederland kwam alleen tot mij via avonturenboeken. Toen ik in de vijfde klas van het VWO de kans kreeg om een paar dagen naar Berlijn te gaan, greep ik die met beide handen aan: zo ver weg zou ik vast nooit meer komen.

Tien jaar later zat ik aan het strand in het zuiden van Taiwan, schelpen verzamelend waarvan ik nooit had gedacht die zelf uit het zand te vissen. Het was de eerste van vele reizen naar Azië. De wereld bleek bereisbaar. Eerst liftend door Europa, daarna per vliegtuig naar Azië, als reisbegeleidster van talloze groepen naar India en Nepal. Ik reisde met mijn groepen of, wanneer ik hen op het vliegtuig terug naar Nederland had gezet, alleen. Later organiseerde ik studiereizen en ging ondertussen op vakantie naar Europese steden of landstreken.

Naarmate ik langer en veelvuldiger reisde, kwam ook de vraag naar het waarom van al die reizen steeds vaker, en in steeds diversere gedaanten in mij op. Ik zag wat reizen met anderen deed – ik zag verlegen jonge vrouwen opbloeien tijdens een rafting trip over een Nepalese rivier, en mannen met branie binnen een paar uur verpieteren door verkeerd eten en een gebrek aan mentale weerstand. Reizen doet iets met mensen. Ze worden opgetogen, begaan, hard, nieuwsgierig, angstig. Ze overschrijden niet alleen de grenzen van een ander land, maar stuiten ook op de grenzen van hun lichaam, op cultuurgrenzen, op persoonlijke grenzen. Ze worden geconfronteerd met het onbekende – in ontroering, verbijstering, verwondering.

Hier wil ik die grenzen nader verkennen. Wat is de rol van ons lichaam op reis? Wat doet de manier van reizen – te voet, per vliegtuig of auto - met onze beleving? Welke bagage neemt de Europese reiziger mee, in wiens voetsporen treedt hij? Hoe vreemder de cultuur, hoe meer de reiziger zich bewust wordt van zijn eigen historische en culturele bronnen waaruit hij zijn reiziger-zijn put. En wat doet de ontmoeting met de vreemdeling met de reiziger? Is er een verschil tussen toerist en reiziger?

Geeft reizen een antwoord op vragen uit onze eigen cultuur, zoals de behoefte aan authentieke ervaringen? Diverse filosofen bieden in hun denken een handvat om deze vragen te beantwoorden. De wegen die wij betreden volgen niet zelden hun denksporen. Hun denken legde de fundamenten van onze reizen. Onze houding tegenover bijvoorbeeld stad of natuur; vrije tijd en arbeid; de rol van de medemens zijn mede bepaald door filosofische opvattingen. Dit netwerk van impliciete opvattingen bepaalt de kaders van onze reizen, en bepaalt daarmee welke grenzen wij overschrijden wanneer we ons vertrouwde huis verlaten. Ik wil laten zien hoe deze bronnen, in samenhang met een historische ontwikkeling, onze blik op het reizen zeer diep beïnvloed hebben en het pad hebben gebaand waar ook de hedendaagse toerist zijn voetstappen achterlaat.

Filosofie maakt het mogelijk het vanzelfsprekende bewust te maken door er vragen over te stellen. Filosofie geeft de reiziger inzicht in zijn reacties, houding, zelfs in de keuze van zijn reisbestemming. Daarmee wordt ook de reactie van de ander, van de vreemdeling, de lokale bewoner begrijpelijker – de ander die vanuit zijn eigen perspectief de wereld beziet en ervaart.

Reizen is verplaatsing, maar gaat allereerst gepaard met een andere kijk op de wereld. De blik van de reiziger ontstaat al voor vertrek. Nooit houd ik meer van Amsterdam dan wanneer ik op het punt sta haar te verlaten voor een lange reis. Mijn blik scherpt zich en ik word al een reiziger, in mijn eigen stad, klaar om me te verwonderen en verbazen over de plek die ik als gewoon beschouw tot mijn vertrek aanstaande is. Op reis ben ik nooit alleen op zoek naar de andere bestemming, maar vooral ook naar die andere blik: de blik van de reiziger - het overschrijden van de grens vanuit verwondering, met ontvankelijkheid, met een bereidheid tot verandering. Toestaan dat het vreemde in mij binnendringt, dat het vertrouwde ter discussie wordt gesteld. Daartoe begeef ik mij in den vreemde.

En stuit vervolgens op bedelaars die opdringeriger zijn dan verwacht. De weg naar het station is onvindbaar, de kaartjes naar de gewenste bestemming uitverkocht, het systeem onbegrijpelijk voor niet-ingewijden. Tussen de Taj Mahal en het Agra Fort in ligt een tocht per riksja die vijf juwelenwinkels en tapijtenzaken aandoet, terwijl de sluitingstijd nabij kruipt. Ik ben alleen in een vreemde wereld, waar ik zelf voor gekozen heb, bedenk ik, terwijl ik een bord lauw backpackers-eten naar binnen werk, de Lonely Planet gids opengeslagen om te kijken wat ik de volgende dag ga bezoeken.

Ha! Het spel van het reizen is begonnen, en het valt niet mee te genieten! Wat in de emails aan het thuisfront versluierd blijft, of wordt opgeblazen tot groteske avonturen, blijkt zich tegen een dreigende schaduw van lichamelijk ongemak, eenzaamheid en verlorenheid af te spelen. Waarom die reizen, waarom?

Amsterdam, juni 2005
Carolien van Bergen

1. De grens van het lichaam

India: de vijf zintuigen I

De videoclip

India, land van beelden. Honderden Bollywoodproducties bewijzen hoe het land zichzelf als decor weet te benutten. Held en heldin dansen tegen de achtergrond van besneeuwde bergtoppen, kale woestijnen, heldere meren en verstilde tempels. De eindeloze woestijn in Rajasthan, grauw en stoffig in de hete voorjaarsmaanden, decor van dorpjes, distels en geiten. Imposante kale bergen in de Himalaya, groene theeplantages in Darjeeling, rotsige heuvels in het hart van India. De reiziger wordt overrompeld door de rijkheid aan beelden. Het ene cliché van schoonheid verdringt het andere cliché van ellende. Vrijwel lege stranden met hier en daar een vissersbootje, enkele maanden later getransformeerd in feestgronden voor de vollemaansfeesten die talloze buitenlanders trekken, maar waar ook busladingen Indiase mannen zich gretig vergapen aan schaarsgeklede neohippies. Arme meisjes verkopen zelfgemaakte sieraden, een bedelaar scharrelt in het afval. Een dolfijn danst in de avondschemering over de golven, slechts opgemerkt door een enkeling.

De reiziger ziet stille meren waar witte vogels overheen schreeuwen, oerwoud afgewisseld met graanvelden en rijstterrassen. Gegraveerde tempels, witte moskeeën, felgekleurde kerkjes; de welgevormde stenen godinnen van boeddhistische en hindoeïstische origine. Mensen. Vrouwen in felgekleurde sari's; mannen in jodhpurs, salwar kamiez, met rode, groene, gele, blauwe tulband, in lendendoek of spijkerbroek - maar altijd besnord. Kinderen die schaterend langs de Ganges spelen, cricket naast lijkverbranding. Vooral veel mensen bij elkaar: enorme massa's in heilige plaatsen als Varanasi of Ahmedabad, waar de grootste mensenmassa ter wereld bij elkaar komen bij religieuze festivals. Vergeet ook niet de overdaad aan fraai opgestapeld fruit, aan aandachtig gerangschikte komkommers, aubergines en paprika's op de markt.

Maar in een videoclip van India, die losse verzameling beelden bij een lied, Mera India, hoort ook wat onzichtbaar wordt gehouden. Broodmagere mannen in de sterfhuizen van Moeder Theresa. Jonge vrouwen overdekt met brandwonden - slachtoffers van kerosine-brandjes in de keuken van schoonfamilie die meer bruidschat wil. Sloopstranden met enorme scheepswrakken, half ontmanteld, decor voor donkere arbeiders met sombere blikken, hun handen en voeten aangetast door zuur en metaal. Leprozen, bede-

laars met geamputeerde ledematen, kinderen die toeristen aanklampen om geld of pennen. Kinderen met ontstoken ogen, opgesloten in donkere edelsteenwerkplaatsen vol glimmende stenen en schadelijk gruis. Kinderen met bloedende vingertjes van de scherpe weefgetouwen. Talloze kinderen in kleine schooltjes, waar schoolborden veelal ontbreken en de leraar liever bijles geeft dan voor een mager salaris een hele klas klaarstoomt voor de examens.

Deze film kan oneindig veel verhalen tonen. De beelden schreeuwen om aandacht, maar ik sluit mijn ogen en luister, proef, ruik en voel.

Het lied van India

Luister naar dit lied, de melodie van India, naar dit lied dat bekoort en in verwarring brengt. De tabla begint, geeft het ritme aan, eerst traag, dan versnellend, onvoorspelbaar en ingewikkeld droge korte tikken. De sitar klinkt er smekend en slepend doorheen. Lata Mangeshkar valt in. Zij is de stem van India; ze zong vele honderden Bollywoodfilmsongs in, in vrijwel alle talen die India rijk is. De tekst vertelt over geliefden die elkaar niet mogen zien. Hoog en smachtend beroert ze vele harten.

Riksja's en bussen toeteren onophoudelijk, aangemoedigd door de oproep 'horn please' die geschilderd is op de achterkant van elk voertuig. Langgerekte en oorverdovende uithalen van vrachtauto's overstemmen de ruis van claxons. Vrolijke fietsbellen door het leger fietsriksja's uit Varanasi geven een heldere klank aan dit lied.

Dan klinkt een heldere tempelbel: een bezoeker treedt een tempel binnen en schudt de goden wakker. Het verkeerslawaai verstomt en een priester leest voor uit de Veda's. Zijn donkere, warme stem draagt eeuwenoude strofen voor. Af en toe beantwoordt een jonge leerling zijn vragen, hun dialoog is onverstaanbaar spannend. De tempel staat aan de rand van het water. Buiten klinken kinderstemmetjes, verstaanbaar voor een buitenstaander is 'hello, hello', verder is het universeel enthousiast kinderspel. Roeispanen glijden over het water. Het wordt steeds rustiger. Een enkele plons, totdat ook die verstomt en het lied verder gaat in de woestijn. Hier zijn alleen ontelbare sterren getuige van de absolute stilte. Het lijkt of het lied ten einde is, maar dat is slechts schijn. De stilte wordt doorbroken door een luide boer, gevolgd door onbestemd gerommel. Een kameel staat te herkauwen. In de verte zwellen de violen weer aan, de filmster is terug, in een laatste zoete stuiptrekking. Zij mag het laatste woord hebben, omdat ze zowel droom als werkelijkheid vertegenwoordigt.

Het vertraagde lichaam ziet

De werkelijke ontdekkingsreis bestaat niet uit het zoeken van nieuwe landschappen, maar in nieuwe ogen hebben.
Marcel Proust, *À la recherche du temps perdu*

Het lichaam ziet, ruikt, proeft, hoort en voelt. Via het lichaam nemen we de wereld om ons heen waar. Ik kan over de wereld nadenken, maar ik kan haar ook ervaren. Ik begrijp de wereld door erover te denken, door er boeken over te lezen of met anderen over te praten. Of leer ik meer wanneer ik een wandeling maak door het park, wanneer ik de bergen beklim, de natuur intrek?

Deze twee houdingen weerspiegelen een lang en diepgeworteld verschil in opvatting onder filosofen. Terwijl een deel zich vooral richt op de ratio, op de denkende geest, roept een ander deel op tot het herkennen van onmiddellijke gewaarwordingen, waarbij de zintuigen een hoofdrol spelen.

Deze houdingen hebben een grote weerslag op onze houding ten aanzien van de natuur en op de rol van het lichaam. Laten we, voor we op reis gaan, eens nagaan hoe we tegen het lichaam aankijken in het westerse denken. Want in dat denken ontmoeten we de reiziger voor het eerst en zien we de boekenwurm tegenover de strandwandelaar, de cultuurliefhebber tegenover de bergbeklimmer. We kunnen pas werkelijk begrijpen waarom de wandeltocht zo populair is de laatste tijd, als we haar in haar filosofische context plaatsen.

De eerste stappen

Indien we de drukke Randstadbewoner aan het begin van de 21ste eeuw als maatstaf nemen, lijkt het alsof de hedendaagse mens het vooral erg druk heeft, en in zijn vakanties een grote behoefte aan rust en ruimte heeft. Nog los van het feit dat niet iedere Nederlander zich hierin herkent, is de kreet "rust en ruimte" behoorlijk ingeburgerd in het moderne toeristische jargon: talloze advertenties beloven rust en ruimte, in de natuur, bergen of aan verre stranden. "Rust en ruimte" is het antwoord op "druk druk druk". De verbinding tussen beide is: vertraging.

Een vertraging van het dagelijkse bestaan kan betrekking hebben op een veelvoud aan activiteiten: een wandeling over de heide maken in plaats van er met de auto doorheenrijden. Vertraging is ook: met een Volkswagenbusje naar Turkije rijden in plaats van er met een charter naartoe te vliegen. Vertraging kan ook zijn: twee weken op één vakantiebestemming blijven in plaats van een rondreis langs elf plaatsen in veertien dagen te ondernemen. Een activiteit die bij uitstek vertragend is voor de snelle autobezitter of intercity reiziger is wandelen. Niet voor niets is wandelen populair onder hoger opgeleide dertigers die het drukke bestaan even willen ontvluchten.

De wandeling opent, meer nog dan het zitten op een bankje of het loom achterover hangen in een leunstoel achter een bureau, onze ogen. Ik snuif de geuren van het herfstbos het liefst op tijdens een wandeling, ik voel de zeelucht in mijn huid prikken tijdens de tocht langs het strand, en zie de kleuren van de bloemen in de lente tijdens mijn wandeling door het park. De wereld toont zich niet alleen in de vertraging, maar ook dankzij de beweging. De natuur en de wandeling daar doorheen verleiden tot het gebruik van de zintuigen. Dat betekent wel dat de mens hiervoor moet openstaan. En dat is lang niet altijd zo geweest: noch het gebruik van de zintuigen, noch het wandelen door de natuur mochten tot enkele eeuwen geleden op veel aanmoediging rekenen.

Wandelen was lange tijd iets voor de armen. Tot ver in de achttiende eeuw was wandelen zelfs *not done* voor de hogere klassen. Hoewel er in Europa tot voor kort meer dan genoeg natuur was, kwam tot de zeventiende eeuw niemand op het idee om daar vrijwillig doorheen te wandelen. Natuur was vooral een hindernis om van de ene stad naar de andere doorheen te reizen. In reisverslagen staat nauwelijks iets over het zintuiglijk genot van het reizen. Wandelen als doelbewuste activiteit kwam pas rond 1800 op, en dan aanvankelijk nog slechts over korte afstanden: een ommetje over de speciaal aangelegde wandeldreven.

Dit is niet zo vreemd, gezien de lokale omstandigheden. Vanuit een praktisch oogpunt was wandelen te ontraden, zeker het wandelen door de natuur. Zowel het schoeisel als de wegen waren slecht, en de natuur was doorgaans een gevaarlijk oord. Het risico van verdwalen, de onvoorspelbare weersomstandigheden in de bergen, de drassige gebieden in bijvoorbeeld het westen van Nederland en de voortdurende dreiging van roversbenden in grote delen van Europa, nodigden niet uit tot natuurtochten voor het plezier. Ook kijkt men al snel anders tegen wandelen aan wanneer het de enige manier is om zich te verplaatsen. Net zoals de hedendaagse Nepalees maar weinig begrijpt van de Westerse gewoonte om enkele weken in de bergen te gaan lopen en daar nog voor te betalen ook, simpelweg omdat hijzelf de keuze van andere bestemmingen of vervoer niet heeft, zo trok ook de middeleeuwer of de zestiende-eeuwer niet graag vrijwillig over de wegen. De belangrijkste verleider van de zintuigen bleef daarmee buiten het zicht van de meeste mensen.

Naast dergelijke praktische overwegingen speelt er echter een diepere, filosofische grond mee, die onze houding ten aanzien van de natuur en het wandelen ten diepste heeft gevormd: de houding tegenover de zintuigen en het lichaam in het algemeen. Als we willen begrijpen waarom de Europeaan pas vanaf 1800 met enthousiasme de natuur is ingetrokken, en haar tot die tijd zoveel mogelijk meed of nauwelijks in positieve zin opmerkte, moeten we te rade gaan bij de filosofie. Er is een lange weg bewandeld voordat de rationele filosofie van de Verlichting uitkwam bij de onmiddellijke ervaring. Terwijl lange tijd de rede toonaangevend was, zijn de zintuigen in de filosofie slechts moeizaam onthaald.

Geest boven lichaam, de natuur bedwongen

De opkomst van het wandelen in de natuur maakte deel uit van een nieuwe visie op de relatie tussen mens en natuur die vanaf halverwege de achttiende eeuw ontstond: de Romantiek. Deze is echter niet te begrijpen zonder haar filosofische tegenhanger en voorganger te begrijpen, de Verlichting. Onze houding ten aanzien van het wandelen is diepgaand gevormd door beide denkstromen. Ons denken over het gebruik van ons lichaam en onze kijk op de natuur, waar we nu zo graag doorheen wandelen, zijn hierdoor beïnvloed.

Natuur, lichaam en wandelen bevinden zich aan de ene kant van een filosofisch spectrum, geplaatst tegenover stad, geest en leunstoel aan de andere kant van dit spectrum. Hoewel we het ons niet realiseren wanneer we klauteren door de bergen of de frisse lucht van de Wadden opsnuiven, tonen we ons daarmee kinderen van een traditie die nog maar tamelijk recent in de Westerse geschiedenis is ontstaan, een traditie waarin stad en natuur, geest en lichaam tegenover elkaar stonden.

De filosofische tegenstelling laat zich goed illustreren aan de hand van de positie die men aan de mens toekent. Gedurende de hele Middeleeuwen zagen filosofen, theologen en wetenschappers de mens als bekroning van de schepping. Hij maakte deel uit van Gods plan, en in dit plan neemt hij de hoogste positie in. De Renaissance is de periode waarin die hoogste positie het centrum van zijn bestaan gaat worden: de renaissancemens ging zichzelf beetje bij beetje als centrum van het universum beschouwen en zichzelf als individu. In de zeventiende eeuw kreeg deze gedachte een pendant in een superieure houding ten opzichte van de natuur. De mens als rationeel wezen, begiftigd met een ziel, onderscheidt zich in dit denken in alle opzichten van de zielloze dieren. De mens voelt zich in die zin ver verwijderd van de natuur. Terwijl de mens een ziel heeft, bestaat de natuur uit zielloze dieren en planten, die niet kunnen denken. De ontdekking van de mens leidde aldus tot een superioriteitsgevoel ten aanzien van de natuur en van de materie in het algemeen.

Die gedachte is met name door Descartes (1596-1650) van een filosofisch fundament voorzien. Descartes stuitte in zijn beroemde methodische twijfel op het bekende "ik denk, dus ik besta", waarna hij dit 'ik' identificeert als de geest. Dat is belangrijk: het betekent dat *ik* iets anders ben dan mijn lichaam. Hoewel Descartes (niet alleen wijsgeer, maar ook arts) geenszins onverschillig stond tegenover het lichaam, ziet hij de geest en de ratio als superieur. Deze gedachte sluit aan bij zijn algemene inzicht over de grondslagen van al het bestaande: de uitgebreide substantie, die ruimte inneemt, en waaronder ook het lichaam valt, is in zijn filosofie van een geheel andere orde dan de denkende substantie, waaronder de menselijke geest valt. Beide zijn op geen enkele wijze tot elkaar te herleiden: ze berusten alleen op zichzelf. Wie maar lang genoeg doorvraagt waar nu gedachten op berusten, stuit uiteindelijk op het denken; wie maar lang genoeg doorvraagt naar waar lichamen op berusten, stuit in deze denkwijze op de grondslag van materie – de uitgebreidheid. De consequentie van deze strikte benadering is dat daarmee niet alleen denken en uitgebreidheid van elkaar zijn onderscheiden, maar tevens een fundamentele kloof tussen lichaam en geest gaapt.

De scheiding tussen lichaam en geest heeft niet alleen betrekking op de mens, maar heeft tevens zijn weerslag op de wijze waarop de mens zichzelf ten opzichte van de natuur plaatst: niet als deel van de natuur, maar als wezen van een geheel andere én hogere orde. Net zoals geest en lichaam van elkaar zijn onderscheiden en gescheiden, verschillen ook mens en natuur wezenlijk van elkaar. Juist vanwege zijn geest en zijn denken is de mens niet natuurlijk en niet dierlijk, aldus Descartes en veel van zijn tijdgenoten. De natuur is van een geheel andere aard en is een buitenstaander. Mens en natuur worden uit elkaar gedreven. Dat lijkt abstract, maar sijpelt nog steeds door in onze alledaagse opvatting van de verhouding tussen mens en natuur: van elkaar gescheiden, met een superieure mens, en een superieure geest tegenover de uitgebreidheid van de natuur.

Het boek van de natuur

Uitgaand van de wezenlijk andere aard van mens ten opzichte van de natuur ontstaat de behoefte deze vreemde natuur te leren kennen. Wetenschappers trokken de natuur in om die kennis te vergaren. Het "Boek van de Natuur" moest gelezen worden door de mens: deze plaatste zichzelf dus buiten de natuur: hij was de lezer, niet de deelnemer. De bijkomende gedachte was de kennis van de natuur de mens ook in staat stelde haar te overheersen. Het adagium 'kennis is macht' (afkomstig van Francis Bacon) werd in de zeventiende eeuw geformuleerd en in deze periode trachtte men op alle mogelijke manieren het 'boek van de natuur' te lezen.

Deze houding is niet vanzelfsprekend. In het Westen is een alternatief te vinden in de renaissancistische, magische filosofie van bijvoorbeeld Paracelsus, waarin planten, dieren, sterren en de mens op allerlei wijze nauw met elkaar zijn verbonden. De menselijke ziel is in deze optiek sterk verbonden met de haar omringende elementen. Wie zodoende diep bij zichzelf te rade gaat, heeft daarmee ook toegang tot de natuur en de kosmos in een groter verband.

Elders is een alternatief te vinden in de Chinese schilderkunst en filosofie, waarin eveneens de lijnen tussen mens en natuur veel minder scherp zijn, en bovendien de natuur vervuld is van het goddelijke. Het goddelijke vormt, in tegenstelling tot de westerse benadering, geen tegenstelling met de natuur, maar openbaart zich erin. Ook de mens is geen buitenstaander, maar maakt deel van uit van de natuur. Wanneer we kij-

ken naar Chinese prenten realiseren we ons dat onze eigen houding anders is: de mens wordt opgevat als buitenstaander, als niet-natuurlijk. Die gedachte is zo diep in ons eigen, Westerse denken doorgedrongen, dat het moeite kost ons te realiseren dat je er ook anders tegenaan kunt kijken.

Hoewel de gedachte dat de natuur overheerst en beheerst diende te worden al enige tijd bestond, gaf de filosofie van Descartes een nieuw houvast om dit te rechtvaardigen. Kennis van de natuur dient om de natuur in de grip van de mens te brengen – een houding die in het Westen gemeengoed is geworden. De mens is een rationeel wezen, en is juist dankzij zijn rede anders dan dieren, en heeft dankzij zijn rede de middelen om de natuur te overheersen.

Dit is een houding die niet direct oproept tot het de natuur intrekken. Dat gebeurde ook niet. De wilde natuur werd gemeden. Wel werden er wandeldreven aangelegd waarin men op gecultiveerde en veilige wijze van Gods natuur kon genieten. De natuur werd beheerst en ingekaderd. De Franse tuinarchitectuur is hiervan een fraai voorbeeld: gekapte heggen, doolhoven, fraai aangelegde borders – de mens zegevierde over de natuur, verbeterde haar, cultiveerde haar. De tuinen van Versailles zijn zeer formeel opgezet, volgens strenge geometrische principes. Zij zijn het hoogtepunt van een benadering van de beheersbare natuur. Het wandelen door deze natuur kón alleen maar leiden tot bewondering van het menselijke vernunft dat in staat was geweest de wilde natuur

te temmen. Het wandelen door ongerepte natuur was nog niet aan de orde, daarvoor was een tweede, meer prozaïsche ontwikkeling nodig: de groei van de steden.

Groei van de stad, vlucht naar de natuur

Rond 1800 is de houding ten aanzien van de natuur veranderd: mensen maken ommetjes over wandeldreven, en ze trekken in groten getale de natuur in. Dat heeft alles te maken met de groei van de steden. Terwijl tot dan het merendeel van de bevolking op het platteland woont en de meeste steden relatief klein zijn, trekken ten tijde van de Eerste Industriële Revolutie, rond 1780, grote aantallen mensen naar de steden. Eind achttiende eeuw telt Londen, als grootste stad ter wereld, één miljoen inwoners. In Parijs wonen ca. 550.00 à 600.000 mensen. In Nederland woont zelfs al het merendeel van de bevolking in de steden. De stad gaat zich steeds duidelijker onderscheiden van de haar omringende omgeving, qua omvang, activiteiten en levensritme; een verschil dat steeds meer wordt gevoeld als een verschil tussen stad en natuur.

Dat geeft de aanzet tot een revolte tegen het rationele denken: terwijl een deel van de filosofie zich nog steeds richt op de rede, en bezoeken aan de steden propageert (waarover later meer), komt een ander deel in opstand. Vanaf de tweede helft van de achttiende eeuw keren diverse filosofen zich tot de woeste natuur. Net zoals bij de huidige stedeling een groot verlangen naar 'rust en ruimte' heerst, en hij in zijn vakanties zoekt wat hij in zijn dagelijks leven niet vindt, ontstaat een soortgelijke reactie in de drukke, vieze steden, die als gevolg van de Industriële Revoluties steeds groter worden.

Misschien ontdekt de mens juist omdat hij de natuur intrekt, de stad uitvluchtend, wat zijn zintuigen hem kunnen geven: een scala aan gewaarwordingen die met de rede niet te bedenken zijn – de geuren, kleuren en smaken van de natuur.

Het monopolie van de rede wordt beetje bij beetje doorbroken. De natuur komt in zwang. Er ontstaat aandacht voor de irrationele kanten van de mens, voor zijn 'dierlijke' aspecten, voor zijn gevoelens. Juist omdat de mens onder invloed van het Verlichtingsdenken vervreemdt van de natuur, ontstaat de behoefte ernaar terug te keren. Bij een kleine elite heerst een groeiend gevoel van ongemak bij die bewuste scheiding tussen ons zelf en ons lichaam, bij ons zelf en de ons omringende wereld en bij het zelf gedefinieerd als 'redelijk wezen'.

Filosoof en schrijver Rousseau (1712-1778) is een van de eersten die het nieuwe gevoel onder woorden bracht in zijn roman *La nouvelle Héloi-*

se (1761): het verhaal van de zuivere liefde tussen een leraar en een onschuldig meisje. Zijn boek zou een impuls geven aan het ontdekken van de bergen en, meer in het algemeen, aan een ontdekking van de natuur als bron van zuiverheid en onschuld. Goethe publiceerde zijn tragische verhaal over de onmogelijke liefde tussen een jonge man en een onbereikbare vrouw in *Das Leiden des jungen Werthers* in 1774. Het zuivere gevoel en de vermeende onschuld van het niet-redelijke kwamen in de belangstelling. Dit niet-redelijke zag men op verschillende terreinen, variërend van de primitieve inwoners van Afrika, de zuivere onschuld van de liefde, tot de ongerepte natuur.

De strenge lichaam-geest scheiding en de soms eenzijdige bewieroking van de rede ten koste van het lichaam, werd vooral door de Engelse Romantische dichters gekeerd. Zij trekken de natuur in en bezingen haar in lange gedichten. Een in zijn tijd invloedrijk voorbeeld is Wordsworth (1770-1850). Hij bracht het Lake District onder de aandacht, en hoewel hij aanvankelijk bespot werd om zijn lofzangen op de nachtegaal en de lariks, trokken vanaf het begin van de negentiende eeuw duizenden mensen in zijn kielzog de natuur in om haar te ondergaan. Het eerste georganiseerde toerisme, door Thomas Cook (1808-1892), bracht mensen naar het Lake District en de Schotse Hooglanden. De natuurliefhebber ontstond en verspreidde zich in de negentiende eeuw in steeds grotere aantallen in de tot dan toe grotendeels ongerepte natuur.

De wandelaar

Een van de bekendste natuurliefhebbers uit de negentiende eeuw en een bron van inspiratie voor velen is de Amerikaanse denker/schrijver Thoreau (1817-1862). In zijn privé-domein Walden, ver weg van de menselijke beschaving, vindt hij de rust om de natuur op zijn zintuigen te laten inwerken. Met hem voelen we de zintuiglijke observatie van een man die de natuur voelt, in een rust die alleen ervaren kan worden in het samenspel tussen de waarnemer en zijn object. Hij schrijft in *Walden* (1848):

> Dit is een heerlijke avond, wanneer het hele lichaam één zintuig is, en genot opneemt door elke porie. Ik ga en kom met een vreemde vrijheid in de Natuur, een deel van haar zelf. Wanneer ik in mijn overhemd langs de stenige oever van de vijver wandel, hoewel het koel is en bewolkt en winderig, en ik niets speciaals zie dat mijn aandacht trekt, zijn alle elementen ongewoon vriendelijk jegens mij. De brulkikkers bazuinen als portiers in de nacht, en de klank van de nachtzwaluw wordt gedragen over de wind

die over het water rimpelt. Sympathie met de klapwiekende elzen en populierbladeren beneemt me bijna mijn adem; en toch, zoals het meer, wordt mijn sereniteit rimpelend maar niet verstoord. Deze kleine golven die ontstaan door de avondwind zijn net zo ver van storm verwijderd als het zacht reflecterende oppervlak. Hoewel het nu donker is, waait de wind nog steeds en roert zich in het bos, de golven spatten nog steeds, en sommige wezens zingen de rest in slaap met hun gezang. De rust is nooit compleet. De wildste dieren rusten niet, maar zoeken nu hun prooi; de vos, en stinkdier, en konijn schuimen nu door de velden en bossen zonder angst. Zij zijn de wachters van de Natuur – koppelingen die de dagen van bezield leven aan elkaar verbinden.

Henri Thoreau, *Walden*

Thoreau was geen reiziger, maar vooral een traag wandelende waarnemer. In zijn kielzog zoeken mensen op hun natuurreizen ervaringen zoals hij beschrijft. De natuurreiziger beleeft hoogtepunten op de veranda van een eenvoudig hotel in een wildpark wanneer hij luistert naar de cicaden; geniet van de lucht over zijn gezicht tijdens een strandwandeling, zoekt niet alleen de rust van de natuur, maar vooral de rust van zijn eigen gemoed waaruit de gekte van de stad dag na dag meer wegebt.

Thoreau was bovendien een wandelaar in hart en ziel: iemand die wandelde omwille van het wandelen, niet als lichamelijke oefening, maar als doel op zich. Dit past bij de etymologische oorsprong van het woord wandelen, het Germaanse Wandern, dat 'doelloos rondzwerven' betekent. Thoreau schreef vlak voor zijn dood een driedelig essay getiteld *Walking* (1862), waarin hij het wandelen zelfs als een vorm van pelgrimage ziet. Het Engels kent een oud begrip voor slenteraar of wandelaar: 'saunterer'. Dit is afgeleid van 'saint a terre': iemand die zich voordeed als een man op weg naar het heilige land om zodoende gemakkelijk aalmoezen te verzamelen. Deze wandelaar konden we ook wel zien als iemand 'sans terre', zonder land. In de goede zin van het woord is de wandelaar iemand die nergens een huis heeft, maar overal thuis is.

De beste wandelaar is misschien wel degene die dit thuis kan bereiken – zoals Thoreau zelf lijkt te hebben gerealiseerd in zijn Walden. Maar de echte wandelaar is vooral ook de vrije man, die huis en haard verlaat en volkomen vrij over de wereld zwerft. Opmerkelijk is vooral hoe de waarneming tot stand komt in een rustige geestestoestand, en hoe het rustige gemoed de waarneming mogelijk maakt. Iemand die overspannen uit de stad komt, zal nooit in staat zijn een dergelijke passage te schrijven. Zijn opmerkzaamheid voor het natuurlijke leven moet eerst terugkomen, zijn ontvankelijkheid voor wat zich aandient weer opnieuw opengaan.

Terwijl de vroege wandelaars de natuur opzochten vanuit nog steeds een gevoelde superioriteit van geest boven lichaam, zien we bij Thoreau en bij denkers die na hem kwamen, hoe ze de geest ín het lichaam willen situeren, de mens ín zijn wereld. Ik denk dat veel wandelaars hun wandelingen nog steeds gebruiken om op Romantische wijze te ontsnappen aan het rationele juk van de steden en van de scheiding tussen lichaam en geest. Ik vermoed dat ze, misschien meer dan ze zich bewust zijn of zouden willen, zichzelf als buitenstaander zien. Ik realiseer me hoe diep die scheiding gaat, als ik in de bergen spreek met een herder, die, door te kijken naar de lucht, het gedrag van de vogels en insecten, weet wat voor weer het gaat worden de komende dagen. Ik realiseer het me als ik raftend op een wilde rivier zie hoe de gids de rivier 'leest', en bij elk golfje en elke rimpeling weet waar de rotsen zijn, hoe diep de geul is en waar hij doorheen kan varen. Op dergelijke momenten weet ik dat ik een buitenstaander ben en dat ik niet ín de natuur sta (ook al bevind ik mij lijfelijk in de bergen, of omringd door het water), maar er tegenaan kijk en haar niet werkelijk ken.

De praktische kennis van bergbewoner en rivierbevaarder vragen om een andere houding ten opzichte van de natuur, waarin de mens zichzelf meer als deel van die natuur ziet dan als buitenstaander.

Met de interesse voor de natuur ontstaat meer aandacht voor de lichamelijkheid van de mens: voor het zintuiglijke genot dat bloemengeuren, de zachte avondlucht op de huid of juist de frisse ochtendtemperatuur teweegbrengen, voor het gevoel van vermoeidheid dat zich langzaam meester maakt van de wandelaar tijdens een lange tocht. In de filosofie zien we diverse denkers die zich tegen Descartes keren. Voor Descartes was de mens een wezen wiens essentie buiten de natuur staat – hij kijkt ernaar, hij denkt erover, maar hij maakt er geen deel van uit. Hij is een subject dat een wereld vindt. Het Cogito plaatst de mens op een eenzame positie. Maar is dit hoe wij tegenover de wereld staan? Staan wij wel tegenover de wereld? Nee, zeggen filosofen als Nietzsche en Merleau-Ponty.

Het lijf op pad - Inzicht in de bergen

In de filosofie reiken Nietzsche en Merleau-Ponty ons handvaten aan om ons zelf minder als buitenstaander te zien. Zij slaan een nieuwe weg in binnen de filosofie, een weg waarin het wandelen zelfs expliciet wordt genoemd als manier om ons door onze zintuigen weer in contact te brengen met de ons omringende wereld, en deze wereld dichterbij te brengen. Bij beiden spelen zowel de vertraagde beweging, zoals bij de wandeling het geval is, als de waarneming die daardoor mogelijk wordt, een rol. Hoewel ze veel intellectueler zijn dan de rafting gids of de herder, openen zij voor de rationele mens de mogelijkheid om op een meer zuivere manier in de natuur te staan en daarmee wellicht ook op andere terreinen zijn waarneming en zijn lichamelijkheid serieuzer te nemen, en niet als inferieur aan de rede te zien.

Nietzsche (1844-1900) wandelde veel en graag, met name door de bergen. Zijn filosofische opvattingen zijn doordrongen van een besef van lichamelijkheid, dat alleen kon ontstaan door zijn eigen lange wandelingen. Hij bracht een groot deel van zijn leven door in de Zwitserse bergen, in het dorpje Sils-Maria, om hier de zware hoofdpijnen waaraan hij leed te verzachten. Hier schreef hij ook het tweede deel van *Aldus sprak Zarathoestra*. Dit werk is doordrenkt van het landschap: hoge bergtoppen, grotten, wouden, woestijnen keren regelmatig terug wanneer hij aan de hand van de wijze Zarathoestra zijn vernieuwende ideeën over de mens uiteenzet. In de bergen realiseert Nietzsche zich wat de houding van de westerse mens tegenover de natuur is, en beseft hoe onterecht deze houding is.

Op de vraag of wij tegenover de wereld staan, is zijn antwoord luid en duidelijk: Nee, wij staan niet tegenover de wereld. Mensen komen voort uit de wereld. Met de grote illusie die de mens zich voorhoudt dat de ziel het lichaam beheerst, zijn we deze fundamentele waarheid uit het oog verloren, aldus Nietzsche. Onder meer tijdens de wandeling realiseren we ons hoe nauw het contact tussen ons lichaam en de wereld is. Tijdens de wandeling openen lichaam en geest zich voor de wereld: we voelen de wereld in ons binnendringen op een zeer zintuiglijke manier, die ons nieuwe energie geeft. "Klimmen verruimt het lichaam en bijgevolg het denken", schrijft Nietzsche over zichzelf.

In *Aldus sprak Zarathoestra* worden deze ideeën uitgesproken door de figuur Zarathoestra, een man die de stad verlaat om in de woestijn te wonen, die zich terugtrekt in de wouden en op de bergtoppen. Net als Nietzsche zoekt hij zijn wijsheid in de eenzaamheid van de natuur, waar hij wandelend doorheen trekt. Zarathoestra staat model voor de Übermensch, de mens die zich heeft bevrijd van de ketenen van conventies en geschiedenis en die geleerd heeft voor zichzelf te denken. De bergen zijn zijn natuurlijke terrein – in de bergen zet ieder mens zijn eigen stappen. Hier komt hij zichzelf tegen, in confrontatie met afgronden en toppen. Zarathoestra is een reiziger, schrijft Nietzsche.

Ik ben een voetreiziger en een bergbestijger, zei hij tot zijn hart, ik houd niet van de vlakten en kan, zo schijnt het, niet lang stilzitten.

En ongeacht welke lotgevallen en wederwaardigheden mij nog beschoren zijn, - er zal een trekken in zijn en een beklimmen van bergen: uiteindelijk ervaart men enkel nog zichzelf.

De tijd is verstreken waarin toevalligheden nog mijn pad konden kruisen; en wat zou me nog *kunnen* toevallen dat niet reeds van mij was!

Het keert slechts terug, het komt eindelijk thuis – mijn eigen Zelf, en wat daarvan lang in den vreemde toefde, en verstrooid onder alle dingen en toevalligheden.

En nog één ding weet ik: ik sta thans voor mijn laatste top en voor datgene wat mij het langst bespaard is gebleven. Ach, mijn hardste weg moet ik opwaarts gaan! Ach, ik ben begonnen aan mijn eenzaamste voetreis!

Doch iemand van mijn aard ontkomt niet aan zulk een stonden: de stonde die tot hem spreekt: 'Eerst nu ga jij pas je weg van grootheid! Top en afgrond – dat is thans in één besloten!'

Friedrich Nietzsche, *Aldus sprak Zarathoestra*, p.153

Een dergelijke passage verbaast niet van een man die zelf zo graag door de bergen wandelde. Deze passage had niet bedacht kunnen zijn door iemand die zijn woning nooit verlaat, die zich verschuilt tussen de steenmassa's van de stad en wiens leven bepaald wordt door de drukte en het ritme van de stad. Hoewel filosofen wellicht pretenderen een waarheid te vinden die boven haar omgeving is verheven, laat Nietzsche zien hoezeer de omgeving het denken in een bepaalde richting stuurt. Niet dat hiermee de concrete voetstappen per se voorwaarde zijn om tot een bepaalde manier van denken te komen, maar de houding van de wandelaar houdt een bepaalde geestestoestand in die ook wanneer de wandelaar tot rust is gekomen doorwerkt in zijn denken. Een omgeving is niet zomaar weg te denken, zelfs de meest onafhankelijke denker kan zijn omgeving nooit geheel ontkennen en zijn ervaringen geheel buitensluiten: de hectische stad leidt tot een andere vorm van denken dan de eenzame bergen. Nietzsche's oproep is vooral een oproep aan de starre filosofen die een stilstaand centrum van de wereld zoeken, een oproep aan de burgers die gedachteloos de tred van de kudde treden. De eerste stap is de bevrijding uit die stilstand, en al doelt Nietzsche in de eerste plaats op een filosofisch inzicht, concreet gezien is de wandeling een eerste mogelijke aanzet daartoe.

Nietzsche spreekt zich in eenzelfde trant uit over de ervaring van het lichaam. De meeste filosofen zijn uitgesproken negatief tegenover het lichaam. Een lange reeks denkers, beginnend bij Sokrates, Augustinus en Thomas van Aquino verwerpt het lichaam als bron van kennis en vreugde. De ware filosoof zou zijn lichamelijke beperkingen moeten ontstijgen en beheerst zijn lichaam. Alleen de ongebonden geest zou tot waarheid leiden. De Franse denker Michel Onfray schreef het toegankelijke boek *De kunst van het genieten*, waarin hij cynisch schrijft over het "gecastreerde lichaam" in een hoofdstuk getiteld *De engelenmachine*: het ideaal dat hierin wordt verworpen is een lichaamloze geest te verkrijgen, die niet aan eten, seks of dood gebonden is.

Maar met zo'n houding komt men niet ver in de bergen, noch in het leven in zijn algemeenheid. In de bergen is het lichaam niet weg te denken. Wie maanden of jaren in zijn leunstoel blijft zitten, de boeken van zijn voorgangers leest en becommentarieert, vergeet misschien dat hij geen lichaam nodig heeft en kan de illusie hooghouden dat zijn geest superieur is, maar Nietzsche verwerpt Descartes' scheiding tussen lichaam en geest en de hele reeks denkers die hem voorgingen in hun verafgoding van de geest. Hij draait de prioriteit van lichaam en geest zelfs om: het lichaam noemt hij de grote ziel, de geest de kleine ziel. Het kind – de nog niet ontwikkelde mens – heeft deze waarheid nog niet door en denkt dat hij vooral ziel is. Maar hoe onwaar is dit:

'Lichaam ben ik en ziel' – zo spreekt het kind. En waarom zou men niet als kinderen spreken?

Maar de ontwaakte, de wetende zegt: lichaam ben ik geheel en al, en niets daarbuiten; en ziel is enkel een woord voor iets aan het lichaam.

Het lichaam is een groot verstand, een veelheid met één zin, oorlog en vrede, kudde en herder.

[...]

Er schuilt meer verstand in je lichaam dan in jouw beste waarheid.

Friedrich Nietzsche, *Aldus sprak Zarathoestra*, p.35

Deze overtuiging klinkt door in zijn eigen wandeltochten, waar de mens zoveel kan leren van zijn zintuigen en van de confrontatie met zijn lichamelijkheid in een omgeving die een lichaam eist – ruwe bergen. Het heilige ontzag voor boeken is onterecht. Laten we voelen wat ons lijf ons aandraagt, kijken naar wat we zien, waarnemen wat we gewaarworden. Alleen dan is wat hij noemt 'Heiterkeit' mogelijk, een gemoedstoestand die zich het best laat vertalen als een 'opgewekte sereniteit' of 'serene opgewektheid' (Lemaire). Geen onbekommerde blijheid overigens, maar met een tragische ondertoon, want de wereld is immers niet alleen vreugde, maar ook verdriet, vernietiging en strijd. Die volheid van het leven inzien, is echter de kunst. Nietzsche's doel is daarbij niet alleen de waarneming omwille van de waarneming, maar vooral ook omwille van het worden van de Übermensch: de mens die geen slaaf is van zijn kuddde-instinct, die zijn leven niet laat leiden door de sleur van alledag, maar de zelfstandig denkende, wijze mens. Iemand die niet terugschrikt voor de vrijheid van zijn gedachten, maar zichzelf durft te vormen.

Een vrij mens, in de Nietzscheaanse zin van het woord worden we nooit als we niet beginnen bij het begin, namelijk bij ons eigen lijf, en waar worden we meer bewust van die lijfelijkheid dan wanneer we in beweging zijn? Dat in beweging zijn vindt bij voorkeur plaats op plekken waar we niet worden afgeleid van die beweging door de drukte van de stad met al haar prikkels en conventies. Nietzsche verzet zich tegen de intellectualistische traditie van Sokrates en Descartes, die neerkeken op de natuur en de stad liever niet verlieten. Nietzsche pleit voor een trouw aan de aarde. Hoewel wandelen natuurlijk niet per se in de natuur hoeft plaats te vinden, leidt de stad meer af wanneer we proberen ons te concentreren op onze eigen zintuiglijke waarnemingen. De stad schreeuwt voortdurend om aandacht, in de vorm van verkeersgeluiden, opdringerige uithangborden, voorbijgangers, uitlaatgassen. Het is moeilijk zich daarin op de eigen waarneming te concentreren.

Nietzsche neemt de zintuiglijkheid serieus. Dat zien we niet alleen in zijn vele wandelmetaforen en eigen wandeltochten, maar ook in zijn ideeën over kunst en muziek, die niet gericht moeten zijn op het hogere of verhevene, maar juist op de 'grondtoon' van de wereld, op het irrationele, doelloze en veranderende. Hier spreekt een man die de waarneming en de beweging als uitgangspunt neemt, niet alleen als feitelijke stappen in de ruimte, maar vooral ook als metafoor, als levenshouding die ons ten diepste vormt. De wandeltochten van Nietzsche zijn dan ook vooral een oproep aan de starre, burgerlijke mens, om te zien dat de vrije geest zwerft en in beweging moet zijn, en daarmee openstaat voor wat hem toevalt.

De bril afzetten

Nietzsche is niet de enige die zich op de waarneming richt. De oproep de zintuiglijke waarneming serieus te nemen vinden we terug in de fenomenologie, een filosofische stroming waarin Brentano (1838-1917), Husserl (1859-1938) en later Merleau-Ponty (1908-1961) kunnen worden geplaatst. De bedoeling hiervan is om de fenomenen, oftewel de concrete verschijningen van de wereld, serieus te nemen als grondslag van kennis.

De fenomenologie keert zich tegen de intellectualistische tendens van Descartes en zijn opvolgers, die de ratio buiten en boven de wereld en buiten het lichaam plaatsen, om haar vervolgens met die ratio, van een afstandje, te doorgronden. Die afstand bestaat uit de kloof die tussen mens en wereld, geest en lichaam, taal en wereld, en theorie en ervaring wordt aangebracht. De fenomenologie roept op om de fenomenen zoals ze zich aandienen serieus te nemen, in plaats van de wereld te bezien vanuit de gekleurde brillen die de ratio reeds krijgt aangereikt door anderen. En met fenomenen worden de zichtbare verschijnselen bedoeld, zonder alle franje die wij daar veelal zonder er bij stil te staan omheen hangen.

Hoe nemen wij normaliter waar? Niet op een zuivere manier, maar altijd bezien door een bepaalde bril. Wanneer wij de wereld waarnemen, komen daarin vrijwel altijd onze vooroordelen mee. Husserl maakt een onderscheid tussen het *zijn als ding*, dus als (materieel) object, als, om met de existentialisten te spreken, een *être-en-soi*, en het *zijn als ervaring*, als 'Erlebnis', een *être-pour-soi*, oftewel iets dat refereert aan iets anders. De dingen zoals ze zijn, zijn altijd in onze ervaringen gegeven: we zien niet zomaar een bus, maar een oude of een moderne bus – de ervaring legt er een kleur, een betekenis, toon, een interpretatie in. In onze dagelijkse ervaring zien we geen 'mens', maar iemand met een koffiekleurige huid, een man, een moslim, een bejaarde, iemand die aantrekkelijk is of juist nors kijkt. We zien geen woning, maar een villa, een hutje, een bouwval. In onze benoemingen komen reeds bestaande categorieën mee van wat belangrijk is en wat niet, wat betekenis heeft en wat niet, enzovoorts. De vraag die Husserl vervolgens stelt is: hoe kan het object tot ons komen? Hoe kunnen we het object losmaken uit al die interpretaties en benoemingen die zo ongewild meekomen in onze waarnemingen?

Toen ik voor de eerste keer aankwam op het vliegveld van Delhi, zag ik de aankomsthal, de bagageband, de bagagekarretjes, en de WC's met hele andere ogen dan toen ik er voor de vierde of vijfde keer aankwam. Onbekendheid, vermoeidheid, onzekerheid, verwachtingen vooraf kleurden mijn waarneming, net zoals ervaring en bekendheid ze bij latere gelegenheden kleurden.

Als ik vanaf een dal naar de berghut loop die hoog in de Italiaanse Alpen ligt, is de ervaring van het ernaar toe klimmen een totaal andere dan van de afdaling de volgende dag: op de heenweg het puffen van het klimmen in de zon, de onbekendheid van hoe ver het nog is, mijn kuitspieren die zich na een paar uur doen voelen. Op de terugweg voelen de stenen gladder, herken ik delen van de route, is het dal beter zichtbaar dan de dag ervoor de top, let ik minder op alle vlinders en meer op de bloemen, enzovoorts. Een gesprekje met de boer die boven zijn koeien heeft staan maakt me ook duidelijk dat hij zijn wekelijkse afdaling heel anders ervaart; wat ik zoek als nieuwe belevenis, is voor hem een routinewandeling van jaren.

Dit geldt voor alle tochten die we maken, of we dit nu wandelend doen of per auto. De heenreis naar Italië over de onbekende weg in de hitte voelt heel anders aan dan de terugreis, waarbij de weg die op de heenweg eng en hoog leek al voorbij was voordat ik het 'enge stuk' als zodanig had herkend. Een busrit in Nepal die me de eerste keer verlamde van angst, werd na de vierde keer "gewoon" de rit van Pokhara naar Kathmandu.

Hoewel we misschien denken dat de wereld is zoals we haar waarnemen, moeten we toegeven dat we haar steeds op andere wijze zien. Daarbij zien we nooit de dingen zoals ze werkelijk zijn, ze verschijnen steeds op andere wijze. De werkelijkheid is ambigue; de wereld blijft zich verbergen. Vincent van Gogh werd tot wanhoop gedreven toen bleek dat iedere dag de lichtval weer anders was, en hij er niet in slaagde de wereld te schilderen zoals deze zich werkelijk voordeed.

Onze waarneming is niet neutraal. Ze wordt altijd gekleurd door verwachtingen en vooroordelen – brillen van onze waarneming. De bedoeling van de fenomenologie is om ons hiervan bewust te maken én om terug te keren naar onze zuivere waarnemingen en de 'oordeelsschillen' die onze waarnemingen omhullen af te pellen. Volgens de fenomenologie is zuivere waarneming dus wel degelijk mogelijk, mits we ons losmaken van onze vooroordelen. Daarmee vertoont de fenomenologische onderneming overeenkomst met de Zen-boeddhistische benadering, die eveneens veel aandacht besteedt aan het zuiveren van de waarneming en de gerichtheid op hoe dingen werkelijk zijn, los van onze vooroordelen en verwachtingen daarover. Zowel Husserl als Brentano hebben zich in het Zen-boeddhisme verdiept.

De vraag is natuurlijk in hoeverre dit mogelijk is – kunnen we onze schillen van ons afwerpen en is het dan mogelijk dat de zuivere waarnemingen worden ontsloten? Om dat te doen moeten we ons eerst bewust worden van die schillen, van vooroordelen die we met ons meedragen. Deel II, *De rugzak van de reiziger* gaat hier uitgebreid op in. Maar los van het antwoord op deze vraag, is een van de verdiensten van de fenomenologie hoe dan ook dat ze onze blik richt op de rol van de waarneming en dat ze daarbij het lichaam op de voorgrond plaatst. Het is een belangwekkende oproep om niet, zoals veel filosofen doen, op het niveau van het rationele en beschouwende te blijven steken, maar juist het lichamelijke aspect op de voorgrond te plaatsen. De Franse filosoof Maurice Merleau-Ponty heeft hier uitgebreid over geschreven. Zijn denken is van belang voor de individuele reiziger die met een zekere onbevangenheid de wijde wereld in wil trekken, omdat hij handvaten aanreikt om die zuivere waarneming op te zoeken.

In de wereld staan
De aanvangsvraag van Merleau-Ponty borduurt verder op het lichaamgeest probleem dat Descartes de filosofie – en in hoge mate ook het alledaagse denken over lichaam en geest – heeft nagelaten: staan wij als een subject tegenover een object, oftewel: staan wij *tegenover* de wereld, zoals Descartes' conclusie moest luiden?

Nee, wij hebben een lichamelijkheid en zintuiglijkheid die al aan het denken vooraf gaat, stelt Merleau-Ponty. Descartes en Kant hebben, in Merleau-Ponty's woorden "het bewustzijn losgemaakt van de wereld". In zijn *Fenomenologie van de waarneming* (1945) probeert hij om dit bewustzijn weer in de wereld te plaatsen, en om via de waarneming de wereld te bereiken. Hij zoekt naar het gebied waarop subject en object elkaar ontmoeten, waarop bewustzijn en zijn elkaar raken en komt daarbij automatisch op het lijfelijke terecht. Immers, voordat wij ons uitspreken over dingen, hebben we er al een contact mee, in de vorm van een gewaarwording die aan het oordeel vooraf gaat.

Als ik een wandeling maak, hoef ik niet bij elke stap te denken: 'rechterbeen omhoog, rechterbeen naar beneden, linkerbeen optillen, neerzetten' et cetera – ik voel wat ik moet doen, zonder daarover na te denken. We hebben een vanzelfsprekend contact met de wereld vóórdat we daarover gaan nadenken, dus een voorbewust contact. "Wij zijn versmolten met het lichaam, dat meer van de wereld afweet dan wijzelf," zegt Merleau-Ponty. Het denken komt volgens Merleau-Ponty later dan de onmiddellijke gewaarwording van een fenomeen, en in dat moment, tussen waarneming en interpretatie ligt de mogelijkheid om te ontsnappen uit die scheiding tussen subject en object.

Eerst hebben we de gewaarwording van koud, daarna interpreteren we pas dat het een stuk metaal is. Eerst proeven we iets zoets, daarna denken we "hmmmm, dat is lekker". Hoewel onze oordelen vaak al meteen met onze waarnemingen meekomen, zoals Husserl aantoonde, kúnnen we ze los zien van elkaar. Hoewel we vrijwel onmiddellijk onze vooroordelen in onze waarneming meenemen als we een bord sprinkhanen krijgen voorgeschoteld, is het mogelijk om ze te zien zoals ze zijn: een bord sprinkhanen. Hapje nemen. Dan pas een oordeel geven: mild van smaak, knapperig. Lekker (of niet).

Daar is enige oefening voor nodig. Maar het is mogelijk om ons denken als het ware tussen haakjes te plaatsen en te trachten tot de fenomenen zélf door te dringen. En wellicht opent dat onze geest zodanig dat we in staat te zijn de sprinkhanen zonder kokhalzen op te eten.

Dit vraagt om aandacht voor de waarneming. De inzichten van Merleau-Ponty zijn voor de trage reiziger van belang, voor de wandelaar is immers het genot dat de waarneming brengt een van de dingen die hij zoekt. Maar naast het genot leidt juist deze zorgvuldige waarneming tot een waarheid die voorbijgaat aan alle interpretaties, verwachtingen en vooroordelen. De filosofische wandelaar doet meer dan genieten; hij komt tot inzicht in de wereld.

Om tot de essenties van de dingen te komen moeten we beginnen bij de feitelijke wereld. Niet bij de ideeën die we daarover hebben, niet bij de analyses, niet bij het afstandelijke *cogito* dat de wereld beschouwt, of de wetenschappelijke blik die doet alsof haar eigen bewustzijn niet telt, maar bij de wereld zelf, en – omdat wij die wereld waarnemen – bij het raakvlak van bewustzijn en wereld. We moeten terugkeren naar de dingen zelf, naar de wereld die voorafgaat aan kennis, waarover kennis altijd spreekt. Het werkelijke moet beschreven worden, niet geconstrueerd of gevormd. Dat is een groot ideaal, en niet eenvoudig te realiseren. Merleau-Ponty schrijft zelf al dat we geneigd zijn om dromen rond dingen te weven, maar hij neemt daar afstand van.

De kern van zijn fenomenologie vat hij zelf samen: het werkelijke bestaat voordat we daarover oordelen en het een plaats geven in onze theorieën en schema's. Dit is gekoppeld aan het in de fenomenologie belangrijke begrip *intentionaliteit*, oftewel: de *gerichtheid op*. Wanneer

wij waarnemen zijn wij als subjecten gericht op objecten. Die gerichtheid betekent dat wij niet tegenover de objecten staan, maar een relatie
hebben met de objecten. Intentionaliteit betekent dat – in de woorden
van Merleau-Ponty – de wereld geen object is waaraan ik mijn wetten
kan opleggen, maar mijn natuurlijke setting van een veld van al mijn
gedachten en al mijn expliciete waarnemingen. Door de gerichtheid op
de wereld is de mens in de wereld, en alleen in de wereld kent hij zichzelf (MP, p. v).

> Wanneer ik tot mijzelf terugkeer van een excursie naar het rijk van de dog-
> matische common sense of van wetenschap vind ik geen bron van intrin-
> sieke waarheid, maar een subject dat op de wereld gericht is.
> Marcel Merleau-Ponty, *Fenomenologie van de waarneming*, p. v.[1]

Deze woorden roepen op om ons werkelijk te richten tot de fenomenen, om te versmelten met wat we waarnemen. De oordelen fladderen
als lastige vlinders achter onze oorspronkelijke waarnemingen aan. Voortdurend vragen we ons af of onze waarnemingen juist zijn; maar kunnen
we niet onze waarnemingen als toegang tot de wereld zien? Het verschil
is dat we in het eerste geval onze vooroordelen over de wereld laten spreken, terwijl we in het tweede geval naar onze waarnemingen luisteren.
Merleau-Ponty schrijft:

> De wereld is niet wat ik denk, maar wat ik leef. Ik sta open naar de wereld,
> en zonder dat er aan kan worden getwijfeld sta ik ermee in contact, maar
> ik bezit haar niet; ze is onuitputtelijk.
> Marcel Merleau-Ponty, *Fenomenologie van de waarneming*, p. xiii
> (vertaling René Vlasblom en Douwe Tiemersma)

Met al deze uitspraken probeert hij ruimte te maken voor de wereld zelf.
Maar hoe staat het subject, het ik dat die wereld waarneemt, hiermee in
verhouding?

Via de waarneming. Waarnemen is een vorm van deelnemen aan de
wereld. Het bewustzijn opereert niet boven de wereld, maar *in* de wereld.
Dat betekent dat onze verhouding tot de wereld geen ken-verhouding is –
alsof onze relatie tot de wereld is van een subject dat de wereld kent en hier
zijn oordelen over uitspreekt - maar een *zijns*verhouding: wij *zijn* (in) de
wereld. De mens staat niet buiten de wereld, zoals Descartes lijkt te suggereren, maar is erop betrokken, namelijk via de zintuiglijke waarneming.

De houding van betrokkenheid op de wereld is van groot belang voor de reiziger: hij kijkt niet als een toeschouwer naar de wereld waar hij zich doorheen begeeft, maar maakt er altijd deel van uit. Hij is betrokken op de wereld. Uit Merleau-Ponty's *Fenomenologie van de waarneming* is een oproep af te leiden om zelf de wereld waar te nemen. De reiziger op zoek naar waarheid – mogen we hem de ware reiziger noemen? – reist niet aan de hand van een gids, die zijn blik op de wereld bepaalt voordat de reiziger zelf zijn ogen heeft geopend, maar is juist iemand die probeert ín de wereld te zijn, en het contact tussen hem zelf en de wereld in de waarneming probeert te bevestigen en te ontdekken. Of deze gids nu een levende persoon is, een boek of de verwachtingen en vooroordelen die we ons in de loop van ons leven hebben eigen gemaakt, zaak is om hem met zachte hand weg te sturen en de waarneming van de wereld zélf te doen. Dat is moeilijk, maar het is een streven dat tot een eerlijker en meer onbevangen waarneming van het onbekende kan leiden.

Je de wereld eigen maken

Waarneming is niet alleen een proces van kennen, maar ook van toekennen, aldus Merleau-Ponty. In de waarneming maken we de wereld tot de onze, nog voordat we ons er bewust van zijn, zoals we met iedere stap ons opnieuw ín de wereld begeven. Er is geen waarneming mogelijk zonder een voorbewust besef dat mogelijk wordt gemaakt in het lichamelijke. Lichaam en geest zijn in die zin één. Voor de wandelaar is dat heel duidelijk, omdat zijn lijf zo aanwezig is in zijn waarneming. De kleur van mijn boswandeling wordt bepaald door mijn gemoedstoestanden. Ben ik eerder in dit bos geweest? Ben ik verdwaald of ken ik de weg? Is het zonnig en warm of regenachtig en koud? Ben ik alleen of in gezelschap van anderen? Heb ik kennis van bloemen en vogels of niet? Al deze aspecten kleuren mijn waarneming, waardoor een neutrale beschrijving niet meevalt. Maar zelfs als we niet proberen om tot de zuivere waarneming terug te keren, is het goed te beseffen dat onze waarnemingen niet alléén komen, maar met al die omhullende en verhullende schillen van vooroordelen. Die vooringenomen oordelen hebben vaak maar weinig meer van doen met de waarneming zelf.

De heldere blik ontstaat vaak wanneer bekende kaders wegvallen. Dit geldt niet alleen voor de reiziger. Men kan ook denken aan de waarneming van de verliefde, of van de mens die door rauw verdriet verscheurd wordt. In beide gevallen scherpt de waarneming zich. Verliefden en rouwenden zijn niet zelden helder-ziend. Omdat ze zichzelf, met alle vertrouwde kaders van waarneming en oordeelsvorming daar omheen, verliezen in hun verliefdheid of verdriet, is hun intentionaliteit, hun op de wereld gericht zijn, buitengewoon groot en kan leiden tot een zeer heldere kijk op de werkelijkheid. Voor de reizende schept zijn tocht door het onbekende eveneens de mogelijkheid de wereld werkelijk te zien, want de vertrouwde kaders zijn doorbroken.

Al met al lijkt het erop dat onze houding ten aanzien van de natuur een grote rol speelt in de waarneming van de natuur: terwijl in de zeventiende eeuw de mens van een afstand keek naar de natuur (al dan niet door die natuur te cultiveren), hij in de Romantiek de wilde natuur ging waarderen, zien we eind negentiende en in de twintigste eeuw pogingen om de kloof tussen mens en natuur, geest en lichaam te dichten. De zintuigen zijn daarbij een aangewezen instrument. Het ín de natuur en in de wereld zijn wordt bij uitstek opgeroepen door het wandelen, dat ons bewust maakt van de lijfelijkheid van de waarneming.

Met een vertraging van de beweging ontstaat ruimte om de verbondenheid tussen mens en wereld opnieuw te ontdekken, niet alleen via de overweldigende kracht die uitgaat van de bergen, maar ook door de kleinste waarneming van brullende kikkers in de avondschemering. Door aandachtsvolle waarneming komt het denken tot rust. Daarin geven ook de kleinste waarnemingen toegang tot een wijder beeld van de positie van de mens in de wereld. De mens wordt via de vertraagde wandeling terug in de wereld geplaatst, in plaats van op Cartesiaanse wijze erbuiten gesloten – als verheven geest neerkijkend op de natuur. Die houding kunnen we zoeken in onze eigen reizen, al is het alleen al door de keuze van de bestemming en de activiteiten die we wensen te ondernemen, maar vooral ook door de aandachtsvolle waarneming en openheid voor wat zich in die waarneming aandient.

India: de vijf zintuigen II

Het parfum van India

Wat is een reis zonder geuren? Zijn geuren niet de meest subtiele aanwijzing voor de werkelijke aanwezigheid van de reiziger op zijn vreemde bestemming? Ongeacht de fraaie beelden, levensechte documentaires en prikkelende muziek, blijft er in het ondergaan van elke film een gevoel van afstand bestaan, door het ontbreken van tast en geur. Een geurloos mens is geen mens, een geurloze stad is dor en doods. De stad komt tot leven in haar geuren, de reiziger snuift zijn reis op, gretig, walgend, mild.

De levende stad – ik spreek hier over iedere willekeurige plaats in India - hult zich iedere avond in nevelen. De houtvuren worden opgestookt. Tussen de huizen hangt een witte waas. Daar achter kleurt de lucht oranje. Samen met de scherpe lucht van verbrand hout stijgen ook de eerste etensgeuren op: de aroma's van linzenprut en scherp gekruide groenten vinden hun weg de ruimte in. Zij zijn de eerste ingrediënten van het parfum van India. India in geur uitgedrukt is in de eerste plaats een breed spectrum van specerijen – de maggi-achtige geur van fenegriek; de zoete kardamon en kaneel, prikkelende rode pepertjes die in jute zakken in kleine winkeltjes staan, laurierblad en kruidnagels. In het parfum mag niet de geur van verbrande koeien- of kamelenmest ontbreken, de meest basale brandstof, met blote handen verzameld door vrouwen voor wie kerosine te duur is. Maar als afrodisiacum hoort ook een drupje mannenurine thuis in het parfum – zie ze gehurkt zitten, kleine stroompjes producerend waarvan verdampt alleen de geur van ammoniak overblijft. Rottend groenteafval hoort erin, soms een vleugje rottend vlees. Poeplucht, afkomstig van braakliggende stroken langs spoorrails en rivieren, uit goten en greppels.

Maar ik snuif ook sandelhout op, patchouli, vleugjes rozenolie, jasmijn en goudsbloemen – geuren die tot wierook worden verwerkt en waar de goden zo dol op zijn. Ten slotte mag stilstaand water uit een goot geschept niet ontbreken, alsmede wat vluchtige uitlaatgassen uit riksja's en bussen. Deze geur wordt gedempt door de scherpfrisse lucht van kamferballetjes, die in de afvoer van de gootsteen of het bad liggen om kakkerlakken te verjagen. Voor de sublieme geur van wijsheid moet men een boekenhandel bezoeken en de geur uit opengeslagen boeken opsnuiven; drukinkt en papier vermengd met jarenlange bewieroking tijdens de ochtendrituelen.

Het gevoel van India

Een muur van hitte drukt zich tegen mij aan zodra ik de eerste Indiase lucht inadem. Het is op het vliegveld van Delhi, begin juli – de lucht is zwanger van de regen waar iedereen op wacht. Het klimaat is tijdens vrijwel elk seizoen de belangrijkste bepaler van de meest basale en daarom vaak onopgemerkte gewaarwording die we kennen: hoe voelt het land op mijn huid? Al het vocht wordt uit het lichaam gezogen, zich verenigend met zijn klamme omgeving. Voortdurend drink ik, terwijl bij elke slok de druppels water via mijn poriën hun weg naar buiten zoeken. Er is een voortdurend proces van rehydratie gaande, waarbij het water voortdurend stroomt van regen naar drinkfles, naar lichaam, naar poriën, naar buitenlucht - wolken regen drinkwater zweet en zo verder, weer opnieuw, het water zoekt zijn weg door alle substanties heen.

India is de gewaarwording deel uit te maken van één lichaam, bestaande uit deinend en schuddend vlees dat tezamen in een bus geperst wordt tijdens haar weg van een willekeurige buitenwijk naar het centrum van de stad. Bij iedere stop komen nieuwe passagiers binnen. Gedurende de rit neemt het totaalgewicht van het verenigde lichaam toe en verliest iedere passagier iets meer van zijn eigen individualiteit. Terwijl aanvankelijk nog ruimte is voor irritatie of begeerte, is er aan het eind van de rit slechts sprake van een versmolten amorfe massa, waaruit ieder gevoel van individuele lichamelijkheid en bewustzijn is verdwenen.

Maar ook haar tegendeel bestaat. Een land met overvolle bussen is een land waar ashrams welkom zijn. Stilzitten is nooit zo pijnlijk als tijdens de urenlange meditatiesessies, dagen achtereen. Rug, knieën, voeten – alles schreeuwt om verlichting. De pijn boort zich als een ziekte naar binnen, tot ze de vorm aanneemt van stekende messen die millimeter voor millimeter hun weg naar je hart zoeken, tot alle weerstand verdwenen is en ruimte voelbaar wordt. Dit is een ander soort pijn dan de onrustige pijn die optreedt tijdens riksja-ritten over kuilige wegen, wanneer nieren en borsten losschudden van hun natuurlijke plekken en je medelijden voelt voor de chauffeur die dit dagelijks ondergaat.

India is ruimte – voor wie de hectische steden achter zich laat. Ruimte is het gevoel dat per zwoele wind het treinbalkon binnenwaait, waar ik in de openstaande deur zit en zachtjes meedeinend mezelf verlies in het schouwspel van de ondergaande zon over de velden. Niet alleen het uitzicht, maar vooral de gewaarwording van de tere lucht op mijn huid is ruimte. Dezelfde tere lucht streelt langs mijn gezicht wanneer ik in een oud paleis neerzit in een van de vele open vensters, waar een lichte wind van het aangrenzende meer verkoeling brengt. De lucht koelt af als de avond valt. In de schommelbank op het dakterras zak ik traag weg in een diepe droomslaap.

De smaak van India

Eten is, na sterven en seks, de meest intieme gebeurtenis die het lichaam aan-
gaat. Wie durft te eten – smakkend, genietend, boerend, laat zien dat hij
een levend en belevend mens is. Eten voedt, maar maakt kwetsbaar: wie eet,
vlucht niet. Wederom India, de laatste van de zintuigen: de romige smaak
van bananenlassie, de knapperige chicken massala – zelfs voor vegetariërs
een verleiding -, het bier dat, religieus versluierd, in theepotten wordt opge-
diend. Is de smaak van India die van melige spaghetti met tomatenketchup,
bordjes witte rijst en slappe pizza? Of van de linzen, rijst en groenteschotels
die je met velen deelt? Je bent wat je eet. Scherpe smaken zijn de angst van
zwakke magen en dunne darmen, maar het land heeft zoveel milds. Wees
niet bevreesd en eet mee.

Oh, wat houden ze van zoet, de Indiërs. Zoete stemmen, zoete kleuren,
zoete beelden, maar vooral ook zoete smaken. Ingedikte melk met veel sui-
ker, met eetbare zilverfolie omhuld, met rozendruppels, anijs en kokos aan-
gelengd – de barfi's. Van jong tot oud zijn mensen te vinden in de speciaal-
zaken, om mooi ingepakte doosjes uit te zoeken. Begerig proeven ze van de
heerlijk zoetvette krakelingen, die in grote ketels met siroopwater en olie wor-
den gekookt of gefrituurd. Kinderen smullen van felroze suikerspinnen, ver-
kocht door straatventers in het zuiden van het land.

Maar ook hartig is gewild. De dames, die hun vetrollen zo gunstig weten
weg te stoppen in vele lagen sari's, genieten van de puri's met ghee, offeren
boter aan hun goden, kokosnoten, fruit – kijk naar de offergaven en weet
wat lekker is in dit smaakrijke land.

De bittere smaak ligt in de Ayurvedische kruidenmengsels – de zieke
dient grote hoeveelheden tot zich te nemen, en dat juist wanneer hij zich
toch al niet lekker voelt. India durft te proeven, durft zich over te geven aan
al haar zintuigen. En de reiziger…?

Het versnelde lichaam in beweging

> De bestendigheid zelf is niets anders dan een trager heen en weer gaan. Ik
> kan mijn object niet vastleggen. [...] Ik beschrijf niet het wezen. Ik beschrijf
> de overgang.
>
> Michel de Montaigne, *Over berouw, Essais,* p.947

Wat is het grote verschil tussen reizen en folders bekijken, reisliteratuur
lezen of op internet zoeken naar informatie over verre bestemmingen?
Dat je je lichaam verplaatst. Reizen is: in beweging zijn. Beweging bepaalt
in belangrijke mate onze beleving van de reis. Net zoals de vertraagde
beweging van het wandelen iets met ons doet – en met name in staat
stelt ons meer op de waarneming te concentreren, heeft ook de versnelde
beweging invloed op onze beleving. Wat doet een bepaald voertuig met
ons, wat maakt het verschil uit tussen lopen, fietsen, autorijden? Heeft
onze manier van voortbewegen invloed op onze waarneming? En wat
doet beweging met onze beleving van tijd? Veel mensen voelen zich tijdens een reis niet alleen los van hun banden met hun dagelijkse ruimte, maar – in het verlengde daarvan – ook van hun vertrouwde tijds-
verbanden. Met het overschrijden van de grenzen van de bekende ruimte
ontstaat een nieuwe ruimte. Verplaatsing van het lichaam is hierin de
eerste stap.

Het gevoel van snelheid

Vanaf de twintigste eeuw heeft de mens heel nieuwe manieren gehad
om ervaring in beweging te vinden. Terwijl de postkoetsen, diligences
en karren traag en zeer oncomfortabel waren, veroverden vanaf ca. 1830
stoomboten en stoomtreinen de harten van mensen. In een snel tempo
verschenen vervolgens de fiets, de auto en het vliegtuig. En met de snelheid ontstond de snelheidsliefhebber. Hoewel treinen aanvankelijk sneller gingen dan het menselijk lichaam aankon – miskramen, oogontste-
kingen en allerlei psychische klachten werden aan treinen geweten -
genoten net zo veel mensen van de ongekende snelheid waarmee het
landschap voorbij schoot.

Maar ook de fiets riep reacties op van overweldigende snelheidsbe-
leving. De eerste loopfiets stamt uit 1817, maar vanaf ca. 1860 werd de

fiets populairder en in de jaren '90 reden zowel mannen als vrouwen met veel plezier op de fiets, daarbij soms lange tochten makend. Meer nog dan bij het wandelen werd het contact met de lucht geroemd als een van de plezierigste ervaringen van het fietsen - het woord 'luchtdouche' drukt dit fraai uit. Daarnaast waren de vroege fietsers overweldigd door de roes van de snelheid die het fietsen met zich meebrengt. Meer dan bij het wandelen, gaat het bij het fietsen om de beleving van de verplaatsing. Wie de natuur wil bestuderen kan beter gaan lopen, citeert fietser en cineast Peter Delpeut[2] uit de *Philosophie des Fahrads*; wie de natuur wil ervaren, laat zich met fiets en al overgieten door een stortbad van buitenlucht.

De fiets verhoudt zich tot de tactiele gewaarwording zoals de verrekijker tot het zien. Waar de wandelaar vooral zijn ogen gebruikt, kunnen we de fiets zien als een versterker voor luchtvibraties: elk zuchtje wind wordt op de fiets uitvergroot tot een zeer voelbare sensatie op de huid.

De fiets is als snelheidsmachine echter toch wat te laat uitgevonden: de trein bestond al, en niet lang na de doorbraak van de fiets werd de auto uitgevonden. Die hield én de belofte in van individuele vrijheid, zoals het wandelen en fietsen, én de belofte van snelheid, zoals eerder de trein. De auto kwam, zag en overwon. Vakantie kreeg een nieuwe betekenis door de komst van de auto. In Amerika verschenen advertenties waarin de hele familie werd opgeroepen de spullen te pakken en aan boord te gaan, en met een glimlach op het gezicht de eerste weg te nemen, vrij, losjes, en gelukkig, op weg naar groen wonderland. Een schoolkind antwoordde in 1929 op de vraag naar welke moderne verleidingen er waren waarmee Jezus niet werd geconfronteerd: snelheid.[3]

Filosofen hebben opmerkelijk weinig aandacht besteed aan deze uitvinding, die niet alleen heeft ingegrepen in het dagelijks bestaan, maar ook het denken naar andere wegen leidt. Een van de weinige denkers die zich heeft verdiept in de rol van auto's en snelheid in de moderne maatschappij is de Franse denker Jean Baudrillard (*1929).

Baudrillard is een belangrijke vertegenwoordiger van het postmodernisme, de brede en diverse beweging in de kunstbeschouwing, filosofie en sociale wetenschappen die kort samengevat vermeende waarheden betwijfelt, haar achterliggende regels, waarden en conventies wil doorbreken en zich min of meer afzet tegen het *modernisme*. Daarmee wordt dan met name op het vooruitgangsgeloof en de vanzelfsprekendheid van bepaalde waarheden en kennis gedoeld.

Beaudrillard houdt zich vooral bezig met de technologische ontwikkeling van de media. Deze produceren volgens hem een uitwisseling van tekens waarin simulatie steeds meer de plaats inneemt
van de vroegere oorspronkelijkheid van kunstzinnigheid. Het land
dat daarin voorop loopt is Amerika, vandaar de titel van zijn bekendste werk: *America* (1988), in het Nederlands vertaald als *Sideraal
Amerika*. Het is een van de weinige filosofische teksten die in de
vorm van een reisverslag is gegoten – na Nietzsche's *Aldus sprak Zarathoestra* kunnen we zeggen dat in deze filosofische tocht door de
wijdsheid van Amerika de reis definitief haar filosofische legitimatie vindt, waarbij de dynamiek zélf het onderwerp is. Net als
Nietzsche verlaat ook Baudrillard zijn leunstoel om de wereld in te
trekken.

Terwijl zij hun tijd doorbrengen in de bibliotheken, breng ik de mijne door
in de woestijnen en op de snelwegen. Terwijl zij hun inspiratie opdoen bij
de ideeëngeschiedenis, doe ik de mijne op bij de actualiteit, bij het straat-
leven of de schoonheden van de natuur. [...]
Mijn jachtterreinen zijn de woestijnen, de bergen, de *freeways*, Los Ange-
les, de *safeways*, de *ghost towns* of de *downtowns*, niet de conferentiezalen
van de universiteit.

Jean Baudrillard, *Sideraal Amerika*, p.101

foto André Homan

45

Baudrillard maakt zijn reis per auto, als symbool van een vervoermiddel waarmee je tegelijkertijd in en buiten de wereld staat – je reist er doorheen, maar er dan wel van afgescheiden door ramen en een blikken omhulsel. Zijn tocht door de woestijn is een symbool van de leegte van ons bestaan: dankzij de auto zijn we in staat om overal snel naartoe te reizen, zonder te stoppen, zonder geraakt te worden. We geven ons leven betekenissen die zijn afgeleid van de film, TV en andere schijnrealiteiten. Het onderscheid tussen authentiek en inauthentiek, tussen goed en slecht is volkomen vervaagd. Dat keurt hij niet af – hij constateert het alleen maar. Overal geweest en niets gezien – en dat in voortdurende mobiliteit.

Baudrillard laat zien hoezeer de keuze voor vervoer de beleving van de reiziger bepaalt en diep indringt in zijn denken. Door de auto als vervoermiddel te kiezen, en de wijdse woestijnlandschappen boven de bibliotheken te verkiezen, worden zijn geest en zijn schrijven gevormd: uit het boek spreekt snelheid, dynamiek en ruimte. Hoewel het zeer zorgvuldig is geschreven en soms ontoegankelijk is, klinkt de snelweg door in zijn alinea's. Hier niet de trage en detailleerde observaties van de wandelaar, maar een vlucht van woorden. Hij illustreert hiermee een punt waarvan de reiziger zich altijd bewust moet zijn: de keuze van het vervoermiddel bepaalt voor een groot deel zijn ervaring onderweg en zelfs de ervaring van de eindbestemming, de manier waarop je over de reis denkt, praat en haar ervaart. Een comfortabele auto of een herriebak, een bus met Lloret de Mar-gangers of een vliegtuig, een fiets – het maakt veel uit voor hoe we door een land heenreizen en hoe we het omringende land ervaren.

Ik ontmoette ooit een jonge Japanse reiziger in Kashgar, een woestijnstadje in het afgelegen westelijke woestijngebied van China, in de buurt van de grens van Pakistan en Afghanistan. Het is de grootste en belangrijkste marktplaats in de zeer verre omtrek, bekend om zijn grote wekelijkse markt. Maar de jongen was nogal teleurgesteld over het stadje. In Peking was hem door andere reizigers voorgehouden dat Kasghar geweldig was. De jongen had een vliegticket naar Kasghar gekocht en had in korte tijd de enorme reis overbrugd van het oosten van China naar het slaperige stadje. Kasghar bleek 'niet meer' te zijn dan een grote schapenmarkt waar Oeigoeren uit de regio groenten, vlees en bontmutsen verkochten, met daar omheen een stoffig, gemoderniseerd (voor een toerist al snel lelijk) stadje met wat bioscopen, winkels en hotels.

Hij begreep niet waarin de charme van Kasghar lag. Ik wel – ik kwam uit Pakistan, had een reis van enkele dagen achter de rug, in een gammele jeep een paar lastige bergpassen overkruist in een verlaten gebied, en ik had het zand uit de hete Taklamakan woestijn ingeademd. Na deze lange tocht kon ik de oase van civilisatie die Kasghar in mijn ogen was zeer waarderen. Er was meer te koop dan biscuitjes en gedroogde abrikozen; de stad was levendig en ik kon er douchen, wat ik na een week zonder warm water bijzonder kon waarderen.

In mijn reisdagboek uit die tijd staat een lange beschrijving van Kasghar, over de boeren die in groepjes onderhandelden over de prijs van geiten, de theehuisjes waar de Oeigoerse vrouwen met hun bebloemde hoofddoeken thee en ronde broodjes serveerden, de enorme pannen waarin geitenvlees lag te borrelen, de handkar met bloederige geitenkoppen, de Oeigoerse ruiter op zijn mooie hengst, de rokerige kebabvuurtjes. Wie direct vanuit Peking komt gevlogen mist volledig de overweldigende ervaring van de bewoonde wereld na een lange reis door stoffige woestijnen en eindeloos kronkelende bergwegen, van welke kant je ook aan komt reizen.

De boodschap aan de jongen is duidelijk: ga niet per vliegtuig naar Kasghar! Loop er naartoe, ga per bus, per kameel – alleen dan is Kasghar de moeite waard. Reizen is beter dan aankomen, zeggen de Engelsen. Wie reist moet zeer zorgvuldig zijn in de keuze van zijn vervoermiddel.

Snelheid zonder bestemming

Mobiliteit is een hoog goed in onze wereld. Snelle auto's en snelle vliegtuigen zijn gewild. Terwijl de Chinees een ander een 'langzame reis' toewenst, wordt in het westen de efficiënte, snelle reis geprefereerd, en is degene die de trage reis verkiest iemand die afwijkt van de norm. Hij is of een idealist (de bewuste wandelaar of fietser) of iemand die snel reizen niet kan betalen. Snelheid lijkt de wereld te openen, maar de vraag is of dat in alle opzichten zo is.

Peter Peters signaleert in zijn proefschrift *De haast van Albertine* (2003) hoe het gelijknamige personage uit de roman van Proust vanwege de komst van de auto ineens twee dorpen kan aandoen op één dag, waar ze voorheen maar één dorp had kunnen bezoeken. Onmiddellijk rijst echter onvrede bij Albertine, omdat het haar niet lukt vier dorpen op die ene dag te bezoeken. In plaats van meer tijd in het eerste dorp te besteden, wordt ze onmiddellijk slachtoffer van haar eigen haast. Na Albertine zouden talloze reizigers haar volgen in de rusteloosheid die

haar snelle voertuig bij haar wakker maakt. Geen onrustiger reiziger dan de man met de snelle auto – zie hem voorbij haasten op de snelweg, en zie hoe hij zich ergert in de file. En geen ongeduldiger reiziger dan degene met een strak reisschema, de fotostop is uitgevonden voor de busreiziger en is naar mijn idee een van de meest absurde manieren om te laten zien dat men "er geweest is" zonder iets te zien. Want hoeveel kun je zien in de vijf minuten die een fotostop duurt, en wat kun je meemaken en ervaren in zo'n korte tijd? De snelle reiziger blijft een toeschouwer.

Snelheid sluit minstens zoveel wegen als ze opent. Hoeveel moeite kost het de moderne reiziger niet om de snelweg te verlaten en in rustiger tempo de kleine landweggetjes te verkennen? In grote haast reizen we naar steeds verder liggende bestemmingen. Terwijl in de jaren '50 de Vogezen of het Zwarte Woud voor veel Nederlanders een mogelijke eindbestemming vormden, zijn ze nu tussenstops op weg naar het zuiden. De hotels en restaurants van toen leiden een zieltogend bestaan, niet omdat de omgeving minder mooi is, maar omdat we dankzij onze snelle auto's steeds verder weg kunnen reizen.

Voor Baudrillard staat de snelle reiziger niet op zich. Baudrillard analyseert het verschijnsel mobiliteit zoals hij dit tegenkomt op zijn reis, en doorgrondt daarmee ook de Amerikaanse samenleving. Deze staat volgens hem symbool voor onze moderne samenleving in zijn algemeenheid: een samenleving op drift, die de mobiliteit omwille van de mobiliteit verkiest, zonder te weten waar men naar op weg is, en zonder dit zelfs erg te vinden of misschien zelfs op te merken.

Zo bestaat de stad uit maar één weefsel, de freeways, een oneindig verkeerstechnisch of eigenlijk transurbanistisch weefsel, een ongehoord spektakel van duizenden auto's die met dezelfde snelheid in beide richtingen op de Ventura Freeway rijden, met alle lichten aan in de volle zon, zonder vertrekpunt, zonder bestemming, een immense collectieve daad, rijden, almaar doorrijden, zonder agressiviteit, zonder doel – een socialiteit van de verplaatsing, ongetwijfeld de enige van het hyperreële, technologische en soft-mobile tijdperk, één die zich uitput aan de oppervlakken, de netwerken, de zachte technologieën. [...]

De mythische macht van California schuilt in de mengeling van extreme onthechting en duizelingwekkende mobiliteit die vervat is in de locatie, in het hyperreële scenario van de woestijnen, de freeways, de oceaan en de zon.

Jean Baudrillard, *Sideraal Amerika*, p.197

Zou een dergelijke opvatting ooit verwoord kunnen zijn zonder de auto? Ik denk het niet. En zou een wereld waar dergelijke passages over gaan kunnen bestaan zonder auto? Ik denk het niet. Baudrillard laat zien hoe wij als reizigers niet alleen de wereld op een andere manier aanschouwen, maar hoe de wereld dankzij onze mobiliteit ook daadwerkelijk verandert: we zijn geen passieve toeschouwers, maar door ons in de auto te begeven en de dynamiek boven de stilstand te verkiezen, hebben we in de afgelopen honderd jaar, met name de afgelopen vijftig jaar, een wereld gecreëerd die dynamisch is.

Sterker nog: we hebben een wereld gecreëerd die dynamisch is omwille van de dynamiek, zonder eindbestemming, zonder richting. In Amerika gaan de freeways nergens naartoe, maar in Europa is een vergelijkbare ontwikkeling van het wegennetwerk zichtbaar. Terwijl voorheen alle wegen in het centrum van de stad uitkwamen, leiden de grote snelwegen nu vooral om de steden heen – om een stad te bereiken moet je afslaan. Iedere zichzelf respecterende stad heeft een ringweg: Londen, Amsterdam, Parijs, Rome, Antwerpen et cetera. In het proces van modernisering van iedere stad wordt op een gegeven moment een besluit genomen om de hoofdweg niet naar het centrum te leiden, maar om de stad heen. Het bouwen van een ringweg is een dure, maar vooral psychologisch zeer ingrijpende beslissing: het bepaalt de contouren van een stad, zegt welke wijken bij het centrum horen en hoe groot dat centrum is. Het maakt mogelijk dat men de stad kan passeren en er niet automatisch in belandt. Het betekent ook dat wie op de snelweg blijft, nergens aankomt.

De automobilist is gevangen in een dynamisch geheel dat nooit in een centrum belandt, maar altijd naar buiten gericht is, schrijft Ton Lemaire in *Filosofie van het landschap*. Die naar buiten gerichtheid gaat gepaard met snelheid; sneller dan een naar het centrum gericht zijn: er worden meer kilometers afgelegd in de uren op de snelweg, dan op de afslagen die uitkomen op de lokale wegen, en die vervolgens naar de dorpen of de binnensteden leiden. Leidt die snelheid ergens toe? Hoe sneller we reizen, hoe meer we verwijderd zijn van het intieme hart van een stad, dorp of bos. Het supersnelle vliegtuig leidt ons er overheen, waardoor de lijfelijke gewaarwording ver te zoeken is; de auto die met honderd twintig kilometer per uur rijdt, bevindt zich op de snelweg, afgeschermd van de stad door geluidswallen en ringwegen; de auto die met vijftig kilometer per uur rijdt, kan zich in de stad bevinden, maar de automobilist blijft afgeschermd door blik en voorruit. De intieme kernen van steden en dorpen zijn nauwelijks meer zichtbaar voor de snelle reiziger. Maar is de reiziger dan nog wel onderweg naar iets, of reist hij omwille van het reizen? De dwang die van het dynamische uitgaat is opmerkelijk: de dynamiek omwille van de beweging houdt mensen op de snelweg. Het kost niet alleen praktisch gezien moeite om de snelweg te verlaten (en de juiste afslag te nemen), maar ook psychologisch. Bij de keuze voor het mooie landweggetje of de snelle Autobahn verkiezen de meeste reizigers de Autobahn. Mobiliteit en dynamiek lijken in dienst van zichzelf te staan. Beweging doet iets met onze tijdsbeleving: hoe sneller de beweging, hoe meer we in de ban van versnelling raken.

Treinen en tijd

De aantrekkingskracht van snelheid zonder bestemming schuilt naar mijn idee in de invloed die snelheid heeft op onze waarneming. Waarneming wordt meegezogen en sterk beïnvloed door het tempo waarin we ons bewegen. Een snelle autorit geeft een andere kijk op een landschap dan een trage fietstocht. Dat is juist mogelijk omdat waarneming geen passieve onderneming is, maar actief. Als waarneming louter ontvangen van indrukken zou zijn, zou beweging geen rol spelen in onze waarneming. Maar juist door te bewegen, verandert onze waarneming. De achtbaan, auto, fiets en trein geven een duidelijk andere kijk op de wereld dan een uitzicht vanaf een balkon of een berg.

De roman *Land van glas* van de Italiaanse magisch realistische schrijver Alessandro Barrico laat dit prachtig zien, in zijn beschrijving van een man die een trein voor zijn vrouw koopt en een spoorweg van tweehonderd kilometer wil laten aanleggen om het idee van snelheid over te brengen. Het boek speelt zich in de negentiende eeuw af, wanneer de trein nog niet is ingeburgerd.

Maar de trein … […] dat was tijd verworden tot ijzer, ijzer dat zich over twee rails voortspoedde, een nauwkeurige opeenvolging van vroeg en laat, een aanhoudende stoet van bielzen… en het was vooral … snelheid… snelheid. […] De snelheid moet in die wereld zijn uitgebarsten als een schreeuw die duizenden jaren is onderdrukt. […] Op zich zou de trein niks opzienbarends zijn geweest, het was tenslotte maar een machine… maar dit is het geniale: die machine produceerde geen kracht, maar iets wat conceptueel nog vaag was, iets wat er eerder niet was: snelheid. […] Een machine die iets doet wat nooit bestaan heeft.

Barrico, *Land van glas*, p.55

Tot de komst van de trein hebben mensen nooit snelheid ervaren. De hoofdpersoon laat de dorpelingen, die nog nooit een trein hebben gezien, rondjes om hun as draaien om de idee 'snelheid' over te brengen.

Het is verbazingwekkend te bedenken dat de idee van snelheid nog maar zo jong is, juist omdat beweging – en vooral snelle beweging - zoveel doet met onze waarneming. Weliswaar waren er paarden, maar lang niet iedereen reed paard. Snelheid is voor de moderne mens een gewone ervaring geworden, maar lange tijd was het een niet-bestaande en onbegrijpelijke gedachte.

Beweging heeft echter grote gevolgen voor hoe wij de wereld waarnemen, en de snelle beweging heeft daarom niet alleen gevolgen voor onze verplaatsingsmogelijkheden, maar ook voor onze waarnemingen. Beweging stelt ons in staat andere gezichtspunten in te nemen. Heel basaal zien we dit wanneer we om iets heenlopen om te kijken welke vorm het heeft. Als we bewegen, kunnen we het object tegen een achtergrond zien en daarmee zijn omvang beter inschatten, en verandert ook de vorm van het object. Wie om een berg heen loopt ziet zeer verschillende vormen.

Volgens Einstein zijn tijd en ruimte met elkaar verbonden. In een stilstaande ruimte waar niets beweegt komt ook de ervaring van tijd tot stilstand. Denk aan zondagmiddagbezoekjes bij oma in het verzorgingstehuis, wachten bij een verlaten bushalte, een meditatieruimte. Denk aan de andere kant aan de achtbaan of andere kermisattracties, aan crossen met de motor, aan een houseparty waar extra beweging wordt gesuggereerd door lichteffecten. Door beweging wordt alle ruimte in een tijdsperspectief opgenomen, stellen psychologen.

Voorts meten we het in beweging zijn af aan onze waarneming dat er dingen verschijnen en groter worden als je dichterbij komt; en aan de andere kant kleiner worden en weer verdwijnen. In elke vorm van waarneming van beweging is dit het geval: zittend in de trein zien we een toren opdoemen, groter worden, kleiner worden en weer verdwijnen. We denken niet dat de toren zelf verandert, maar zien het als teken dat wij in beweging zijn. De ervaring van in beweging zijn hebben we dus te danken aan het *verschijnpunt* en het *verdwijnpunt*[4].

De verwarrende ervaring van in een stilstaande trein zitten, terwijl de aan de andere kant van het perron staande trein zich in beweging zet, is een illustratie van dit punt: wij denken en voelen zelfs lichamelijk dat we in beweging zijn, terwijl het de andere trein is die rijdt. Maar door de truc van de verschijn- en verdwijnpunten geloven we dat we zelf bewegen. Dat heeft een interessante implicatie voor onze beleving van de tijd tijdens onze reis.

De ervaring van beweging ontstaat op het kruispunt van tijd en ruimte. Al onze bewuste momenten moeten we in tijd en ruimte plaatsen. Wanneer we in beweging zijn, bewegen we ons niet alleen in de ruimte, maar ook in de tijd. We begeven ons voortdurend naar een toekomst (het verschijnpunt), en we verzamelen herinneringen (van wat verdwijnt). Reizen is in die zin een spel met de tijd door het doorkruisen van de ruimte. Dat hebben we niet altijd door, en het lijkt misschien abstract, totdat we erop letten.

Wie in beweging blijft, vindt voortdurend nieuwe toekomst. Waar geen nieuwe verschijnpunten opdoemen, zoals in een eindeloze zandwoestijn, ervaart de reiziger de tijd zeer traag. Wachten bij een verlaten bushalte heeft hetzelfde effect. Wie daarentegen in de achtbaan zit, en razendsnel indrukken van ruimte aan zich voorbij ziet schieten, heeft juist de ervaring dat de tijd heel snel gaat. Of de bus of het vliegtuig gemeten in kilometers per uur sneller is dan de snelheid van de achtbaan doet daarin niet terzake, en de vijf minuten in de achtbaan zijn (voor de liefhebber!) veel sneller voorbij dan de vijf minuten bij de bushalte, wachtend op een bus die al tien minuten eerder had moeten komen.

De ervaringen van ruimte en tijd zijn dus zeer sterk aan elkaar gerelateerd, zoals ook door Einsteins relativiteitstheorie wordt onderstreept. Dat tijd en ruimte absoluut lijken, is alleen omdat we meestal stil staan – voor reizigers die in beweging zijn, is de relativiteit gemakkelijk na te voelen. Er zijn meer spelletjes met de relativiteit mogelijk. Iedereen kent wel de ervaring van een gevoel van stilstand wanneer je in een niet-schokkende trein zit of in een vliegtuig, en niet naar buiten kijkt: dan heb je geen ervaring van in beweging zijn. De ervaring van beweging ontstaat daarentegen juist wel wanneer we in een stilstaande trein zitten en de trein aan de andere kant van het perron zich in beweging zet. Kortom, de ervaring van beweging heeft in hoge mate te maken met de overige informatie van onze zintuigen.

Maar ook in meer algemene zin is beweging enorm belangrijk voor de waarneming. Door reizigers wordt de beweging vaak net zo gezocht als de aandachtsvolle waarneming waar Merleau-Ponty toe oproept. Daarmee krijgt bewegen een ruimere betekenis. Door het bewegen verandert ons perspectief op dingen. Letterlijk. We nemen andere gezichtspunten in, kunnen onze eigen positie vergelijken met andere posities. In het reizen – bewegen in de breedste zin van het woord – worden onze ogen geopend voor andere landschappen, steden, mensen, objecten. We moeten voortdurend onze eigen positie tegenover die nieuwe, andere objecten bepalen en worden ons daarin meer bewust van ons zelf. Juist daarom werd vanaf de zestiende en zeventiende eeuw het reizen als filosofische onderneming opgevat, waarin het vergelijken van het nieuwe met het bekende meer kennis opleverde – zowel van de wereld als van onszelf.

In het beroemde zeventiende eeuwse psychiatrische handboek *Melancholia* van Robert Burton, lezen we het volgende advies om gezond te blijven, waarin zowel de kleine beweging als de grotere beweging van het reizen kunnen worden gelezen:

> De hemelen zelf draaien voortdurend rond, de zon rijst en gaat onder, de maan wast en neemt af, sterren en planeten gaan voort in hun constante beweging, de lucht wordt door de winden bewogen, de wateren stromen van eb naar vloed voor hun voortbestaan, zonder twijfel om ons te leren dat we eeuwig in beweging moeten blijven.
>
> Robert Burton, *Melancholia* (1621)

Ons lichaam op reis geeft ons een ervaring van zintuiglijkheid en van beweging of elders zijn. Dit is tevens een reden om op reis te gaan. Wat in allerlei brochures, films en internetsites ontbreekt, is de ervaring van het eigen lichaam. Zonder ook maar één moment na te denken over de reis, zijn onze zintuigen werkzaam en plaatsen ons in de ruimte omdat ons lichaam beweegt. En ze plaatsen ons tevens in de tijd, omdat de ruimte verandert.

In de afgelopen honderd jaar is er voor onze waarneming meer veranderd dan in de vele duizenden jaren menselijke evolutie die eraan vooraf gingen. Door het ontstaan van snelheid, en door de toegankelijkheid van snelheid voor grote hoeveelheden mensen, is een enorme uitbreiding van onze mogelijkheden tot waarneming mogelijk geworden, vooral op tactiel en visueel gebied – het gevoel van lucht op de huid, van misselijkheid door een te sterk verende auto, de aanblik van de wereld vanuit een kermisattractie of een vliegtuig. Reizen opent daarmee letterlijk een andere wereld.

II. De rugzak van de reiziger

Ons lichaam brengt ons in beweging, en geeft ons ervaringen. Maar daar houdt de reis niet mee op; hij begint pas. En zodra de eerste stappen gezet zijn – en vaak al ver daarvoor - gebruikt de reiziger zijn hoofd. Een hoofd vol kennis, verwachtingen, vooroordelen. Hoewel hij soms graag doet alsof, vindt de reiziger zelden zijn eigen reis van A tot Z uit: hij treedt in de voetsporen van (soms vele) anderen, en hij gaat op reis met in zijn hoofd kennis, verwachtingen en vooroordelen die hem door anderen zijn aangedragen – een rugzak vol halfbewuste bagage.

Die bagage is deels individueel – door andermans reisverslagen, foto's, opmerkingen bepaald, of cultureel aangedragen: bepaalde bestemmingen en activiteiten raken in of uit de mode - Vietnam is in, China is uit, activiteiten als wild water raften, *full moon parties* in Goa of Thailand worden populair; het op bezoek gaan bij lokale bewoners wordt gemeden of juist gezocht. De Alpen zijn eeuwenlang vermeden, tot ze rond 1800 letterlijk op de kaart en op de toeristische agenda werden gezet. Hoewel Merleau-Ponty het anders zou willen, spelen de vooroordelen, de brillen die onze blik op de wereld kleuren, een grote rol in onze belevingen. Voor ons uit loopt een schare schimmen uit het verleden – zij die als eerste de weg baanden en hun volgelingen. En hun nagelaten sporen slepen wij mee, zonder er acht op te slaan.

Deels is iedere reis natuurlijk een eigen, onnavolgbare, hoogst persoonlijke reis. Er gebeuren dingen die niemand anders meemaakte, we hebben onverwachte ontmoetingen, tegenslagen of meevallers, we maken dingen mee die appelleren aan eerdere belevenissen – uit reizen of het dagelijks leven. Maar meer dan we denken, zijn we kinderen van onze eigen cultuur, die ons de motieven heeft gegeven om bepaalde bestemmingen te bezoeken, én ons de mogelijkheid verschaft er te komen, rond te reizen, visa en onderdak te krijgen et cetera.

Het bekijken van oude reizigerspatronen brengt motieven om op reis te gaan aan de oppervlakte die vaak eeuwen geleden zijn ontstaan. Wij treden in de voetsporen van vele anderen. De vakantietoerist is een tamelijk recente uitvinding die voor de negentiende eeuw niet bestond, maar hij treedt in de voetsporen van een lange stoet reizigers die hem voorgingen: vluchtelingen voor honger en oorlog, pelgrims, ridders, studenten, ontdekkingsreizigers, wetenschappers, kunstenaars en romantici. Aan al deze reizigers ontleent hij niet alleen zijn bestemmingen, maar ook de daaraan ten grondslag liggende motieven om op stap te gaan. Deze liggen vaak diep verborgen in ons verleden en zijn dikwijls halfvergeten.

Onze voorgangers zochten heel basaal naar veiligheid, maar ook reisden ze in de hoop onderweg of bij het einddoel hogere idealen te realiseren: het vinden van het Heilige, het Goede, het Ware of het Schone. Sommigen reisden uit nieuwsgierigheid, anderen zochten status. Sommigen zochten handel, anderen kennis. Sommigen zochten zichzelf in nieuwe ervaringen, in een poging een authentiek mens te worden, een eervol persoon of een wijs man. Dergelijke motieven bepalen deels de bestemming en de invulling van de reis.

Ook heersende ideeën over arbeid en vrije tijd bepalen of iemand geïnteresseerd is in vakantie of op reis gaan en hoe hij deze vakantie of reis invult. Kan iemand zijn idealen in zijn woonplaats vervullen, en kan hij zijn identiteit aan zijn werk ontlenen? Of zoekt hij zijn levensvervulling en zijn identiteit in zijn vrije tijd, en gebruikt hij de reis om zichzelf te ontwikkelen? Reist hij om te ontspannen of om te leren? Ik ben reizigers tegengekomen die in hun reizen hun levensbestemming zagen; ik heb ook talloze reizigers ontmoet voor wie hun reis of vakantie een compensatie was voor hun alledaagse bestaan in hun woonplaats.

Reizigers bezoeken steden, monumenten, kerken, tempels, maar ook markten, hoerenbuurten en havens. Hoe zijn ze op het idee gekomen om visoverslagplaatsen of circussen te bezoeken; waarom hebben ze vaak maar weinig interesse in moderne bedrijven in Derde Wereld landen, terwijl ze de oude werkplaatsen met graagte bezoeken? Waarom willen ze wel een foto van een riksja maken en niet van de trotse bezitter van een moderne, geïmporteerde auto? Waarom lopen ze massaal de ene kerk wel binnen, en laten de naastgelegen moskee links liggen? Hoewel mensen soms denken dat bezienswaardigheden een natuurlijk gegeven zijn, is niets minder waar. Noch natuurmonumenten, noch cultuurmonumenten zijn als bezienswaardigheid ontstaan, maar door mensenhanden en vooral –hoofden tot bezienswaardigheid gemaakt.

Om onbevangen te kunnen reizen, moeten we onze rugzak leegschudden. Maar dan moeten we eerst eens goed kijken welke bagage zich hierin bevindt. Alleen wanneer we weten wat we onbewust met ons meeslepen, kunnen we begrijpen waarom wij de stranden mooi vinden waar de lokale bevolking nauwelijks acht op slaat, waarom wij urenlang omrijden om een toeristische attractie te bezoeken die tien jaar geleden nog in geen enkel boek werd genoemd, of waarom we eigenlijk op vakantie willen gaan.

Tussen niets en nergens?

Onze reisbestemming is meestal een concreet benoembare plek: de kunststad Florence, het merengebied van Schotland, de stranden van Mallorca. Er zijn echter ruimtes die niet werkelijk lijken te bestaan, tussenruimtes. Wachtruimtes van vliegvelden, busstations, hotellobby's. Het zijn plekken waar het lichaam nog op de plek van vertrek is, en de geest al bij de plek van aankomst. De transitruimte is een ambigue ruimte waarvan de betekenis het midden houdt tussen het voorbije en het aanstaande. Het is een plek waar de tijd lijkt stil te staan, omdat alle beweging vertraagt tot het moment dat de vliegtuigdeur zich opent. Niemand heeft de transitruimte als eindbestemming. Het is het bardo van onze belevingen – de plek waar we terechtkomen als we afscheid hebben genomen van onze dierbaren, en onze dromen, verwachtingen en angsten over de bestemming voor het eerst concreet lijken te worden.

Elke keer als ik voor een periode van vele maanden in de transitruimte van Schiphol ronddwaal, bekruipt me een mengeling van verdriet en spijt om het net genomen afscheid, maar tegelijkertijd een gevoel van opwinding en halsreikend uitzien naar mijn verre bestemming met al haar onvervulde beloften. Van de formele scheidingen tussen de reizigers en de achterblijvers op het vliegveld gaat een grote kracht uit: het vliegveld wordt omgeven door meerdere, rituele afscheidsmomenten: eerst van de bagage, daarna van de dierbaren die je uitzwaaien. En dan blijven zij achter en ben je alleen, zonder bagage, zonder vrienden en familie, met alleen een paspoort en wat handbagage. Mede door dit geritualiseerde karakter ontstaat een gevoel van tussen dood en leven zijn: beetje bij beetje wordt alles wat bekend en vertrouwd is je afgenomen, totdat je naakt en kwetsbaar bent en alle gedachten aan verleden en toekomst de ruimte krijgen. De tussenruimte is een plek van sterven en opnieuw geboren worden. Het oude leven is tot een eind gekomen, het nieuwe heeft zich nog niet concreet aangediend. "Partir c'est mourir un peu", schreef Rousseau.

Met het passeren van de douane houdt een deel van mijn vertrouwde identiteit op te bestaan. William James, de Amerikaanse grondlegger van de psychologie, reikt een theoretisch hulpmiddel aan om te begrijpen wat hier gebeurt. Hij noemde het zelf 'de som van alles wat ik het mijne kan noemen' en verdeelde dit onder in het materiële zelf - alle dingen die ik de

mijne kan noemen, variërend van bezittingen tot familie; het sociale zelf -
de mensen die mij kennen en een beeld van mij met zich meedragen - en
het spirituele zelf, dat bestaat uit meer stabiele psychologische eigenschap-
pen. Het moment van afstand doen van bagage en bekenden is een afscheid
van twee zeer op de voorgrond tredende aspecten van het zelf, en wat er met
mijn psychologische trekken gebeurt in het land waar ik naar toe reis, is nog
maar de vraag. Hoe langer ik van huis ben, of hoe vreemder mijn reisbe-
stemming, hoe groter de kans dat ook deze vermeende stabiele trekken ver-
anderen. Ook dat maakt de transitruimte – een overgangsruimte - tot een
plek van bezinning.

De transitruimte is de plek van confrontatie met ons verleden en onze
toekomst, juist omdat ze geen van beide is. Deze tussenruimte is de ideale
plek om de afgelopen periode te overdenken in al haar goede en slechte aspec-
ten – de nieuwe baan, het ontslag, de kortstondige liefde, in de kiem gesmoord
door het aanstaande vertrek, het afscheid van je oude tante. Het is een voor-
portaal van het onbekende, waarvan we, zodra we in de tussenruimte terecht
zijn gekomen, weten dat er geen weg meer terug is. Tot het moment waar-
op we de paspoortcontrole van Schiphol zijn gepasseerd lijkt het mogelijk om
niet te gaan, om zich ferm om te draaien en naar het veilige thuis terug te
keren. Maar zodra we aan de andere kant zijn, is het vertrek definitief.

De luchthavenlounges zijn rusteloze plekken; de gemoedstoestand van de
wachtenden staat in scherp contrast met de vaak grote hallen, de rijen stoe-
len, die uitnodigen tot urenlang wegzakken in dit limbo tussen afscheid en
vertrek. Het zijn plekken waar we niet bestaan. Om jezelf tegen te komen,
moet je jezelf verlaten. Luchthavens zijn geen onprettige plekken – je hoeft
er niets, alleen wachten tot je een nieuwe baarmoeder mag betreden en na
enkele uren vliegen je nieuwe geboorte tegemoet gaat. Laat Schiphol deze
unieke kans op bezinning toch vooral niet helemaal smoren in winkels en
cafés.

Op weg naar de horizon

Voedseljagers, pelgrims, ontdekkingsreizigers en dolende ridders

Miljoenen mensen verlaten jaarlijks hun woonplaats en trekken de wereld in. Sommigen komen nooit meer terug, anderen keren gelouterd terug in hun woonplaats, weer anderen zijn vooral uitgerust en zetten zich weer aan de arbeid die ze enkele weken achter zich lieten. Vanaf het begin van de mensheid trokken nomadenstammen over de wereld. Maar het verschil tussen de nomade en de toerist is groot. Talloze reizigers bevolken de wegen tussen deze twee uitersten. Hun motieven zijn deels te herkennen aan de hand van de behoeftenpiramide van de psycholoog Abraham Maslow (1908-1970).

Maslow ging ervan uit dat mensen gekenmerkt worden door een aantal instinctoïde behoeften, die wel aangeboren zijn, maar niet instinctief zoals bij dieren. Hoe hoger de behoefte, hoe later hij in het evolutionaire proces opkomt en in de individuele ontwikkeling van een mens. Hoe hoger de behoefte, hoe minder direct deze ook aan overleven zijn gerelateerd, zoals bij de lagere behoeften het geval is: de fysiologische behoeften, zoals schoon water, lucht en voedsel, of de behoefte aan veiligheid. Meer dan bij de lagere behoeften, zijn de hogere behoeften van groot belang voor het gevoel van geluk, vrede en een rijk innerlijk leven van een mens. De hogere behoeften zijn, om met Maslow te spreken, liefde en ergens bijhoren; waardering; en Zelf-actualisatie, oftewel de behoefte een authentiek mens te worden. Van deze laatste behoeften is echter voor talloze reizigers geen sprake, hooguit op een tweede plan. Voor allerlei soorten vluchtelingen is reizen zelden een vrije keus, maar ingegeven door honger, dorst, armoede of onveiligheid. Ook in de geschiedenis van het reizen zijn vooral de eerste twee motieven prominent aanwezig, en de laatste slechts bij de enkeling terug te vinden. Het reizen uit vrije wil was tot niet al te lang geleden slechts aan de enkeling voorbehouden.

In de voetsporen van diverse vroegere reizigers verrijst de moderne reiziger – zijn grenzen worden deels gevormd door zijn voorgangers. Hoe zien we hun sporen terug in onze eigen reizen, waarin verschillen deze reizen onderling? Wat dreef de vroege reizigers en hoe is dat terug te zien in onze eigen reizen?

De jacht op voedsel en geluk

De vroegste categorie reizigers wordt gevormd door hen die op zoek gingen naar voedsel. De jachtgronden waren uitgeput, de bronnen opgedroogd of het land dor en droog. Hele volksgroepen gingen en gaan op reis omdat ze niet meer voldoende te eten of drinken hebben. Of, in het verlengde hiervan, wanneer ze zich niet langer veilig voelen in hun woonplaats vanwege stammen- of burgeroorlogen of conflicten met buurlanden. Wat we zien in journaalbeelden van vluchtelingenkampen of recente discussies over het toelaten of terugsturen van economische vluchtelingen zijn de hedendaagse eindpunten van een soort reis dat al vanaf het begin van de mensheid is gemaakt.

Onze vroege voorvaderen trokken vanuit de Afrikaanse savanne de hele wereld over – via de oostkust van Afrika naar de zuidelijke punt van India, door naar Australië; via Centraal-Azië naar Siberië, over de ijzige Beringzee naar Alaska, verder, tussen hoge ijswanden doorlopend tot de temperaturen stegen, en een kleine groep van hooguit vijfhonderd mensen het warme Zuid-Amerika bereikte. Een reis die in totaal ca. 50.000 jaar duurde.

Op kleinere schaal hebben zich altijd stammen, families of individuen in het onbekende gestort op zoek naar voedsel en veiligheid. Amerika heeft zelfs zijn identiteit om het ideaal van een nieuwe toekomst heen geplooid – Ierse boeren die de aardappelziekte van eind negentiende eeuw ontvluchtten, Italiaanse, Poolse en Russische migranten die met complete families of als eenling op Ellis Island aankwamen, joodse vluchtelingen uit Nazi-Duitsland – voor allen geldt dat ze een betere toekomst zochten dan ze in hun land van herkomst verwachtten.

De voedsel- en handelsreizen hebben echter één ding gemeen: wanneer het niet meer nodig is om huis en haard te verlaten, blijft men liever thuis. Kijk naar ons eigen verleden: de Friese zeevaart maakte eind zevende eeuw een grote bloei door. Friezen bevaren de Noordzee, de Oostzee en zelfs de Middellandse Zee - totdat de graanbouw opkomt. Binnen enkele decennia is er geen zeevaarder meer te bekennen. De dreigingen van piraterij (waarin de Friezen zich zelf overigens ook bekwaamden), schipbreuken en zeemonsters zorgen ervoor dat ze, zodra het mogelijk is, aan land blijven. Dit geldt voor veel reizigers en is in alle tijden te zien: vroege categorieën reizigers als marskramers, prostituees en vagebonden hangen hun knapzak aan de wilgen wanneer ze in een werkplaats, een bordeel, binnen de stadsmuren een veilige plek vinden. Hedendaagse vluchtelingen kunnen besluiten terug te keren wanneer hun land veilig is.

Voor vrijwel alle reizen die zijn ondernomen vanuit economische of voedselmotieven, geldt dat er niet of nauwelijks sprake is van reizen uit vrije wil, uit nieuwsgierigheid naar andere culturen of uit de behoefte aan ontspanning. In die zin staan de nomade, de vluchteling, de handelsreiziger en de ontdekkingsreiziger (voor zoverre gedreven door economische motieven) ver af van de hedendaagse toeristische reizen. Tot vrij recent had reizen een slecht imago. Dat lag deels aan het volk dat langs de wegen trok: de vagebonden, prostituees, bedelpriesters en gespuis – er zijn verrassend veel woorden die de reiziger aanduiden als onbetrouwbaar. Deels ontleende reizen zijn slechte imago aan de omstandigheden onderweg. Van vrijwillig reizen uit louter nieuwsgierigheid, uit statusoverwegingen of om zichzelf te leren kennen was nauwelijks sprake. Dit geldt zeker in de oudheid en in de Middeleeuwen, en pas vanaf de Renaissance begint daar langzaam verandering in te komen, en gaan meer diverse groepen mensen op pad. Maar het toerisme komt pas op vanaf circa 1830 en pas met de komst van de auto gaan mensen in groten getale vrijwillig op reis.

Dat wekt geen verbazing, als we iets beter kijken naar de praktijk van het reizen. Reizen was lange tijd gevaarlijk, moeizaam en duur. In Nederland waren de wegen tot in de late Middeleeuwen zeer slecht, dus men moest te voet over modderige paden trekken. Tijdens de winter waren de polderwegen onbruikbaar, omdat ze onder water stonden. De meeste reizigers hadden geen of slecht schoeisel; in veel reisverslagen wordt geklaagd over openliggende voeten. Overal waren roversbenden actief, van de vroege Middeleeuwen tot in de negentiende eeuw. Laten we vooral niet denken dat Nederland altijd een veilige plek was, die pas na de jaren '50 onveilig werd! In vrijwel onze hele vaderlandse geschiedenis staan reizen en reizigers in een kwaad daglicht.

Naast de gevaren van roversbenden waren er natuurlijk ook nog grote gezondheidsgevaren verbonden aan het reizen, variërend van ziekte-epidemieën tot luizen. De herbergen waren (zeker in de meer zuidelijke contreien) slecht, het beddengoed werd hooguit één keer per jaar verschoond en reizen was extreem oncomfortabel tot de komst van stoomboten en stoomtreinen. De meeste reizigers die per koets reisden liepen liever naast de koets dan dat ze urenlang door elkaar geschud wilden worden in een koets met houten wielen en zonder veren of ophanging. Ook de vrijwillige reiziger was meestal liever op de plek van bestemming dan onderweg.

Aangezien de huidige reiziger vaak uit vrije wil op reis gaat, en dit vrijwel altijd doet in het vooruitzicht weer terug te keren naar zijn woonplaats, lijkt het erop dat zijn motieven van een andere orde zijn dan de voedsel- of economische reis. Hij treedt in de voetsporen van andere reizigers – de westerse reiziger hoeft voor zijn eten en veiligheid zijn huis niet te verlaten. Hij is op zoek naar iets anders. En zelfs in de Middeleeuwen ging niet iedereen op stap omdat hij onvoldoende te eten had of omdat het thuis niet veilig was. Diverse categorieën reizigers zoeken naar bepaalde waarden die thuis niet gerealiseerd kunnen worden en waarvoor de reiziger met graagte zijn veilige thuis verlaat. Dit analyserend, is het mogelijk om te kijken waarom de reiziger zijn huis wel móet verlaten en die waarden ook niet kan realiseren indien hij thuisblijft.

De pelgrim op pad

In de christelijke opvatting is het leven zelf een bedevaart: 'wij zijn vreemdelingen en passanten op aarde', staat geschreven in het bijbelboek *De brief aan de Hebreeën*. De gelovige wordt opgeroepen zijn leven in te richten als een reis naar het hemelse Jeruzalem, de belofte van het laatste bijbelboek Openbaringen. Dit kan hij realiseren door een werkelijke tocht naar het aardse Jeruzalem te maken. Zo onttrekt hij zich aan het aardse bestaan, dat zich in de sfeer van het Kwade bevindt, en richt zich op het Goede. Naast Jeruzalem waren Rome en Santiago de Compostela de belangrijkste pelgrimsplaatsen.

In de Middeleeuwen was de pelgrimstocht een van de wijzen waarop men zijn vroomheid kon betuigen. Bedevaarten konden, dankzij het kerkelijk kader van de verlossingsleer, tot een staat van genade leiden, veelal concreet bezegeld in de vorm van aflaten die aan belangrijke pelgrimsoorden waren verbonden. Het twaalfde eeuwse *Boek van Jacobus* vat het doel van de bedevaart helder samen:

Op bedevaart gaan is een allervoortreffelijkste, maar tevens moeilijke zaak, want voor de mens is de weg naar het leven smal, die naar de dood daarentegen breed en ruim. De pelgrimsweg is de rechte weg, (en betekent) het verdwijnen van ondeugden, versterving van het lichaam, openbaring van deugden, kwijtschelding van straffen, boetedoening van boetelingen, weg der rechtvaardigen, liefde voor de heiligen, geloof in de wederopstanding en beloning der gelukzaligen, verlossing van de hel, genade van de hemel. De pelgrimstocht verzwakt (de trek in) weelderig voedsel, beteugelt de vraatzucht, temt de wellust en onderdrukt lichamelijke verlangens die strijdig zijn met (het heil van) de ziel, zuivert de geest, brengt de mens tot bezinning, vernedert hoogmoedigen, maakt ootmoedigen gelukzalig, bemint armoede, haat rijkdom die door hebzucht wordt bewaakt, maar bemint vrijgevigheid die behoeften laaft, beloont hen die zich onthouden en goede werken verrichten, maar bevrijdt niet op zichzelf zondaars en hebzuchtigen.

Boek van Jacobus, vertaald door Jan van Herwaarden

De motieven van de pelgrim zijn evenwel niet eenduidig: natuurlijk speelde de spirituele loutering een rol, maar veel pelgrims vertrokken uit hun woonplaats omdat ze daar onvoldoende voedsel hadden. In de praktijk gingen vooral leken op bedevaart. Het voedselmotief maakte het vertrek uit de veilige woonplaats gemakkelijker; het waren vaak de armsten die zich aansloten bij bedevaartstochten. Ook pelgrimstochten uit boetedoening of als straf kwamen veel voor in de gehele Middeleeuwen. Pelgrims die vanuit dergelijke beweegredenen op weg gingen naar bedevaartsplaatsen hadden aan de ene kant weinig te verliezen, omdat voedsel en veiligheid ver te zoeken waren in hun woonplaats, en hun maatschappelijke positie van 'ergens bijhoren' vaak marginaal was. Aan de andere kant hoopten ze veel te winnen: een goddelijke zegen, die na terugkomst in de eigen woonplaats een gunstige invloed zou hebben, of een paradijselijke plek om te wonen.

Visioenen van het hemelse Jeruzalem werden extra leven ingeblazen door de middeleeuwse droom van het fictieve land Cocagne: een land waar eten in overvloed was, het weer gelijkmatig en gunstig en mensen niet hoefden te werken. De ideale omstandigheden voor de gemiddelde middeleeuwse mens, die weliswaar niet voortdurend honger leed, maar voor wie honger wel een permanent aanwezig schrikbeeld was. Cocagne werd gebracht als een fictie, er bestonden allerlei varianten op, en de geschriften erover gebruiken het ook als waarschuwing tegen ledigheid, maar is eveneens een droom waar mensen naar zochten. Geïnspireerd op de Hof van Eden, het aardse paradijs, vertegenwoordigde Cocagne een droom die velen uit hun armetierige omstandigheden lokte in de richting van Jeruzalem.

Of zijn motieven nu uit honger of uit spirituele behoeften voortkomen, het is duidelijk dat de typische pelgrim niet reist omdat hij geïnteresseerd is in andere volkeren en streken, maar uit ongenoegen met het aardse bestaan. Zijn motief is niet nieuwsgierigheid – dit werd zelfs veroordeeld -, maar religieus: het bezoeken van een heilige plek, waar een heilige leeft of heeft geleefd, een wonder is gebeurd of een relikwie wordt bewaard. Het gebrek aan interesse in de reis zelf verklaart ten dele waarom de middeleeuwse pelgrim de lokale inwoners vaak zeer argwanend tegemoet ziet (niet geheel ten onrechte - moord door struikrovers of herbergiers kwam regelmatig voor en slecht eten en argwaan van bewoners ten overstaan van echte of valse pelgrims waren normaal). Omgekeerd geldt overigens hetzelfde: valse pelgrims waren een bekend verschijnsel en zeker op drukke bedevaartsroutes werd veel gebedeld.

De reis zelf wordt zelden gewaardeerd, het gaat de pelgrim om de eindbestemming en vooral om wat men daar hoopt te vinden. Dit blijkt ook uit twee ontwikkelingen rond de bedevaarten in de late Middeleeuwen: terwijl aanvankelijk de bedevaartganger zijn bedevaart zelf moest volbrengen om op verlossing te kunnen rekenen in de vorm van aflaten, ontstond in de late Middeleeuwen de mogelijkheid om deze aflaten op andere manieren dan via een moeizame reis te verkrijgen: door het verrichten van goede werken, een schenking te doen aan de kerk ter waarde van de reiskosten die gemaakt zouden zijn indien de schenker op bedevaart zou zijn gegaan naar Jeruzalem, of door het instellen van vervangende plaatsen voor de steden waaraan de aflaat oorspronkelijk was verbonden. Dit betekende in de praktijk dat de lange reis niet langer nodig was om toch de waardevolle aflaat te bemachtigen.

Een andere ontwikkeling is die van de spirituele bedevaart vanaf de tweede helft van de vijftiende eeuw. De meditatiebedevaart behelsde een traktaat waarin de gelovige vanuit zijn eigen thuis de bedevaart kon maken om zo de spirituele effecten die de reële bedevaart ook beoogde te ervaren. Soms zijn deze meditatiebedevaarten nauwelijks van werkelijke reisverslagen te onderscheiden. Zo zijn er meditatieve tochten langs de staties van Rome en uitgebreide tochten naar Jeruzalem die niettemin niet verder voerden dan de altaren van de plaatselijke kerk of de 'tempel of de rustkamer van de geest'.

De pelgrim is dus niet zelden een gedwongen reiziger, die zo mogelijk thuis blijft om zijn doel te bereiken: de loutering van de ziel door boetedoening, het verkrijgen van vergiffenis, een zegen, de aanschouwing van een relikwie of het verwerven van aflaten.

Aanzien van de reiziger

De pelgrim die de tocht naar Jeruzalem wél volbrengt, kan op een zeker respect rekenen, hij krijgt het gevoel met iets zinvols bezig te zijn door zijn leven te richten op het Goede (Jeruzalem) en kan op een zekere waardering rekenen wanneer hij weer thuiskomt. Dat zijn belangrijke waarden die een persoon vormen en veel betekenisvoller voor de vorming van de persoon dan het loutere zoeken naar voedsel en veiligheid dat de vluchteling op pad drijft. De vluchteling verwerft met zijn reis meestal geen status, ziet geen inherente zin in het vluchtelingschap zelf, maar wordt geteisterd door angst, onzekerheid en een besef van zinloosheid en nutteloosheid. De pelgrim die de bedevaart naar Jeruzalem voltooide, kon daarentegen wel een zekere statusverhoging tegemoet zien, zeker als de mogelijkheid bestond zich bij een Jeruzalembroederschap aan te sluiten, die in vele steden werden opgericht.

Het gebrek aan status van de vluchteling is niet vanzelfsprekend. Terwijl het hedendaagse beeld van de vluchteling vooral negatief gekleurd is, en termen als slachtoffer, hulpeloosheid en zelfs profiteur gemakkelijk worden gebruikt om vluchtelingen te beschrijven, kunnen we ook waarden als moed en idealisme met vluchtelingen associëren. De Hongaarse vluchtelingen die in 1956 naar Nederland kwamen, konden op een warm onthaal en op respect rekenen.

Het verschil tussen pelgrim en vluchteling, en een vergelijking met de hedendaagse toerist laat zien hoezeer de waardering voor een reis verbonden is met de motieven. Tegenwoordig wordt de moed van de vluchteling meestal niet opgemerkt en verdwijnt naar de achtergrond door het noodgedwongen karakter van de vlucht. Maar terwijl de vluchteling status en waardering zou kunnen krijgen vanwege zijn moed, is het juist voor de toerist minder moeizaam om waardering en respect te vinden. Dit is eigenlijk bijzonder vreemd, gezien de veel zwaardere, risicovollere tocht van de vluchteling. De verklaring ligt naar mijn idee in de mate van vrijwilligheid van de reis van de toerist. Het idee van vrijheid dat zijn reis begeleidt, maakt, in een tijd waarin de vrije keuze van de mens centraal staat, dat de uit vrije keuze gemaakte reis op meer waardering kan rekenen dan de gedwongen vlucht.

De hedendaagse toerist staat vanwege het vrijwillige karakter van zijn onderneming dichter bij de vroegere pelgrim dan bij de vluchteling. Dat is niet de enige overeenkomst tussen de toerist en de pelgrim. Ook is er een overlap in de meer psychologische aspecten van de loutering van de ziel door de moeilijke tocht, en het opdoen van levenservaring om zo tot wijsheid en inzicht komen. Het zoeken naar ervaringen die een antwoord geven op de hogere behoeften van Maslow – liefde, waardering, ergens bijhoren, zelfontplooiing – is eerder in de pelgrimstocht dan in de nomadische zoektocht naar voedsel of de vlucht voor armoede en oorlog te vinden.

Deze hogere motieven zijn te zien in een opmerkelijk soort reizen dat de afgelopen jaren populair is geworden: ieder jaar begeven zich talloze mensen te voet, per auto of per fiets naar Santiago de Compostela. Juist deze combinatie van vakantie en pelgrimage spreekt VUT-ters aan die de balans van hun (werkzame) leven opmaken op een route die eeuwenoud is, en onderstreept het bijzondere, levensbeschouwelijke karakter van zo'n reis.

Daarnaast zijn de oude pelgrimsplaatsen niet zelden nog steeds toeristische trekpleisters: Rome, Jeruzalem (de laatste jaren een stuk minder door de Tweede Intifada, maar niet omdat mensen er geen interesse meer voor hebben) en Santiago de Compostela, maar ook kleinere plaatsen als St. Odile in Frankrijk, worden door vele toeristen bezocht, deels uit zuiver toeristische motieven, maar vaak ook met een spoor van het oorspronkelijke doel. En laten we ook pelgrimsplaatsen elders ter wereld niet vergeten, met Mekka als grootste trekpleister. Mensen die nog nooit hun dorp hebben verlaten, leggen al hun spaargeld bij elkaar om één keer in hun leven de tocht naar Mekka te volbrengen. In India zag ik ooit hoe het vliegveld een speciale incheckhal voor Mekka-gangers had ingericht, alwaar oude mannen en vrouwen met opgetogen gezichten en hun halve huisraad bij elkaar zaten te wachten tot ze mochten inchecken, alsof ze op de plaatselijke streekbus wachtten.

Die opgetogenheid was deels religieus, deels toeristisch. Beide aspecten vormen de opmaat voor de tochten van bepaalde reizigers en toeristen uit onze eigen tijd: ook die willen een bijzondere plek bezoeken en hopen bepaalde ervaringen op te doen die hun leven verrijken.

Wanneer we de hedendaagse reizigers bezien, valt op dat hun bestemming niet zelden religieus is, ook al zijn zij dat zelf niet, of behoren ze tot een andere religie dan het pelgrimsoord dat ze bezoeken. Tempels, kerken en moskeeën behoren tot de standaard reisdoelen van rondtrekkende toeristen, waarbij het soms alleen om de architectonische of historische waarde gaat. De reguliere toerist glipt even een kerk binnen en maakt er een foto van. Maar de meeste toeristen voelen zich, ook als ze niet (meer) religieus zijn, ook in meerdere of mindere mate gegrepen door de spirituele sfeer van een heilige plek. In die sfeer, soms gepaard met een moment van bezinning, ontwaakt iets van de pelgrim in hem. Op dat moment maakt het louter aanschouwende van de toerist even plaats voor een moment van diepere betekenis. Naarmate dit langer duurt, expliciter gezocht wordt of onverwacht gevonden, kan iemand zichzelf (terug)vinden en zijn identiteit opnieuw vormen of bestendigen. De reis van de pelgrim kan een belangrijk identiteitsonderstrepend karakter hebben.

Pelgrim in India

De middeleeuwse pelgrim reisde naar Rome, Santiago en Jeruzalem, en naar allerlei kleinere centra. Maar hij was niet de enige die hier naartoe reisde. In zijn kielzog volgden allereerst allerlei handelaren in religieuze parafernalia, wonderdokters en prostituees, maar ook andersoortige toeristen. Juist pelgrimsplaatsen werden de eerste toeristische plaatsen ter wereld. Jeruzalem en Rome zijn al in een redelijk vroeg stadium toeristische centra geworden, niet alleen vanwege de archeologie, maar ook als heilige steden op zich. Maar laten we deze bekende oorden even terzijde laten en inzoomen op een land waar de ontwikkeling van pelgrim naar moderne toerist in deze tijd goed zichtbaar is: India. In India liggen op een bizarre manier moderniteit en traditie altijd naast elkaar. Terwijl het land enerzijds mensen de ruimte instuurt en kernwapens ontwikkelt, wonen er miljoenen mensen die het eerste stadium van toerisme nauwelijks hebben bereikt. Zij zijn de pelgrims die ontdekken dat het nuttige met het aangename verenigd kan worden.

Een zeer prille vorm van toerisme, waarin de pelgrim nog zeer duidelijk te herkennen is, vindt plaats in de Noord-Indiase deelstaat Uttrakhand. Hier ligt een van de belangrijkste pelgrimsgebieden van het land. Men kan er de zogenaamde Char Dham afleggen, een pelgrimstocht waarbij men de vier belangrijkste bedevaartsoorden aandoet. Deze plaatsen zijn door bergketens van elkaar gescheiden, dus de hele tocht duurt gemiddeld elf dagen. Het gebied is van grote betekenis voor vrome Hin-

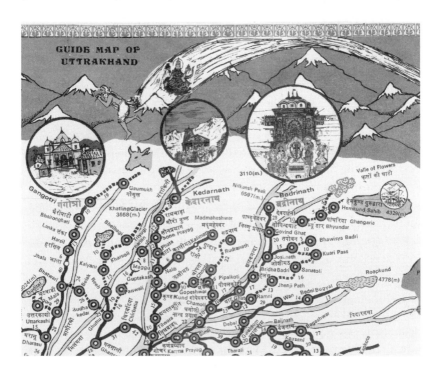

69

does, omdat zich hier de godenverhalen uit het heldenepos de Ramayana afspelen, waarin prins Rama, de goden Vishnu en Shiva en allerlei andere prominente figuren uit het hindoeïstische pantheon een rol spelen. Talloze individuele pelgrims reizen hier te voet of per bus naartoe, soms gekleed in het oranje gewaad van de saddhu.

Maar naast deze pelgrims, vallen vooral de busladingen dorpelingen op die de vier heilige plaatsen bezoeken. Niet zelden zijn ze dagen onderweg vanuit hun geboortedorp. Zij zijn zelden buiten hun dorp geweest, maar hebben geld bij elkaar gelegd om gezamenlijk een bus te huren en collectief op pelgrimstocht te gaan. Het plezier van het op weg zijn straalt van ze af. Vroomheid en vakantiereisje lopen dwars door elkaar. De vrouwen trekken hun mooiste sari's aan, nemen zakken vol lekkernijen mee; de kinderen zijn opgetogen. Naast de heiligdommen zijn talloze marktkramen geplaatst, waar naast heilige voorwerpen en memorabilia, zoals plexiglas wierookhoudertjes met afbeeldingen van de heilige tempels, of kralensnoeren die voor gebed worden gebruikt, ook onmiskenbaar toeristische souvenirs te koop zijn, zoals ballen, kleedjes, goedkope sieraden en tal van andere prullaria.

Het reisgidsje dat wordt aanbevolen voor het gebied biedt een fantastisch inkijkje in de blik die de reiziger wordt opgedrongen en die bepaalt hoe hij zijn tocht hoort te bezien volgens de auteur: naast informatie over de afstanden tussen de verschillende plaatsen, vinden we de godenverhalen die zich hier volgens de legenden afspeelden en hymnen die bij de verschillende plekken en rituelen horen. Onderaan het lijstje van wat de reiziger mee moet nemen, staan na de hoogst noodzakelijke benodigdheden als deken, laken, regenjas, wollen en katoenen overhemden, paraplu, zaklantaren, rubberschoenen en klein touw, ook offergaven genoemd, waaronder sandelhout en een aantal voor de westerling onbekende zaken als *misri, chhoti ilaichi, dhoop agarbatti* en *kesar*. Verderop in het gidsje staan verwijzingen naar de heilige teksten die refereren aan de plaatsen.

Het boekje is een schitterende mengeling van praktische en religieuze informatie, dat vooral laat zien dat de blik van de reiziger – of hij nu de Baedeker Gids meeneemt, de Lonely Planet of het Indiase gidsje, altijd gekleurd is. Terwijl een Westerse reisgids vooral aandacht zou schenken aan eetgelegenheden en hotels waar de Westerse toerist onderdak kan vinden, wordt in dit boekje het religieuze aspect van de reis op de voorgrond geplaatst. Daarmee beantwoordt het aan de intentie van de reiziger, die als pelgrim op stap gaat, maar kleurt het tevens zijn blik. Dat bleek uit de reacties van mijn medereizigers in de openbare bus die naar een van de plaatsjes reed: terwijl ik afwisselend de landschappen bewonderde en angstig in de bus zat vanwege de vele landverschuivingen, waren zij vooral opgetogen over het feit dat ze naar de 'echte plaatsen' gingen, waar zich de verhalen hadden afgespeeld. Wat voor mij imposante bergketens waren aan het eind van het dal, waren voor hen de steengeworden benen van Heer Badrinath. Het lukte ons niet om ons de blik van de ander werkelijk eigen te maken – al las ik hun verhalen, ik voelde ze niet toen ik de bergen bekeek. Omgekeerd gold dat wat ik sublieme schoonheid of – bij andere gelegenheden – vervreemdende absurditeit vond, door hen met andere ogen werd bezien. Maar ondertussen genoten zij net zo van de ijsjes, de sieraden en alle niet-religieuze waar die te koop werd aangeboden als ik – daarin waren we allen toerist.

Op zoek naar het onbekende

Soms verzuchten hedendaagse reizigers dat reizen de moeite niet meer waard is, omdat de wereld inmiddels volledig in kaart is gebracht. Het invullen van de witte plekken op de kaart, het zoeken naar schatten in verre oorden, de zoektocht naar Paradijselijke oorden – al vanaf de klassieke oudheid reisden ontdekkingsreizigers naar onbekende gebieden. Donker Afrika was al voor Griekse ontdekkingsreizigers een doel, waarvan ze in al dan niet fictieve reisdagboeken verslag deden. Alexander de Grote bereikte in zijn veroverings- annex ontdekkingstocht India. En na hen verkenden Romeinen en Vikingen de Europese gebieden, opgevolgd door Europese ontdekkingsreizigers.

Hun motieven zijn divers, maar één ding hadden ze gemeen: ze trokken naar voor hen onbekende streken. Nieuwsgierigheid naar het onbekende zal bij velen van hen een rol hebben gespeeld. In onze westerse geschiedenis zijn ontdekkingsreizen met name vanaf de vijftiende eeuw in opmars, een ontwikkeling die in belangrijke mate samenhangt met technische ontwikkelingen, zoals de bouw van zeewaardige schepen, de uitvinding van het kompas en andere nautische hulpmiddelen.

Gestaag werd vanaf de vijftiende eeuw de wereld in kaart gebracht, tijdens de langdurige periode van kolonisatie. Vanaf de vijftiende eeuw tot begin twintigste eeuw werden hele continenten ontdekt, zoals Zuid-Amerika in 1492 en Australië, waar Abel Tasman in 1643 en 1644 omheen zeilde. Afrika was het terrein van vele ontdekkingsreizigers, waaronder de beroemde zendeling dr. Livingstone in 1853-1856. Sommige van hen waren respectabele lieden, andere onbehouwen avonturiers. In het gezelschap van de ontdekkingsreizigers bevonden zich zeelieden, missionarissen, artsen, wetenschappers, vluchtelingen en wezen. Soms reisden ze vanuit zuiver wetenschappelijke motieven, soms vanuit onvrede met het saaie leven thuis, of uit een pure nieuwsgierigheid naar het onbekende, niet zelden stonden er strategische of handelsbelangen op het spel.

Bekend is bijvoorbeeld de Great Game: het spel dat in de negentiende eeuw in Centraal Azië werd 'gespeeld' tussen Britten en Russen in Afghanistan. De ruige bergen waren ook toen al een moeilijk te verkennen gebied, dat zich nauwelijks binnen de invloedssfeer van vreemde mogendheden liet brengen. In Afrika leidden de ontdekkingsreizen tot de indeling van bestaande koninkrijken in grote landen, met strakgetrokken, onnatuurlijke grenzen. In dezelfde periode reisden diverse expedities af naar de laatste onontdekte continenten: de Noordpool en de Zuidpool. Strategische en handelsbelangen speelden daarbij geen rol meer. Met de vorming van nationale staten in de negentiende eeuw, werd de inzet de landseer. Amerika en Noorwegen streken in 1906 en 1911 met de eer.

Hoewel de ontdekkingsreizen een onmiskenbare invloed hebben gehad op de onrustige hedendaagse reiziger, zijn ze moeilijk te duiden, door de verschillende soorten reizigers en de variëteit aan belangen waarmee deze op pad werden gestuurd. Wel is duidelijk dat de ontdekkingsreis met een romantisch aura is omgeven dat nog steeds tot de verbeelding van jong en oud spreekt. Dat is in niet geringe mate te danken aan de fundamentele filosofische idee van de ontheemde mens, die voor ieder mens, maar zeker voor de hartstochtelijke reiziger, in meerdere of mindere mate herkenbaar is.

In de filosofie is het verlangen naar de verte prachtig omschreven door Heidegger (1889-1976), die het 'niet thuis' zijn in de wereld als wezenlijk aspect van het menszijn ziet. De mens is op een existentieel niveau *unheimisch*; Heidegger noemt hem een wezen van de verte. In hem bestaat een onstilbaar verlangen naar een verwijding van zijn horizion en daarmee van de mogelijkheidsruimte waarin de mens kan bestaan – die is immers vele malen groter wanneer de mens de grenzen van het vertrouwde te buiten treedt en zich openstelt voor het onbekende, het verre, het van hem verwijderde, dan wanneer hij op de plek blijft waar hij ter aarde is geworpen. Juist omdat hij zich de wereld kan en wil eigenmaken, staat de mens, als wezen van de verte, open voor het onbekende: hij kan zich verwonderen. Hij zoekt het andere op, het onbekende en het vreemde, waarin het hier en nu wordt opgeheven in het onderweg zijn naar andere ruimtes en werelden, of deze nu werkelijk zijn of in fantasie bestaan.

De ontdekkingsreiziger verbeeldt deze openheid en het verlangen naar de verte. Los van alle concrete invullingen van de reis, spreken vooral het gevoel van 'niet thuis' zijn bij zichzelf en bij de zogenaamde vertrouwde, gewone wereld, en de stappen om de grenzen van het onbekende op te zoeken tot de verbeelding. De reiziger hoopt zichzelf te vinden door het verre tegemoet te treden, en zich hiervan te onderscheiden. De vraag is of hij dit werkelijk op een andere plek vindt, of in zijn geest, zoals Slauerhoff, de rusteloze scheepsarts/schrijver die Nederland in de jaren '20 en '30 keer op keer ontvluchtte:

Alleen in mijn gedichten kan ik wonen,
Nooit vond ik ergens anders onderdak.

J.J. Slauerhoff, 'Woningloze'

Concreet bezien valt het voor de hedendaagse aspirant-ontdekkingsreiziger niet mee een geschikt gebied te vinden om de eerste voetstappen op te zetten. Terwijl tijdens de negentiende eeuw dappere kolonisten donker Afrika introkken om immense gebieden in kaart te brengen, en expedities elkaar verdrongen op zoek naar archeologische schatten in het Midden-Oosten, ligt de enige mogelijke bestemming van hedendaagse ontdekkingsreizigers op een veel kleiner vlak. Tegenwoordig worden bijvoorbeeld kloven in afgelegen gebergtes verkend: diepe, vaak zeer moeilijk toegankelijke en half-verborgen gebieden waar water, rotsen en dichte begroeiing, plus de overtuiging dat er geen pot goud aan het eind van de kloof te wachten staat, er voor hebben gezorgd dat eerdere reizigers er eeuwen aan voorbij zijn getrokken. Een terrein dat nog nagenoeg onbekend is, zijn de bodems van de oceanen, waar zich – wederom dankzij ontwikkelde techniek, als duikboten en camera's – de laatste jaren een wonderbaarlijke wereld openbaart. Voor wie wil, is er nog steeds genoeg te ontdekken, niet alleen in wereldlijke zin, maar vooral ook filosofisch opgevat.

Van ridder tot Superman

Terugkerend naar het Europese verleden stuiten we op een heel andere figuur die langs de wegen dwaalde. In de nadagen van de kruisvaarders kwam een figuur op die zijn hoogtijdagen beleefde in de twaalfde en de dertiende eeuw, en die nog steeds zeer tot de verbeelding spreekt: de ridder. De ridder staat weliswaar bekend om zijn feodale trekken, het geweld dat hij gebruikte om het volk te laten werken en de kastelen die hij bouwde om zich te beschermen, maar hij is niet minder bekend om zijn religieuze trouw en de bijzondere waarden die hij hoog in het vaandel hield:

riddereer en dapperheid. In de verhalen rond Koning Arthur komt daarbij de zoektocht naar de Heilige Graal, waarin het ridderavontuur uitgemeten wordt.

De typische ridderlijke reis zien we ook in de figuur van Ywain, de Ridder van de Leeuw, zoals beschreven in de gelijknamige epische roman van Chrétien de Troyes (12ᵉ eeuw). Deze ridder vertrekt in het diepste geheim om helemaal alleen het avontuur tegemoet te gaan en glorie voor zichzelf te vinden. Hij onderneemt een heroïsche tocht, waarin hij zich als individu vormt: de ridder definieert zich door zijn keuze als autonoom, separaat en onthecht mens. Ook hier is, net als bij een deel van de pelgrims, sprake van een vrijwillige tocht. Zijn tocht is geen lot dat hij moet ondergaan, maar een vrije keuze. De identiteit van Ywain is aanvankelijk niet duidelijk gedefinieerd. Maar door zijn reis kan hij winnen in termen van vrijheid en autonomie. Hij wordt gedreven door hoogstaande waarden als eer en dapperheid, en juist tijdens zijn avontuurlijke tochten zoekt hij de kansen om zijn sporen te verdienen. Deze ridder is de figuur die nog steeds tot onze verbeelding spreekt; in de fantasie in kinderspel en bij volwassenen is de ridder nog steeds een graag gezien karakter, hoewel de ridderlijke reis definitief tot een einde kwam met de figuur van Don Quichot.

Typerend voor de ridderlijke onderneming is dat zijn reis niet zozeer een middel tot een doel is, maar een activiteit die intrinsiek is aan het heroïsche karakter: gewapend zijn en reizen betekenen niet zozeer iets *doen*, als wel iets *zijn*, schrijft Eric Leed in *The Mind of the Traveller*. Zijn eindbestemming is vaak ongewis, hij is op pad omwille van het op pad zijn. Daarin onderscheidt hij zich van de gedwongen reizigers, die op zoek zijn naar een veilige plek waar voldoende voedsel is, en van de pelgrim, die van te voren weet welke religieuze plek zijn einddoel vormt. De ridder daarentegen zoekt het pad. Een eindbestemming maakt hem rusteloos. De echte ridder is permanent onthecht en in beweging. Een gesetteld leven zou hem waardeloos maken, hij moet ridder zijn en op avontuur gaan. Als ridder Ywain trouwt, en zijn vrouw moet achterlaten, kost hem dat moeite, en ervaart hij de gespletenheid in zichzelf die vele hedendaagse reizigers ook voelen wanneer ze een veilig bestaan achter zich laten voor een onzeker avontuur in vreemde contreien, maar hij gaat toch.

Het concept van de avontuurlijke reis van de ridder was voor het gewone volk ondenkbaar en onvoorstelbaar: zij waren blij met elk beetje bestaanszekerheid dat ze konden krijgen. Maar moedwillig risico's nemen; het vrijwillig achter zich laten van het bekende voor het onbekende; of de wens naar het nieuwe, horen bij de ridder. Het woud is voor hem een domein van kansen, wonderen, het onverwachte, nieuwe en vreemde – een houding die nog steeds zichtbaar is in toeristen die de gebaande paden zoveel mogelijk links laten liggen. Het ridderideaal werd echter ook een mogelijkheid voor gewone mannen om zichzelf als vrije en nobele mannen te ontwikkelen. De echte ridder zoekt namelijk ook kansen om zich te ontwikkelen. Hij is daarin idealiter altruïstisch en niet per se gedreven door eigenbelang, hij helpt ook anderen en demonstreert zo zijn transcendentie ten aanzien van wereldse zaken.

Het riddermotief is nog steeds herkenbaar: het motief van de onrust, een vrij leven van avontuur en risico's is een motief dat door vele twintigers en dertigers wordt gevoeld. Juist deze tijd vraagt om een vergelijking: veel ridders hadden in materieel opzicht hun zaken vaak wel voor elkaar, en gingen niet zelden uit verveling op avontuur. Waar kwam die verveling vandaan? Wellicht vanuit het gemis aan confrontatie met het onbekende? Met mensen en situaties die iemand op de proef stelden? Die iemands gevoel van moraliteit op scherp zetten? Het morele element mag niet onderschat worden.

Ervan uitgaand – en hiermee baseer ik me op het denken van de hedendaagse Canadese filosoof Charles Taylor, die een uitgebreide studie schreef over de bronnen van de moderne identiteit - dat iemand een goed mens wil zijn, kunnen we stellen dat een mens ernaar zoekt om zichzelf te vormen naar bepaalde maatstaven die gebaseerd zijn op zijn opvattingen over het goede. Iemands identiteit wordt daarmee ten dele opgebouwd rond morele waarden: wie wij zijn, meten we af aan morele maatstaven rond bijvoorbeeld eerlijkheid, hulpvaardigheid, et cetera. Wanneer we rechtvaardigheid als een goede waarde zien, en een goed mens willen worden, moeten we dus rechtvaardige mensen worden. De nobele ridder zoekt tijdens zijn riddertochten gelegenheden om zich als goed mens te vormen, waarbij het "goede" voor hem bestaat in eerlijkheid, moed, rechtvaardigheid en vergelijkbare deugden. Hij zoekt er in zijn riddertochten naar zich op deze vlakken te bewijzen, om 'iemand' te worden die door anderen en door zichzelf wordt gerespecteerd.

Een beter mens
Als we in het dagelijks leven niet het gevoel hebben dat er een beroep op dergelijke waardevolle aspecten wordt gedaan, kan een gevoel van verveling – *ennuie*, zouden latere filosofen zeggen - ontstaan, een gevoel er voor niemand toe te doen. Een reis kan letterlijk een uitweg bieden. Juist reizen met een wat onzeker karakter, dus niet de volledig georganiseerde alles-inclusiefreis, maar eerder de liftvakantie, de reis van de

eenling die een jaar over de wereld trekt, of die per fiets of te voet naar Santiago de Compostela trekt, geven de mogelijkheid om anderen te ontmoeten en onszelf op de proef te stellen.

Niet dat de reiziger hiermee een moderne Superman wordt die hulp verlenend de wereld intrekt, maar door op reis te gaan kom je simpelweg vaker in situaties waarin je ofwel een beroep op de ander moet doen, of een ander een beroep op jou. Je kunt een gestrande lifter meenemen en zo ervaren wat behulpzaamheid inhoudt. De reiziger kan ook een huilend kind dat zijn knieën heeft opengevallen van pleisters voorzien, omdat hij een verbandsetje bij zich heeft. Het gevoel van dankbaarheid voor gekregen hulp en het gevoel van vreugde om zelf gered te worden bevestigt een diep idee van menselijkheid: je doet ertoe voor de ander. Maar op grotere schaal schuilt er een echo van ridderlijkheid in de net afgestudeerden die een jaar in Zuid-Amerika gaan helpen om een schooltje te runnen.

Minstens zo belangrijk als 'schone maagden redden' en 'draken verslaan', waarin moed en rechtvaardigheid de ridder vormen, is een ander aspect van de rondreizende ridder: hij vormt zichzelf door zijn huis te verlaten. Hij wordt een beter mens, een mens die zichzelf kan respecteren door de avonturen die hij meemaakt. Ridderknaap Tiuri, die in *De brief voor de koning* van Tonke Dragt moeilijke opdrachten moet vervullen, spreekt nog zoveel mensen aan dat het in 2004 tot het beste Nederlandse kinderboek aller tijden is uitgeroepen. Waarom? Omdat Tiuri (zijn naam refereert aan het middelhoogduitse of oudfranse 'aventiure', wat avontuur betekent) op de drempel van volwassenheid zijn veilige thuis verlaat om een moeilijk en spannend avontuur goed af te ronden. En dat willen we blijkbaar nog steeds, al is het maar in het meeleven met de kinderfantasie.

Zowel de pelgrim als de ridder ontwikkelden zichzelf tot 'betere mensen' door hun tocht. Hun motieven sluiten meer aan bij de hogere behoeften van Maslow, en het karakter van hun reizen is meer vrijwillig, dan bij nomaden en vluchtelingen het geval is. Wij hebben hun interesse naar bepaalde plaatsen geërfd, maar vooral ook hun motieven om op reis te gaan: een beter mens worden door te reizen. In die zin heeft de reiziger een ethische opdracht, in de wat ouderwetse zin van het woord: een goed mens zijn (tegenover de meer gangbare betekenis van "goed handelen"). Maar ook tijdgenoten verlieten hun veilige thuis om zichzelf te ontwikkelen, zij het dat hun zoektocht vooral een theoretische inslag had: het zoeken naar kennis. Zij zijn minstens zo belangrijk geweest voor de ontwikkeling van de toerist.

Kennis en ontwikkeling
- boekenwijsheid de wereld in

Een gedaantewisseling leer je niet van Ovidius, maar van de kikkers.

Jan Wolkers

In de tijd van de pelgrimstochten, de ontdekkingsreizen en de riddertijd, maar ook lang nadat de ridder van het schouwtoneel was verdwenen, reist een categorie reizigers die sterk zijn stempel heeft gedrukt op de Europese toerist naar vooral de grote Europese steden. De reizen van studenten en wetenschappers kunnen we zelfs zien als een vorm van toerisme die eenzijdig is gericht op bepaalde aspecten van wat op reis wordt gevonden. Anders dan bij de hedendaagse toerist is hun aandacht veelal gericht op één onderwerp, bijvoorbeeld de kennis van een bepaalde leraar, de speciale boekenverzameling in de bibliotheek van Keulen, of – toen de reiziger eenmaal zijn ogen opende voor de buitenwereld - de mineralen en planten in de Alpen.

De vroege studenten en wetenschappers zijn belangrijke erflaters van onze toeristische identiteit: de blik van de hedendaagse toerist is door hen sterk gevormd. Reizigers zoeken er niet alleen naar een beter mens te worden, zoals de pelgrim en de ridder elk op eigen wijze deden, maar ook om kennis op te doen en zich zo in wijsheid te vormen tot een beter mens. Reizen uit nieuwsgierigheid naar de wereld is in onze tijd een legitieme rechtvaardiging van de reis – zie onze reisgidsen, die bol staan van historische feiten, informatie over het landschap en de vorming ervan, over flora en fauna. Dat vinden we zo gewoon, dat het ons niet eens opvalt, tot we misschien een reisgids uit een heel ander land zien, waaruit een heel ander perspectief blijkt, bijvoorbeeld een religieus perspectief.

In gesprekken zeggen mensen dat ze altijd al eens hebben willen zien hoe de Mona Lisa of Akropolis er in het echt uitzien. Op reis zijn ze geïnteresseerd in de begroeiing van de Alpen, in de zeepopulatie van de Malediven, in het dagelijkse leven van de Chinees, in de Vietnamese keuken, in de geschiedenis van het Roemeense vorstenhuis. Ze willen weten hoe hoog de IJffeltoren is, en wat de naam is van de vorst die de Taj Mahal liet bouwen. Rondleidingen over de meest uiteenlopende onderwerpen worden met interesse aangehoord. Alles is in principe interessant; kennis – het maakt niet uit waarover - wordt hoog gewaardeerd.

Dat vinden we zo vanzelfsprekend dat we nauwelijks doorhebben hoe recent deze blik is. Een duik in ons verleden wijst ons op de voetsporen van onze voorgangers waarin wij zelf onze stappen zetten. En passant begrijpen we misschien ook dat men in andere culturen op een heel andere manier tegen reizen aan kan kijken en misschien wel hele andere verwachtingen heeft. Immers, als onze eigen blik het product is van enkele eeuwen voorbereiding, is een andere blik net zo goed mogelijk, vanuit een ander perspectief en een andere historische ontwikkeling.

Vooral botanie en geologie waren vanaf achttiende eeuw wetenschapsgebieden die uitnodigden tot reizen. Later kwam de etnografie daarbij: de wetenschap die volkeren onderzocht. *En passant* drukten ook de kunstenaars hun stempel op onze toeristische kijk op de wereld. En tot slot moeten we ook hier niet de invloed van filosofen onderschatten. We zien hoe hun gedreven zoeken naar waarheid naklinkt in de reizen van toeristen, en hoe wetenschappers, kunstenaars en filosofen een belangrijke bijdrage leverden aan het vormen van de blik van de moderne toerist.

Op zoek naar kennis

In de vroege Middeleeuwen bestaan er nog geen universiteiten. Studenten reizen naar leraren om kennis op te doen en wanneer de leraar vertrekt, reist de student mee. Totdat met de komst van universiteitssteden als Bologna, Cambridge en Parijs plaatsen ontstaan om naartoe te reizen en zich daar voor kortere of langere tijd te vestigen (twaalfde en dertiende eeuw), zijn rondtrekkende leraren en studenten een redelijk bekend verschijnsel in de Middeleeuwen. Petrarca (1304-1374) is een bekend voorbeeld: op zoek naar oude Latijnse klassieke geschriften reisde hij door Frankrijk, Duitsland, Italië en Spanje. Erasmus (1467-1536) deed hetzelfde: geboren in Rotterdam, studeerde hij na zijn priesterwijding in Parijs, gaf een half jaar les in Engeland, verbleef drie jaar in Italië en stierf in Bazel.

De student zoekt in de eerste plaats de kennis van zijn leraar en, in tweede instantie, klassieke werken. In de wereld lijkt hij nog nauwelijks geïnteresseerd – hij beperkt zich tot de kennis van de klassieke werken, overgedragen door de juiste leraren. In die zin onderscheidt hij zich duidelijk van de ridder, voor wie de reis zelf niet alleen een middel is, maar ook het doel. De student reist primair om het doel – de leraar en zijn kennis – te bereiken, hoewel vermaak niet zelden een motief van de student zélf is.

In de Renaissance verandert echter de houding ten aanzien van kennis beetje bij beetje. Niet alleen boekenkennis maar ook kennis uit ervaring komt in de belangstelling te staan. Dit is in de eerste plaats zichtbaar in de schilderkunst, maar heeft een grote en verreikende weerslag in de filosofie: het humanisme plaatst de wereld centraal, in plaats van God. De Britse filosoof Francis Bacon (1561-1626) roept aan het eind van de zestiende eeuw op tot het gebruik van de zintuigen voor het vergaren van kennis. Wetenschappelijke kwesties worden tot dan toe uitgevochten in debatten tussen spitsvondige geleerden, die met behulp van logica en de klassieke werken problemen trachten op te lossen – vanuit de algemene stelling werd beredeneerd hoe de wereld eruit moest zien. Bacon doorbreekt het protocol. Hij schokt zijn medegeleerden door tijdens een dispuut over het aantal tanden van een paard te opperen dat men het antwoord in de mond van het paard vindt en niet bij Plato of Aristoteles.

Bacons controversiële oproep creëert legitimiteit voor een nieuw soort reis: de wetenschappelijke reis – een reis waarin goed observeren centraal staat. Vanaf dan verlaat de wetenschapper steeds vaker zijn leunstoel en monstert bijvoorbeeld aan op handelsschepen om de flora en fauna in nieuw ontdekte gebieden te bestuderen. De wereld ligt dan al open door ontdekkingsreizen - Amerika was al een eeuw eerder ontdekt - maar deze zijn vooral ingegeven door handelsmotieven.

Maar in het kielzog van de ontdekkingsreizigers trekken botanisten en etnografen naar de overzeese gebieden. Met de legitimatie van het gebruik van de zintuigen om kennis te verwerven, openen wetenschappers hun ogen, en openbaart zich een wereld aan waarneembare en raadselachtige fenomenen, die erom vragen in kaart te worden gebracht. De uitvinding van wetenschappelijke instrumenten als de hoogtemeter, thermometer en barometer betekent eveneens een grote impuls voor de wetenschappelijke reis, net als de verbeterde navigatiemiddelen als kompas en sextant.

In de zeventiende en achttiende eeuw is de botanie een gebied dat sterk in ontwikkeling is. De talloze plantensoorten worden beetje bij beetje in kaart gebracht, onder meer door de botanist Carl Linnaeus (1707-1778). In zijn en andermans reisverslagen lezen we hoe serieus en in zekere zin monomaan de wetenschappelijke reizen zijn. De betrokken wetenschappers hebben zelden oog voor iets anders dan hun wetenschappelijke projecten. Zo reist Linnaeus in 1732 naar Lapland. Zijn reisdagboek staat vol notities over de veranderende bodemcondities, de vegetaties op dijkjes en weiden, vogelgeluiden, de omvang van de bomen, vreemd gevormde rotsen. Hij verzamelt mineralen en bloemen en legt de grondslag voor zijn beroemde classificatiesysteem voor planten. Oog voor de schoonheid van het landschap heeft hij misschien wel, maar dat is niet wat hij zoekt.

Ruim vijftig jaar later, in 1787, reist de Zweed Carl Johnas Linnerhielm door hetzelfde landschap. Zijn blik is totaal anders: hij beschrijft het in termen van schoonheid – "het mooi gelegen huis, met een air van grandeur", het "aangename stroompje, dat mijn ziel zeer plezierige beelden en nagedachten gaf". Terwijl Linnaeus zijn liniaal gebruikte, zit Linnerhielm neer aan een zacht kabbelend beekje, speelt met de stenen, en schrijft in het voorwoord van zijn boek: "Ik reis om te zien, niet om te studeren"[5]. De Romantiek heeft zijn blik veranderd – in plaats van mineralen verzamelt hij uitzichten en stemmingen. Deze houding heeft de toerist zich later ook eigen gemaakt. Al heeft hij nog steeds belangstelling voor plantennamen en soorten, getuige de boekjes die men over de plaatselijke flora en fauna van de streken kan kopen, sinds de Romantiek hoeft hij niet meer zoveel te weten als zijn wetenschappelijke voorgangers, noch hoeft hij zijn reis te legitimeren door er een wetenschappelijk doel aan te koppelen.

De hedendaagse toerist kan daardoor iemand worden die alleen ervaringen wil opdoen, niet gehinderd door enige voorkennis over de plek die hij bezoekt. Dat kan tot bizarre uitwassen leiden, getuige de klachten van gidsen in Rome. Volgens een bericht in het NRC Handelsblad (november 2004) krijgen zij regelmatig te maken met toeristen die vragen waar het graf van Jezus is, met de Argentijnen die willen weten waarom de Romeinen ruïnes bouwden en waarom deze niet worden afgebroken; ze moeten uitleggen dat het gat in het dak van het Pantheon zo bedoeld is, et cetera. Weliswaar reist bij veel toeristen iets van de wetenschappelijke blik mee, maar lang niet elke toerist is oprecht geïnteresseerd in de plek waarvoor hij zoveel geld moest betalen en zo lang moest reizen om haar te bezoeken.

De bergen in

De ontwikkeling van de wetenschappelijke naar de toeristische blik is goed zichtbaar in de ontwikkeling van de Alpen als toeristisch gebied. De Alpen zijn lange tijd een gebied dat de reiziger ofwel meed, of met angst bereisde: de hoge passen, diepe ravijnen, de smalle en vaak glibberige bergpaden en de in de ogen van de reiziger achterlijke bergbewoners gaven hem weinig reden er voor zijn plezier doorheen te reizen.

De reis was zeer oncomfortabel en bovendien gevaarlijk vanwege rover-sbenden. De toppen en flanken van de Alpen zelf werden al helemaal vermeden.

Er doen allerlei verhalen de ronde over draken en aardmannen, en men ziet geen enkele reden om de bergen zelf te beklimmen. Pas in 1723 rekent de Zwitserse hoogleraar fysica Scheuchzer af met de meeste van de drakenverhalen, en publiceert in zijn boek zijn observaties van mine-ralen en planten en enkele drakensoorten (!) in het Alpengebied.

Hij was de eerste in een lange reeks wetenschappers die het hoogge-bergte betrad. Toeristen waren er niet, nieuwsgierigen gingen onder het mom van (semi)-wetenschappelijke expedities de bergen in. Tot in de negentiende eeuw is het hooggebergte het vrijwel exclusieve terrein van geologen, die er fossielen en gletsjers bestuderen. Wat nu misschien een onschuldig, neutraal en wellicht saai vakgebied lijkt, is in de achttiende eeuw het strijdtoneel van een van de meest controversiële vraagstukken van die tijd. De vraag naar het ontstaan van de aarde wordt dan voor het eerst niet als een religieuze kwestie gezien, dus met de Bijbel in de hand bekeken, maar vanuit een wetenschappelijk perspectief benaderd. Er wordt gekeken naar de rol van fossielen en aardlagen in het ontstaan van de aarde, wat niet noodzakelijk strookt met het scheppingsverhaal. Heftige controverses spelen zich af tussen dominees en wetenschappers, waarbij de wetenschappers zelf ook vaak maar al te graag aan het schep-pingsverhaal willen vasthouden.

Maar opmerkelijker nog dan deze insteek is de houding van de geo-logen. Wanneer ze de bergen beklimmen, beklemtonen ze zonder uit-zondering de wetenschappelijkheid van hun projecten. Ze verblijven soms wekenlang op het ijs, om het fenomeen 'gletsjer' te begrijpen, gewa-pend met zware barometers en thermometers (die zeer regelmatig bre-ken, tot frustratie van degene die ze over ijs en rotsen naar boven heb-ben gesleept). Ze kijken neer op de gewone toeristen, en laten zich vanaf hun hoge, koude posten uit over "die platgetreden paden, waarover toe-risten elkaar volgen als een kudde schapen"[6]. En ze blijven hardnekkig wetenschapper: lyrisch over het landschap worden ze zelden. In elk geval niet in het openbaar. In privé gezelschap wil men zich nog wel eens laten ontvallen dat de bergen hen raken, zoals de Zwitserse aristocraat De Saussure, die in 1760 een premie uitloofde voor de eerste persoon die de Mont Blanc beklom. Na zijn eerste tocht op de Mont Blanc schreef hij dat hij de berg niet kon zien zonder gegrepen te worden door een diep verlangen de top te beklimmen. In 1786 bereikte een lokale jager, Balmat, de top en streek de premie op. Of hij gedreven werd door een verlangen de berg te beklimmen of door pure geldzucht is altijd een vraag gebleven.

Het duurt nog ruim een eeuw voordat na de eerste wetenschappers – grotendeels botanici en geologen - en een groeiende schare toeristen die vanuit de dalen de onbereikbare pieken bewonderden, de eerste bergbeklimmers publiekelijk durfden te bekennen dat ze de toppen louter en alleen beklommen vanuit het zuivere motief van bergbeklimmen. In de jaren '50 van de negentiende eeuw – de Gouden Eeuw van het alpinisme - beklimmen talloze, veelal Britse doktoren, advocaten en klerken de Alpen, in een krachtmeting tussen henzelf en de natuur: de taal waarin over de bergen wordt gesproken is een mannelijke taal van strijd: bedwingen, overwinnen en verslaan. Ze bedwingen de maagdelijke flanken en toppen vanuit een motief van sportiviteit, maar ook vanuit een masculiene eerzucht en hang naar status die met een eerstbeklimming van een top of een nieuwe route is verbonden. In deze Gouden Eeuw worden de eerste Alpenverenigingen en berggidsenverenigingen opgericht en worden de eerste alpenhutten gebouwd. Door tijdens vakanties bergen te beklimmen, konden ook de witte-boorden werkers laten zien dat ze "echte mannen" waren. De eerste vrouwelijke bergbeklimsters werden dan ook niet met luid gejuich ontvangen en vormden een aantasting van de mannelijke eer.

George Mallory (1886-1924), die na de Alpen de Mount Everest probeert te beklimmen, heeft wat mij betreft het meest zuivere motief gegeven om de berg te beklimmen – geen religieus, economisch, ridderof wetenschappelijk motief, maar het even simpele als krachtige: "Because it's there". Hij en andere bergbeklimmers hebben de bergen definitief voor toeristen ontsloten. De Mont Blanc is, omdat hij eenvoudig te beklimmen lijkt, door velen bestegen, niet altijd met even goede afloop. Mount Everest is inmiddels twee keer per jaar het schouwtoneel van soms tientallen expedities, waaronder ook commerciële expedities die klimmers begeleiden die deze berg nooit zelfstandig zouden kunnen beklimmen. Het boek *De ijle lucht in* van journalist John Krakauer is een klassiek geworden verslag van een fatale Everest-expeditie uit 1996, waar een deel van de betalende klanten én hun expeditieleiders door een combinatie van slecht weer, ambitieuze gidsen en onervaren betalende klimmers de tocht niet overleefde. De zucht naar kennis heeft hier weinig meer mee te maken – een speciale ervaring opdoen des te meer. Een van de leden, Beck Weathers, beschreef in zijn eigen boek over deze tocht hoe hij in feite zijn persoonlijke frustraties over zijn leven verborg door zich op het bergbeklimmen te storten.

Dergelijke persoonlijke drijfveren staan ver af van de wetenschappelijke zucht naar kennis, die de beklimming van de eerste bergen legitimeerde. Of dit de enige beweegreden van de klimmers was, valt te betwijfelen, maar dit was het verhaal dat naar buiten toe werd gepresenteerd. Juist de wetenschappers betraden de paden voor het eerst en zorgden er uiteindelijk voor dat de toerist zijn ogen opende voor de schoonheid en de persoonlijke belevenis in die bergen, én hem niet te vergeten de benodigde kennis gaven om dergelijke expedities te kunnen maken.

De mens bekeken

Een derde wetenschapsgebied wint in de negentiende eeuw eveneens aan terrein: de etnografie. De achterliggende gedachte is dat primitieve volkeren ons inzicht kunnen geven in de vroegere ontwikkelingsstadia van de moderne mens. Uitgangspunt daarbij is altijd dat de moderne westerse mens meer ontwikkeld is en superieur aan de primitieve volkeren die ze bezoekt. Men doet bijvoorbeeld in de hele negentiende eeuw onderzoek naar schedelomvang, hersenmassa en hersenknobbels om te zien waardoor intelligentie wordt bepaald - wanneer de schedel van een Afrikaan groter blijkt dan die van een westers geleerde wordt onmiddellijk de hypothese verworpen dat schedeomvang bepalend is voor intelligentie! De plaatselijke bevolking wordt vaak met weinig respect behandeld, complete culturen worden als achterlijk bestempeld.

Naast het gevoel van superioriteit roept de 'nobele wilde' overigens een bijna tegengesteld gevoel op: bewondering. De 'wilde' laat zien hoe gecorrumpeerd de moderne mens is. Rousseau's nobele wilde inspireert ertoe primitieve volkeren in hun natuurlijke habitat op te zoeken, te bestuderen - nog steeds vanuit een sterk Europees gekleurde bril - , en ze desgewenst naar Europa te verschepen om ze op tentoonstellingen te tonen aan het ontwikkelde publiek. De vermeende onschuld van de nobele wilde zou de moderne mens weer terug kunnen brengen naar zijn eigen vroege oorsprong en daarmee zijn ware natuur. De kloof tussen primitieven en geciviliseerden is daarmee niet minder groot dan bij degenen die hun eigen superioriteit voortdurend bevestigd willen zien in hun wetenschappelijke ontdekkingstochten naar het hart van Afrika, Papua Nieuw Guinea of Zuid-Amerika.

Pas met cultureel antropologen als Margaret Mead, die in de jaren '30 enige tijd op Samoa verblijft en tracht de redenen achter de rituelen en gewoonten te ontrafelen (waarbij de plaatselijke bevolking niet zelden de spannendste verhalen opdist om haar voor de gek te houden, bleek vele jaren later), ontstaat een benadering waarbij de primitieve volkeren serieus worden genomen en meer vanuit hun eigen perspectief bestudeerd – enige tijd bij een stam wonen en opgenomen worden in de gemeenschap is een radicaal andere benadering dan die van elitaire bezoeken van de heren etnografen uit de negentiende eeuw. Dit idee lokt vooral in de jaren '70 vele antropologen naar verre binnenlanden.

Met deze nieuwe blik wordt ook een nieuw soort kennis mogelijk – dingen die in de vroege stadia van etnografisch onderzoek onopgemerkt blijven, worden zichtbaar wanneer de vooringenomen, superieure blik plaatsmaakt voor een meer ontvankelijke houding. Terwijl de negentiende-eeuwse wetenschappers de Hottentotten indelen bij de lagere primaten en hun taal afdoen als een keelklankentaaltje dat bijna beestachtig is, bewonderen hedendaagse taaldeskundigen de complexiteit van hun taal en worden de volken onderscheiden naar hun eigenlijke namen: Khoi en San, samengenomen als Khoisan.

Deze houdingen van participatie en waardering zijn ontstaan vanuit wetenschappelijke en filosofische hoek, maar zijn inmiddels ook terug te vinden in het toerisme. Met de komst van de luchtvaart is het vrij eenvoudig geworden om het verlangen naar de primitieve levensstijl uit te leven: vele reizigers spreken in weemoed en bewondering over de oorspronkelijke, authentieke levenswijze van de 'primitieven' in Afrika, Azië en Latijns-Amerika, al worden ze niet meer zo genoemd. De duidelijkheid van het dorpsleven elders, het ritme van de natuur dat gevolgd wordt, de feesten op gezette tijden, de traditionele gewoonten en kledij spreken tot de verbeelding van allerlei westerse toeristen die in contact hopen te komen met hun eigen verloren onschuld.

Maar ondertussen bezoekt het gros van de toeristen graag een dorpje in Afrika om de kindertjes in het zand te zien spelen, zonder de volwassenen verder echt serieus te nemen als gesprekspartner over wat dan ook: fotomateriaal zijn ze, maar geen mens om een dialoog mee aan te gaan. De toerist wil de ander wel naderen, maar blijft de "primitieve dorpsbewoner" als buitenstaander zien. De superieure houding uit de negentiende eeuw ligt zeker nog niet achter ons. In beide gevallen heeft de hedendaagse toerist veel te danken aan de wetenschappers: zij leren hen waar ze hun blik op kunnen richten.

In het kielzog van botanisten, geologen en etnografen komen in de negentiende eeuw de eerste toeristen naar de bergen, en beetje bij beetje naar primitieve volkeren. Vooral de Britse middenklasse, die dankzij de Eerste Industriële Revolutie eerder over tijd en financiële middelen beschikt om te reizen dan inwoners van andere Europese landen, is overal aanwezig. Zij hangt rond bij het Meer van Genève, in kuuroorden als Évian, Leukerbad, Lausanne, vergaapt zich aan de pieken van de Mont Blanc en de Jungfrau vanuit Chamonix en maakt korte wandelingen door de dalen. Wat geoloog en bergbeklimmer Forbes afkeurde, neemt alleen maar toe. Het massatoerisme komt beetje bij beetje op gang en wetenschappers dragen (vaak tegen wil en dank) hun steentje bij aan het aandragen van interessante bestemmingen en redenen om daarnaar toe te gaan. Zij vormen de blik van de reiziger.[7]

De botanisten vinden hun moderne toeristische pendant in de natuurreizigers, die trektochten maken in de natuur; de geologen hebben het pad gebaand voor bergbeklimmers, en de etnografen hebben de eerste impuls gegeven aan een vorm van avontuurlijke reizen waarbij de onafhankelijke reiziger graag een tijd bij de lokale bevolking verblijft (iets dat voor de jaren '70 vrijwel niet gedaan werd, behalve door avonturiers). Zonder wetenschappers hadden we waarschijnlijk niet naar de bergen, planten en mensen gekeken op de manier waarop we dat nu doen: vanuit een bijna wetenschappelijke nieuwsgierigheid en een behoefte aan feiten, classificatie en determinatie. Daarnaast bezien we de wereld om ons heen echter ook met gevoel, en dat hebben we met name aan de Romantiek en aan de kunstenaar te danken.

Door de ogen van de kunstenaar

Al sinds de Renaissance reizen kunstenaars door Europa. Zij hebben als geen andere groep geholpen de toeristische blik te vormen. Dat heeft echter verrassend lang geduurd. Giotto (1267-1337) wordt algemeen beschouwd als de grondlegger van de Renaissance in de schilderkunst. Hij schonk bijzondere aandacht aan de natuur. Terwijl voorheen de natuur geen enkele rol speelde in de schilderkunst, begint ze vanaf Giotto aan een gestage opmars in de kunst: eerst als achtergrond van religieuze taferelen, maar uiteindelijk steeds meer als onderwerp op zich. De term "landschap" raakt langzaam in zwang, een teken dat ze van onopgemerkte achtergrond tot onderwerp werd. De Vlaamse Primitieven zetten een belangrijke stap in een meer realistischer afbeelding van de natuur, met schilders als Jan van Eyck (1390-1441), Rogier van der Weyden (1400-1464) en Hans Memlinc (1430-1494). Zij oefenden sterke invloed uit op de Italiaanse Renaissance schilder Ghirlandaio (1449-1494). Men zou verwachten met die toenemende belangstelling ook de gewone man opmerkzamer zou worden voor de natuurlijke wereld om hem heen.

Kruisiging, Rogier van der Weyden, 1468

Dat gebeurt echter veel trager en indirecter dan men zou verwachten. De reizigers uit de zestiende en zeventiende eeuw die in aanraking komen met kunst schrijven in hun reisdagboeken vooral over de materiële waarde daarvan, en tonen nauwelijks interesse in de esthetische aspecten ervan. Hierin zien we vooral een opvoeding die duidelijk niet gericht is op kunst, noch op speciale aandacht voor de waarneming. Ook de natuur weet de aandacht van de reiziger nog niet te trekken. Halverwege de zeventiende eeuw neemt de kennis over namen van kunstenaars weliswaar toe, maar veel belangstelling voor hun onderwerpen had men niet. Toch wordt de blik van de toerist beetje bij beetje gevormd door de kunstenaar. De meest bepalende periode is tussen ca. 1650 en 1850 – in deze twee eeuwen wordt de blik gevormd en maken toeristen haar eigen op een manier die nu nog gemakkelijk is terug te zien in onze ervaring van met name landschappen.

In de kunst is de landschapsschilderkunst dan veel sterker ontwikkeld, bijvoorbeeld in de landschappen van Claude Lorraine (1600-1682) die rond 1650 zijn beroemdste landschappen schilderde. Hij

Claude Glas

leent zijn naam aan een instrument dat zo'n honderd jaar later de standaarduitrusting van vrijwel iedere toerist wordt, het zogenaamde Claude Glas: een kleine geslepen spiegel die het landschap verkleint en het een donkere, artistieke tint geeft. Met dit instrument kan men de blik richten, encadreren en er een fraaie compositie van maken. Het is te vergelijken met wat mensen nu doen met een camera, of zelfs met een handgebaar: de blik dwaalt niet meer, maar is gericht. Een blik die ongericht dwaalt over een landschap ziet niets – een ingekaderd landschap krijgt betekenis: díe bomen, die bergen, dat huisje of die vogels worden wel in het kader opgenomen, terwijl dát hekje, die mensen of die verzameling troep buiten beeld blijft.

Het richten van de blik gebeurt niet spontaan; mensen moeten leren hoe ze het landschap moeten ondergaan, hoe ze het moeten ervaren en voelen. Dat uit zich in het zoeken naar het pittoreske – de naam zegt het al: het gaat om het verzamelen van plaatjes, van beelden – *pittora* (vergelijk *picture*). Vanaf het begin van de achttiende eeuw verschijnen er reisboeken over *voyages pittoresques*, met allerlei afbeeldingen waarop Romeinse of Griekse tempels staan afgebeeld. Tivoli en Rome zijn populair. In Tivoli zijn niet alleen natuurlijke elementen als beken, watervalletjes en bergen, maar ook allerlei menselijke elementen: huisjes, ruïnes, vrouwen die de was doen, vissende mannen. Al die elementen komen terug in de voorstellingen van het pittoreske, als gematigde natuur met menselijke elementen – ruïnes, een hekje, een stroompje waaraan vrouwen de was deden. Tivoli is een paradijs voor schilders van het pittoreske, want alle elementen die men pittoresk vond zijn hier voortdurend voorhanden.

In Engeland wordt het Lake District beetje bij beetje ontdekt als reisbestemming. De priester William Gilpin (1724-1804) reist naar het Lake District en de Schotse Hooglanden en is hier uitermate enthousiast over. Hij schrijft diverse boeken over het landschap en wordt beroemd vanwege zijn schilderingen, die de natuur zelf tot onderwerp hebben: de bergen en kabbelende beken, en ook bij hem kastelen en ruïnes – uitermate pittoresk. Hij is niet de enige. Het landschap begint aan een zegetocht in de kunst en die zegetocht heeft zijn weerslag op de toeristische blik. Want tot kort daarvoor is dat allerminst het geval.

Enkele jaren voordat Gilpin het Lake District bezoekt, reist Samuel Johnson naar zijn vriend Boswell in Schotland. Hij neemt tabak en wittebrood mee voor de lokale inwoners en klaagt steen en been over de grootsheid van het landschap, waarin zijn blik geen rustpunt kan vinden. De man is zielsblij wanneer hij weer terug in Londen is.

Dankzij Gilpin raakt het begrip 'pittoresk' in brede kring ingeburgerd. Hij omschrijft het als "de soort schoonheid die goed zou ogen in een schildering". Er is een zekere mate van variëteit voor nodig: de verschillende natuurelementen moeten zodanig gecombineerd zijn dat ze de aandacht kunnen trekken, zonder dat dit te ordelijk of te zeer gestructureerd overkomt. Dat wordt mooier gevonden dan ononderbroken bossen of bergen. Mede dankzij Gilpin wordt het pittoreske in brede kring populair en helpt het de beginnende toerist op weg in de natuur, waarin zijn blik tot dan toe verdwaalde. De 'moderne' toerist kan actief op zoek gaan naar het pittoreske, al dan niet met een Claude Glas in de hand.

Echo's hiervan zien we nog terug op onze eigen vakantiefoto's: zowel het element van richten en encadreren – met een leuk klein huisje op de voorgrond als contrast met de ongenaakbare bergen op de achtergrond, of net die kleine bloemetjes in beeld om het beeld diepte, maar ook menselijkheid te geven. Met deze 'opvoeding' leerde de toerist waar te kijken, een opvoeding die de hedendaagse toerist eveneens via enkele generaties met de paplepel ingegoten heeft gekregen, op school of via natuurminnende ouders, opa's, tantes etc.

Het sublieme – wild en ongerept

Pittoreske scènes zijn niet bedreigend, dankzij de menselijke maat die eruit spreekt. Maar naast het pittoreske komt tegelijkertijd een ander begrip in zwang, dat het pittoreske in zijn schaduw stelde: 'subliem'. Ook dit is afkomstig uit de esthetica, namelijk van de conservatieve denker Edmund Burke: *An Inquiry into the origin of our ideas of the Sublime or Beautiful* (1756), al had het daarvoor al een religieuze betekenis. Het sublieme was verbonden aan *terror*, - angst, zoals de vreze Gods, die, zoals een Brits auteur schrijft, die ons wel beangstigt, maar waarvan we toch niet bang zijn dat ze ons vernietigt, omdat we God vertrouwen. Het sublieme brengt een heel nieuwe manier om het landschap aan af te meten, omdat het niet alleen betrekking heeft op objecten – een oceaan, een berg, een storm – maar vooral op de waarnemer. En juist die subjectieve component opent een nieuw spectrum aan natuurbelevingen.

Angst kan genot verschaffen. Dat weet iedereen die ooit in de Efteling in de Python heeft gezeten, die een klimtocht over een gletsjer heeft gemaakt, die van raften houdt of van bungee jumpen. Hoewel deze kortstondige adrenalinestoot de ademloze overrompeling van de aanblik van een overweldigend landschap niet kan overtreffen, is de lijn tussen de verhandelingen over het sublieme in de achttiende en negentiende eeuw en de bungee jumper verrassend kort.

Schoonheid gaat tot dan toe over zachtheid, klein, geleidelijke variatie, delicaatheid van vorm en kleur – eigenschappen van de objecten. Maar het sublieme maakt zich al snel los van de objecten. In eerste instantie, bij bijvoorbeeld Burke, blijft het sublieme een eigenschap van de objecten, zoals van de overrompelende gebergten of de machtige wouden. Het sublieme heeft dan nog betrekking op ruigheid, duisternis, grootsheid, macht, eenzaamheid en oneindigheid. Dat deze kenmerken, die de reiziger tot dan toe vooral meed, nu positief worden gewaardeerd, geeft aan hoe flexibel de menselijke geest is en hoe weinig ze passief toeschouwer is in wat ze ziet en ervaart. Om die tot dan toe vooral negatief opgevatte natuur te waarderen, moet de toeschouwer het begrip *subliem* kennen en begrijpen, anders overheerst alsnog de angst.

En dat gebeurt. Allereerst onderneemt men pogingen om de landschapsparken in te richten volgens de eisen van het sublieme. Dit lukt (natuurlijk) niet; het sublieme dient men in de natuur zelf te zoeken, anders is de noodzakelijke angst per definitie afwezig door de bescherming van het park. Maar het is niet toevallig dat juist in deze periode de bergen opkomen als reisbestemming. Terwijl eerdere reizigers de bergen altijd vermeden, of erop mopperden omdat het gevaarlijk en moeilijk is er doorheen te reizen, begint eind achttiende ceuw het berglandschap in de belangstelling te komen, eerst alleen bij wetenschappers, maar na enige tijd ook bij het grote publiek. De reiziger zoekt de sublieme plekken op in de Alpen, om zich daar over te geven aan de mengeling van schrik en verwondering, waar hij voorheen alleen schrik voelde.

Terwijl voorheen de zon iedere avond onderging zonder dat mensen daar speciaal naar keken, raken met de Romantiek de heuvels bevolkt, worden er uitzichtbankjes geplaatst op de fraaiste punten en zoekt de toerist naar zijn eigen sublieme ervaring. Beetje bij beetje verschuift het accent op het sublieme van de ervaren objecten naar het ervarende subject. Niet de bergen staan centraal (object), maar de toeschouwer (subject). Dat is in belangrijke mate aan Kant (1724-1804) te danken, die het begrip 'subliem' in de moderne wijsbegeerte introduceert.

Kants grootste filosofische verdiensten liggen op het vlak van de kennistheorie. "Wat kan het verstand kennen?" was de vraag die zijn filosofische onderzoeken leidde. Is ware kennis mogelijk, en zo ja, is deze te bereiken via de zintuigen of via de rede? Hij gaf met zijn uitgebreide Kritieken antwoord op het schisma van de continentale filosofie, die de rede als voornaamste instrument voor kennis zag, en de Angelsaksische filosofie, die zich vooral op de waarneming richtte. Zonder hier op deze plaats uitgebreid in te willen gaan, is het van belang te weten dat hij een voorname rol voor het subject in de waarneming zag: de kennis van de ons omringende objecten is altijd bezien vanuit een bepaalde bril, met andere woorden, er is een subjectief aspect aan onze waarnemingen waar we niet omheen kunnen. Kant sprak van categorieën van het verstand, oftewel de wijzen waarop wij de waarnemingen ordenen, in de eerste plaats aan de hand van de categorieën van tijd en ruimte. Ieder voorwerp dat we zien, categoriseren we onmiddellijk in een tijd en in een ruimte. Daarnaast ziet hij een aantal andere, secundaire categorieën.

Deze brillen dragen wij allemaal, en in die zin komt de kennis die we hebben overeen, maar niettemin is de waarnemer niet weg te denken uit de uitspraken over wat hij waarneemt: een zuivere waarneming is niet mogelijk. Dit belangrijke inzicht veranderde het denken voorgoed; Kant sprak zelf van een Copernicaanse wending: terwijl men voorheen kennis louter zag vanuit de (gekende) objecten, wees Kant op de belangrijke rol van de waarnemer, oftewel het waarnemende subject. Eenzelfde verschuiving van louter object naar een erkenning van de rol van het subject in de waarneming, is ook uitgewerkt in Kants ideeën over het sublieme en het schone.

Natuurlijke schoonheid heeft, volgens Kant, alleen betrekking op de vorm van een object. Daarmee is het begrensd (namelijk door die vorm). We kunnen ons er daarom een beeld van vormen, en de schone vormen met ons verstand begrijpen. Het schone gaat met andere woorden ons verstand niet te boven. Het sublieme onderscheidt zich juist in dat opzicht van het schone: het sublieme overweldigt onze verbeelding en gaat ons voorstellingsvermogen te boven. Kant schrijft over het sublieme dat het niet aan de zichtbare (natuur)vormen is verbonden, maar de ideeën van het verstand betreft. Dat betekent dat het sublieme meer met onze eigen ervaring te maken heeft dan dat het iets zegt over het object dat we ervaren, al is het niet los te denken van de objecten.

Het sublieme laat zich ervaren in de onbegrensde, chaotische natuur; in grenzeloosheid en vormloosheid. Stormachtige oceanen en grenzeloze gebergten zijn bij uitstek de plekken waar we een idee van het Verhevene, het Sublieme ervaren. Kant was uitermate gefascineerd door de ruwe grootsheid van de Alpen, al is hij er nooit geweest. Maar hij stelde dat deze sublieme ervaringen konden oproepen, niet vanwege de concrete vorm van de bergen, maar juist vanwege onze kennis van de onmetelijkheid ervan. Juist omdat wij met ons verstand weten dat het gebergte zo groots en ongenaakbaar is, of dat de oceaan eindeloos doorgaat, roepen oceaan en bergen sublieme ervaringen op. Het sublieme geeft niet zozeer de positieve vreugde, zoals schoonheid doet, maar eerder een verwondering en ontzag. Dat sluit aan bij de vroege uitspraken over het sublieme van Longinus, die in zijn definitie van het sublieme de spanningsvolle relatie tussen lust en onlust noemde. De reflectie van de denkende mens op wat hij ziet speelt daarmee een belangrijke rol in de waardering van het sublieme: hij wéét dat de bergen groots, ruw en ongerept zijn, en juist dat besef is voorwaarde voor de sublieme ervaring, waarin hij zich niet alleen nietig en angstig voelt, maar ook sterk en machtig, in het besef met zijn denken de bergen te kunnen overtreffen.

Kant vat het als volgt samen:

> Voor het Schone van de Natuur moeten wij een grond buiten onszelf zoeken, voor het Sublieme echter slechts in ons en in de manier van het denken, dat in de voorstelling van het eerste het Sublieme inbrengt.
>
> Kant, *Kritik der Urteilskraft*, Zweites Buch, §23

Dus niet de oceaan of het gebergte zijn subliem, maar onze ervaring, die meer zegt over een idee van totaliteit, dan over de natuur zelf. Wie ooit 's nachts op zijn rug naar de sterrenhemel heeft gekeken en werd overweldigd door de grootsheid van het heelal, begrijpt welke opening die ervaring geeft: niet alleen de gitzwarte nacht, maar vooral het idee van nietigheid en oneindigheid. Dat ligt niet aan de duisternis met een bepaald patroon van sterren, maar aan ons besef van onmetelijkheid en oneindigheid dat daarmee gepaard gaat.

Met het onderscheid in schoon en subliem biedt Kant *en passant* een handreiking om het ongemakkelijke verschijnsel, dat de ene persoon bij de zonsondergang wél het sublieme ervaart, en de andere niet, te kunnen plaatsen. Door het sublieme in belangrijke mate aan de manier van denken van de toeschouwer te verbinden in plaats van aan de objecten, kan dit verschil in beleving beter worden begrepen.

Deze wending van het "schone object" naar de "sublieme ervaring" heeft grote gevolgen. De reiziger op zoek naar het sublieme komt via de bergen, oceanen of watervallen uit bij zichzelf. Hij is op zoek naar zijn eigen ervaringen. En dat is iets waar de Romantische reiziger, die via Burke's ideeën over de sublieme natuur (gelegen in de objecten), langzaam toegroeit naar Kants idee over de sublieme ervaring (van het subject, van de reiziger) nog steeds naar op zoek is.

De meeste Romantische toeristen gaan niet zover in hun begrip van het sublieme als Kant. Het duurt al enige tijd voordat het sublieme landschap zoals Burke het opvat op waardering kan rekenen. Het waar-

deren van bergen, watervallen en andere overweldigende natuurfeno-
menen vereist een verworven smaak en aanvankelijk zien maar weinig
mensen de schoonheid ervan in. Maar aan het eind van de achttiende
en in het begin van de negentiende eeuw verandert dit snel, wat vooral in de Alpen goed zichtbaar is geworden. Het is verbazingwekkend
hoe een gebied dat aanvankelijk zo werd gemeden, zo snel in een ander
daglicht kwam te staan. Het laat eens te meer zien hoe sterk de rol van
de menselijke geest is in het waarderen wat hij ziet – niet de objecten,
maar het subject en vooral ook de sociale context waarin mensen tot
hun voorkeuren en oordelen komen, bepalen in belangrijke mate waar
we naar kijken, wat we opzoeken en hoe we het beoordelen. Het rug-
zakje van de reiziger is al voor vertrek gevuld met opinies van anderen.

In Amerika zien we dit aan de snelle opkomst van de Niagara Watervallen als toeristische bestemming en aan de institutionalisering van de
Falls als toeristische attractie. Terwijl rond 1800 slechts een enkeling het
overweldigende natuurlandschap op de grens van Canada bezocht, en
dan nog gewapend was met de meetapparatuur die kenmerkend was
voor de wetenschappelijke reiziger (thermometer, barometer, geknoopt
touw om de hoogte te meten), kwam de plek vanaf ca. 1830 in trek bij
pasgehuwden. Wie nu op internet zoekt naar Niagara Falls stuit op
86.000 plaatjes, waarvan een groot deel met pas getrouwd stelletje. De
website van Niagara Parks belooft "The Authentic Falls Experience" –
het zal niet meevallen temidden van de grote groepen toeristen de erva-

foto André Homan

ring van het sublieme te krijgen. Maar voor de negentiende-eeuwse toerist riepen watervallen precies die combinatie van schrik, ontzag en genot op die noodzakelijk was voor de sublieme ervaring, al werd al snel nadat ze door toeristen werden ontdekt geklaagd over de grote aantallen bezoekers, die het voor de echte reiziger verpestten.

Vanaf ca. 1820 worden de begrippen subliem en pittoresk door elkaar en te pas en te onpas gebruikt. Het begrip 'subliem' wordt uitgehold en gebruikt voor onderwerpen die in de ogen van Kant of denkers na hem, zoals Hegel of Nietzsche, zeker geen sublieme ervaring kunnen oproepen. Maar de kunstenaar en de filosoof hebben dan hun werk verricht, de toerist neemt het op zijn eigen manier over.

Inmiddels zijn ze alledrie grotendeels hun eigen weg gegaan: de meeste kunstenaars hebben zich in de twintigste eeuw van het landschap afgekeerd, filosofen houden zich niet meer bezig met het sublieme. En toeristen maken met hun camera nog steeds vooral foto's in de traditie van het sublieme en pittoreske – zij het dat beide begrippen een afgezwakte betekenis hebben gekregen in vergelijking met hun oorspronkelijke gebruik in de Romantiek. Om te worden wie hij is, moest de toerist niet alleen de stad willen ontvluchten, maar had hij ook het Claude Glas (of fototoestel) nodig, en de door dichters, kunstenaars en filosofen aangereikte begrippen van het pittoreske en het sublieme, om zijn blik te kunnen richten op de natuur.

Voltooiing van de opvoeding – van Grand Tourist naar groepstoerist

Hoewel we langzamerhand naar onze eigen tijd schuiven, en via al deze reizigers beetje bij beetje de identiteit van de moderne toerist zichtbaar wordt, is er één groep reizigers die met recht de meest directe voorloper van de moderne toerist kan worden genoemd: de Grand Tourist of Groote Toerist. Hij geeft zijn naam aan de hedendaagse vakantieganger en zorgt ervoor dat het toerisme steeds georganiseerder wordt. Zijn oorsprong ligt in de zestiende eeuw, wanneer de zonen van notabelen ter afronding van hun opvoeding een paar maanden naar Parijs of Italië worden gestuurd. Waar in de Middeleeuwen alleen de studenten rondtrekken, wordt dit nu gemeengoed voor alle adellijke jongelieden.

Ze doen talenkennis en mensenkennis op, en levenservaring die hen voorbereidt op hun ambt. De 'Groote Toerist' reist om zichzelf te ontwikkelen – niet zozeer om de wereld te leren kennen, maar om via die wereld zichzelf te vormen. Met een mengeling van nieuwsgierigheid en statusverlangen reizen jongelieden uit de Noord-Europese steden naar Parijs en de belangrijkste Italiaanse steden. Vaak reisden ze in groepen, onder leiding van een leraar, voogd of gids, uit veiligheidsoverwegingen en om financiële redenen. Vrijwel altijd waren er bedienden aanwezig, zowel om voor de bagage en het eten te zorgen als om verveling en melancholie te verdrijven.

Het was gebruikelijk om reisdagboeken bij te houden, waarbij de reiziger overdag notities maakte op zijn lei, om deze 's avonds uit te werken in een schrift. Dankzij deze dagboeken is een redelijk betrouwbaar, zij het natuurlijk door de meerdere 'redactieronden' gekleurd, beeld mogelijk van de interessen van de reizigers tijdens hun tour. De meeste toeristen doen verslag van toevallige of gezochte ontmoetingen, schrijven over opmerkelijke zaken, en besteden veel aandacht aan de kwaliteit van het eten en van de herbergen onderweg. Uit gevonden dagboeken uit de tijd dat ik nog in een Amsterdams jongerenhotel werkte, lijkt er weinig veranderd te zijn: ook hier vaak opmerkelijk uitgebreide beschrijvingen van het ontbijt, en veel kortere verslagen van bezoeken aan het Red Light District of de Heineken Brewery.

Er zijn uitzonderingen op deze regel. Michel de Montaigne (1533-1592), filosoof en reiziger, is wat mij betreft een van de grote 'touristen' uit dit verleden – waarmee ik hier duid op de reiziger die een reis omwille van de reis zelf maakt, die een rondtocht maakt omdat hij nieuwsgierig is naar hoe de wereld eruit ziet. Iemand die we nu een "echte reiziger" zouden noemen, bij wie de reis zelf het doel vormt van zijn tocht. Hij vormt een van de bronnen van inspiratie voor de latere 'grand touristen', mede door zijn onbevangen houding naar wat zich aandient. Tijdens zijn reis van anderhalf jaar van een dorpje bij Parijs naar Italië toont hij zich geïnteresseerd in alles wat hij op zijn pad vindt.

Montaigne is een goed observator, wat blijkt uit bijvoorbeeld de gedetailleerde beschrijvingen van eten en van religieuze rituelen in katholieke en lutheraanse kerken. Hij noteert bijvoorbeeld in Augsburg dat men de glazen afwast met een haren borstel aan een steel, dat een kanaal allerlei raderen in beweging brengt die pompen in werking zet, waardoor via twee loden pijpen het water van een laaggelegen bron omhoog wordt gestuwd in een toren van minstens vijftig voet hoog, waar het zich in een groot stenen reservoir stort, dat uitkomt in een aantal buizen en over de stad verdeeld wordt, die vol fonteinen staat. En schrijft ook daarbij dat particulieren voor 10 gulden per jaar een aftakking kunnen krijgen.

Hij heeft net zoveel interesse in apparaten, in hoe men het land bewerkt en knollen oogst, als in de lokale kleding en het eten. Het eten interesseert hem zelfs dusdanig, dat hij zijn spijt uit dat hij geen eigen kok mee had op reis. Niet omdat hij dan zijn eigen, bekende Franse keuken voorgeschoteld kon krijgen, maar juist omgekeerd: een kok zou kunnen leren hoe ze het ter plaatse deden zodat hij dat een keer thuis zou kunnen uitproberen. In Montaigne's *Reis naar Italië* lezen we:

> ...dat hij zijn leven lang andermans oordeel op het gebied van het comfort in vreemde landen had gewantrouwd, want ieders smaak werd bepaald door wat zijn gewoonten voorschreven en door de gebruiken in zijn dorp, en dat hij heel weinig staat had gemaakt op wat reizigers hem meedeelden.
>
> Haakman, *Reis naar Italië*, p.95

Montaigne dompelt zich graag onder in de weerbarstige, ongrijpbare werkelijkheid. Hij keert zich in die zin tegen de intellectualistische traditie van bibliotheekbezoekers, en wendt zich tot de wereld zelf om tot inzicht en wijsheid te komen. Dát is een van zijn voornaamste beweegredenen om op reis te gaan, naast zijn nierstenenkwaal die hem naar alle belangrijke kuuroorden van Europa dreef. Terwijl hij de kuuroorden om duidelijke redenen bezocht, is hij verder opvallend vrij in de keuze van zijn reisbestemming, soms tot ongenoegen van zijn reisgenoten, zoals blijkt uit de notitie van zijn secretaris:

> Als iemand tegen hem klaagde dat hij het gezelschap dikwijls via allerlei wegen en streken leidde naar een plek die heel dicht bij zijn vertrekpunt lag (wat hij deed omdat hij had gehoord over iets bezienswaardigs of omdat hij van plan veranderde vanwege de omstandigheden), antwoordde hij dat als het aan hem lag hij nergens anders heen ging dan de plek waar hij zich bevond, en dat hij niet kon verdwalen of omwegen maken, hij was immers niets anders van plan dan door onbekende plaatsen trekken; en dat hij, mits hij niet op dezelfde weg terugkeerde en tweemaal dezelfde plek zag, absoluut niet van zijn plan afweek.
>
> Haakman, *Reis naar Italië*, p.102

Montaigne wil de werkelijkheid uitproberen, beproeven en vooral zijn eigen levensontwerp verwerkelijken. Dit wordt tot uitdrukking gebracht in het begrip "Essay", dat te herleiden is op "proberen". In zijn reisverslag doet hij dit keer op keer, door al zijn zintuigen in te zetten: hij proeft het water, hij houdt van pittige sauzen bij de maaltijd, van wijn.

Britse toeristen

Hoewel de Grand Tour sinds de zestiende eeuw een bekend begrip was, is ze groot geworden dankzij de Britse toeristen. Engeland is in de achttiende eeuw het rijkste land ter wereld, met een substantiële upper class met genoeg tijd en geld om te reizen. Ook voelen de Britten zich afgesneden van het Continent en van de bronnen van de Westerse geschiedenis en cultuur. Een goed opgeleid lid van de elite moest de ruïnes van klassiek Rome hebben gezien en de paleizen, kerken en kunstverzamelingen van de grote Continentale hoofdsteden. Voor de meeste west-Europeanen is Italië de bron van al het belangrijke van de westerse cultuur, door de oude Romeinen en hun taal en overheidssysteem en de kunstenaars uit de Renaissance.

De Grand Tour is daarmee deels een tocht naar de historische bronnen van de eigen cultuur - de ontmoeting met de hedendaagse cultuur staat die tocht in de weg en wordt door veel reizigers zoveel mogelijk gemeden. Als de Groote Toerist zich al uitlaat over de lokale bevolking, is dit in termen van algemeenheden, net als overigens vice versa. Ongenuanceerde oordelen als: "Italianen zijn gezellig en ongeremd" of, "de vrouwen zijn gemakkelijk te krijgen" zijn gemeengoed. Van de Fransen moet men weinig hebben – de gemiddelde Brit doet vooral zijn best de Franse gewoonten belachelijk te vinden, of het nu gaat om knoflook eten, om de vrije zeden van de vrouwen in Parijs, of om het in restaurants eten (een Franse uitvinding). Wat dat betreft duurde het lang voordat de onbevangen houding van Montaigne breder doordringt bij grotere groepen reizigers – vooroordelen jegens de vreemdeling zijn hardnekkig en net zo zeer onbewust als bewust.

Als we sommige reisgidsen of vakantiefoto's uit onze eigen tijd zien, blijkt het spreken in ongenuanceerde algemeenheden en nadruk op artefacten uit het verleden nog steeds gebruikelijk: oude monumenten verdringen in de beeldvorming niet zelden de moderne cultuur. Veel toeristen, zeker als ze in georganiseerd verband reizen, hebben nauwelijks contact met de lokale bevolking en laten zich leiden door een reisgidsenproza dat geheel eigen realiteiten schept. Maar in de ontwikkeling van de Grand Tour ontstaan ook genuanceerdere commentaren en een minder vooringenomen houding. De Duitse Romantische schrijver Johann Wolfgang von Goethe (1749-1832) schrijft bijvoorbeeld bewonderend over de Italianen dat zij niet alleen leven, maar zich vermaken, en zelfs willen dat hun werk een vorm van recreatie is. Voorheen werden de Italianen vooral gezien als luilakken, omdat ze in de ogen van de noordelijke volken te weinig werkten. Maar Goethe ziet dat het harde werken in het gunstige Italiaanse klimaat simpelweg niet nodig is – hij kijkt over de grenzen van de morele superieure houding die eerdere toeristen typeert.

De Grand Tour wordt overigens niet alom gewaardeerd: sommigen vinden het een verspilling van geld (zuurverdiend in Nederland, uitgegeven in het buitenland), zien vooral de risico's (geslachtsziekten en beroving) of onderstrepen de ongemakken van de reis (schuddende, overvolle koetsen of diligences met teveel onwelriekende mensen die tussen steden reden). Maar juist de Grand Tourist heeft in belangrijke mate bijgedragen aan een verbetering van de toeristische infrastructuur: de verbetering van personentransport via draagkoetsen, onder leiding van zogenaamde *vetturino's* (Italiaanse gidsen), diligences en later stoomboten en stoomtreinen laat een wisselwerking tussen vraag en aanbod zien, waarbij uiteindelijk het aantal toeristen steeds meer toeneemt naarmate het eenvoudiger en comfortabeler wordt om te reizen, een proces dat ook nu nog in grote delen van de wereld zichtbaar is in een wisselwerking tussen de bevordering van het toerisme en de aanleg van daarbij passende infrastructuur.

Het einde van de oorlogen op het continent in 1815 brengt een nieuwe periode in de ontwikkeling van het toerisme. In de tijden van de Franse revolutie (1789) en de oorlogen van Napoleon (eindigend in de Slag bij Waterloo in 1815) is het reizen voor het plezier bijna geheel stil komen te liggen, maar na 1815 grijpt men zijn kans. Vanaf eind achttiende eeuw zijn de wegen redelijk. Er zijn reguliere postkoets- en veerbootroutes over het Kanaal, en diverse ondernemers bieden hun diensten aan om de toerist te helpen, bijvoorbeeld met het transport van Londen of Parijs over het Continent. Er verschijnen reisgidsen met praktische informatie over dagschema's en te bezoeken plaatsen, in plaats van alleen met ellenlange beschrijvingen van de steden. De Duitse Baedeker gidsen – die nog steeds bestaat - en de Engelsman Murray droegen bestemmingen aan, leerden de toerist waar ze op 'moesten' letten en vormden zo de blik van de toerist.

Dit alles betekent een enorme impuls voor de ontwikkeling van het toerisme. Een deel van het 'gedoe' kan hij voor zijn door zich beter voor te bereiden, een ander deel van het gedoe wordt met de tijd langzaamaan gladgestreken. Met de Industriële Revolutie komt het reizen ook voor de Britse middenklasse binnen bereik – niet tot onverdeeld genoegen van de lokale bevolking van populaire bestemmingen als Parijs, Florence of Rome, die ze maar lawaaierig en onbeschaafd vindt. Beetje bij beetje wordt reizen populairder in bredere kring, juist ook als middel om sociale waardering te vinden.

Vooral de opkomst van de stoomboot en de stoomtrein brengen het reizen vanaf 1830 in een stroomversnelling.[8] Niet alleen de klassieke bestemmingen worden aangedaan, maar ook Brussel en Berlijn komen in de mode als reisbestemming. Wiesbaden en Zwitserland komen in trek. Vanaf 1830 begint reizen langzaamaan zijn slechte reputatie kwijt te raken en gaan meer mensen reizen. De gevaren van roversbenden, verdwalen, ziekte en andere obstakels die voorheen velen ontmoedigden, nemen sterk af. Reizen wordt minder gevaarlijk, en daarbij komt dat de afstanden die kunnen worden overbrugd vele malen groter zijn dan vroeger. Reizen komt langzaamaan binnen het financiële en fysieke bereik van de massa's.

Met name de Brit Thomas Cook heeft de wereld opengelegd voor reizigers. Thomas Cook organiseert zijn eerste uitje in 1841 – met 570 mensen in een afgehuurde trein van Leicester naar Loughborough naar een geheelonthoudersbijeenkomst: een sensatie, de pers raakte er niet over uitgeschreven. Thomas Cook speelt een belangrijke rol in het ontstaan van groepsreizen: hij is de eerste die uitjes voor het gewone volk organiseert, vanuit een idealistisch idee van verheffing van het volk. Hij brengt ze naar de eerste Sea Resorts in bijvoorbeeld Blackpool, naar het Lake District, waar ze Wordsworth konden storen, maar ook naar de Wereldtentoonstellingen in Londen en Parijs, en naar verre bestemmingen als Italië, en eind negentiende eeuw zelfs naar het Midden-Oosten en India.

Tot slot wordt ook de accommodatie een stuk beter: in alle belangrijke steden worden vanaf 1839 Grand Hotels gebouwd. Tot die tijd bestaan er alleen maar tamelijk eenvoudige herbergen, omdat mensen of slechts één nacht blijven op doorreis, wat voor de herbergier de moeite niet loont om te concurreren op kwaliteit, of langer op één plek vertoeven op de plaats van bestemming en een eigen etage huren. Maar met de komst van de spoorwegen verrijzen er luxe ontworpen hotels met fraaie lounges, chique restaurants en mooie kamers, bedoeld voor de rondreizende elite.

Met de Grand Hotels ontstaat niet alleen een nieuw soort hotel, maar ook een ander soort vakantie: (spoor)reizigers kunnen hier enkele dagen in luxe verblijven. Hoe nauw de banden met het spoor zijn, blijkt uit het feit dat meerdere Grand Hotels niet alleen nabij stations werden gebouwd, maar zelfs het bezit zijn van de spoorwegen, zoals het Amsterdamse Victoria Hotel (1861) en Amstel Hotel (1867) en het Imperial in Wenen (1865). Ook worden er grote hotels gebouwd voor de wereld-tentoonstellingen in Parijs, zoals het Grand Hotel du Louvre (1855); Continental (1878) en Palais d'Orsay (1900). In Istanbul wordt in 1892 het Pera Palace gebouwd, het eerste westerse hotel in Istanbul, speciaal voor reizigers met de Oriënt Express, en zelfs in India verrijzen grote Grand Hotels, zoals het nog steeds bestaande Taj Mahal Hotel in Mumbai (Bombay). Vooral door de groei in het aantal Amerikaanse reizigers ontstaat de vraag naar kamers met een eigen badkamer, tot die tijd is er meestal slechts één badkamer per etage.

De toerist begrepen

De Grand Tourist bereidt de weg voor zijn opvolger, de moderne toerist. Waar de Grand Tourist nog tot de elite behoort, wordt reizen allengs populairder bij steeds grotere aantallen mensen, totdat hij eigenlijk van het toneel verdwijnt en plaatsmaakt voor een groeiende stroom toeristen, die snel in aantal en variëteit toeneemt. Maar de Groote Toerist is de eerste bij wie het reizen zelf zowel motief als rechtvaardiging is van zijn reis. Weliswaar zijn de bestemmingen zorgvuldig geselecteerd, maar uit dagboekverslagen blijkt dat het verlangen op reis te gaan het belangrijkste motief is. Het verlangen onderweg te zijn, te ontsnappen aan het leven thuis, aan de dagelijkse sfeer of aan een ongewenste situatie worden steeds meer geaccepteerd als reismotief. Zijn voorgangers dragen een bestemming en invulling aan waarin hij dat onbestemde verlangen vorm kan geven. Hij hoeft hiervoor niet langer aan te monsteren op een schip, handelsreiziger te worden, pelgrim, ridder of kunstenaar, maar kan zijn identiteit als 'toerist' uitdragen.

Wanneer hij ergens aankomt, begrijpen mensen wat hij is of poogt te zijn: een toerist. Iemand die gedreven wordt door een mengeling van reislust en nieuwsgierigheid, door een zucht naar vermaak en een verlangen naar confrontatie, een wens naar kennis en inzicht. Iemand die geen handel, verlossing of kennis zoekt, maar op reis gaat om iets van de wereld te zien, daarvan iets te leren of zich ermee te vermaken.

Wie ooit door afgelegen en toeristisch weinig ontwikkelde gebieden heeft rondgereisd begrijpt wat dit betekent. In India is het mij vaak overkomen dat mensen simpelweg niet begrepen wat nu eigenlijk de bedoeling was van al dat reizen. Ze vroegen zich af waarom ik niet getrouwd was, wat ik te zoeken had in India en waarom ik de ongemakken van het reizen opzocht. Het concept 'reiziger' was hen vreemd, en daarmee werden mijn hele verblijf en doel van mijn reis voor hen totaal onbegrijpelijk.

Als ik daarentegen in Spanje kom, is het mensen meteen duidelijk dat ik een toerist ben – met rugzak op een vliegveld aangekomen, of als buitenlander rondreizend door Spanje zonder de taal te spreken, door dorpjes wandelend, foto's makend van dingen die voor hen dagelijks realiteit zijn. De Indiase dorpsbewoner begrijpt op een fundamentele manier niet wat een westerling bezielt om zijn dorp te bezoeken; een Spanjaard daarentegen weet dat hij op een vergelijkbare manier door Amsterdam zou kunnen lopen, met zijn camera om zijn nek, kaart bij de hand en zich verwonderend over de grachten en de coffeeshops. Misschien vindt hij de toerist die foto's in zijn dorp maakt grappig of irritant, of laat deze hem volkomen koud, maar hij begrijpt wel diens beweegredenen in basale zin.

Die beweegredenen zijn gevormd in het historische wordingsproces van de Europese toerist – de erfgenaam van de Groote Tourist, die op zijn beurt sporen in zich draagt van de pelgrim, de ontdekkingsreiziger, de ridder, de wetenschapper en de kunstenaar. De Europese toerist ging zich organiseren of onttrok zich aan de organisatie om min of meer zelfstandig de wereld in te trekken. Daartoe had hij tijd en geld nodig. Toerisme heeft niet alleen te maken met wat de toerist verwacht en hoe hij door eerdere reizigers is gevormd, maar ook met wat zijn ideeën over vrije tijd en arbeid zijn en wat de mogelijkheden zijn om deze ideeën gestalte te geven.

'Nu even niet' - werk en vrije tijd

"Chinezen veroveren de wereld. Grote aantallen Chinezen gaan op vakantie naar Europa, vooral om hier te winkelen": krantenkoppen in de zomer van 2005. Het vooruitzicht dat Amsterdam binnen enkele jaren onder de voet wordt gelopen door een geschat aantal van 350.000 reislustige Chinese toeristen spreekt niet iedereen aan, maar ze zijn onderweg, de Chinezen.

De vraag is waarom Chinezen nu opeens naar Amsterdam zouden willen, of waarom Indiërs het toerisme ontdekken. En waarom we het vanzelfsprekend vinden dat mensen op vakantie zouden willen. Een land waarvan de inwoners nooit op vakantie gaan, zijn we geneigd als achtergebleven te zien. Op vakantie gaan geldt als een teken van moderniteit. We beschouwen het tegenwoordig als vanzelfsprekend dat mensen een deel van het jaar wijden aan werken en in de tijd die ze niet hoeven te werken hun woonplaats of land willen verlaten om op vakantie te gaan. Terwijl een weldenkend mens natuurlijk ook kan zeggen dat het klokje thuis beter tikt, dat het totaal zinloos is om je met slechts een koffer vol spullen in den vreemde te begeven, om daar de taal niet te spreken, ziek te worden van het eten, weg te zijn van je vertrouwde vrienden en familie en de engste ziekten op te lopen. Er is een rechtvaardiging voor het reizen ontstaan, en de vraag is: waar?

Reizen is voor de moderne toerist een belangrijke manier van vrijetijdsinvulling. Reizen wordt veelal gedaan in vakanties, dus in de tijd die men niet hoeft te werken. Dat onderscheidt reizigers van pelgrims, ridders, reisleiders en zakenlui, voor wie het reizen een (eventueel tijdelijke) levensinvulling is die niet gerelateerd is aan zijn levensvervulling (pelgrim, ridder), of die tot het werk behoort (zakenman, reisleider). Maar daarmee is nog niet alles gezegd.

Waarin verschilden de Chinezen tot voor kort van de gemiddelde West-Europeaan? Allereerst in dat hun arbeidzame leven grotendeels werd ingevuld door de Staat, inclusief de tijd die niet aan de arbeid werd besteed. Nog los van het feit dat tot voor kort maar zeer weinig Chinezen genoeg geld hadden om te reizen, hadden ze evenmin de (vrije) tijd. Daarbij luidde het ideaal van het communisme dat in de arbeid zelf de vrijheid tot stand kwam, een gedachte die vrije tijd buiten de arbeid in zekere zin overbodig maakt. Ideeën over arbeid en vrije tijd drukken een belangrijk stempel op de vrije tijdsbesteding en op de verschillende waarderingen daarvan.

Om iets van de moderne opvatting van reizen te begrijpen, moeten we meer weten over wat vrije tijd eigenlijk is en hoe we eigenlijk tegen de tijd zelf aankijken. Ideeën over vrije tijd worden meestal gevormd vanuit haar verhouding tot arbeid, door bestaande ideeën over tijd, plus de relatie die men ziet tussen tijd en arbeid. Werk en arbeid zijn in onze geschiedenis niet altijd op dezelfde manier gewaardeerd, wat ook gevolgen heeft voor hoe men tegen de vrije tijd aankijkt. Vrije tijd is niet altijd even vrij geweest: lange tijd werden zowel de tijdstippen van vrije tijd als de invulling ervan bepaald door de kerk, en later, door de fabriek.

Maar naast deze 'vakante' tijd, is vrije tijd ook te bezien vanuit de filosofische opvatting over rust. Vanuit dat perspectief staat vrije tijd volkomen los van werk en arbeid. Een belangrijke bron van onze opvattingen over vrije tijd is gelegen in de Oudgriekse filosofie. Het blijkt dat deze invulling de gedeeltelijke verklaring vormt voor de diepgevoelde, maar nauwelijks expliciet te duiden kloof tussen vakantiegangers en reizigers.

Het is zaak deze ideeën boven tafel te krijgen; om beter te begrijpen waarom wij, als moderne Europeanen, op vakantie willen, waarom we verschillend aankijken tegen de recreatieve strandvakantie en de cultuurvakantie, wat de rol van instituties is in de invulling van de vrije tijd, en om te kunnen zien of onze vrije tijd echt wel zo vrij is als we hopen.

De hedendaagse ideeën over vrije tijd klinken goed door in de tv-reclame voor een vakantiepark, waarin bekende Nederlanders paardrijden, zwemmen of het weerbericht voordragen. Hierop aangesproken, antwoorden ze: "Ja, ... maar nu even niet". In dit kleine zinnetje, dat inmiddels een eigen leven is gaan leiden, klinkt een opvatting van vrije tijd door die de vrije tijd uitdrukkelijk aan drukke activiteiten verbindt, zo mogelijk werk, en vervolgens een ontsnapping uit die drukte belooft, in het vakantiepark. "Even ertussen uit", een andere gevleugelde uitdrukking, legt eveneens verband tussen het drukke, alledaagse bestaan, en de vakantie, waarin men alle drukte achter zich kan laten. Vrije tijd is zo opgevat vooral tijd die we niet hoeven te werken.

Het hebben van vrije tijd is een noodzakelijke voorwaarde voor vakantie. En waar werken wordt opgevat als niet-vrije tijd, is het is niet toevallig dat vakantiegangers in aantal toenamen in een tijd dat er meer over arbeidsvoorwaarden werd nagedacht, bijvoorbeeld in termen van

vrije zondagen, enkele dagen vrij per jaar en een maximaal aantal werk-
uren per dag. Vrije tijd en arbeid lijken daarmee onlosmakelijk aan elkaar
verbonden: als je werkt ben je niet vrij, en als je niet werkt ben je vrij.
Dat lijkt logisch en onbetwijfelbaar, maar dat is het niet. Wanneer we
wederom een duikje in onze eigen geschiedenis nemen, blijkt dat lange
tijd de grens tussen arbeid en vrije tijd tamelijk onscherp was en dat vrije
tijd voorheen niet aan arbeid was gekoppeld, maar aan de kerk. De relatie tussen vrije tijd en werk blijkt daarmee niet vanzelfsprekend.

Hoe vrij is vrije tijd?

Was vrije tijd altijd vrij? In hoeverre hebben mensen de gelegenheid om
het tijdstip van hun vrije tijd zelf te bepalen? En in hoeverre kan de mens
die niet werkt, zijn vrije tijd naar eigen inzicht besteden? Ons verleden
laat zien dat vrije tijd in beide opzichten maar in beperkte mate vrij was,
maar dat, omgekeerd, de arbeid minder verplichtend was dan in latere
perioden. Juist door zo'n blik op het verleden blijkt dat ideeën over zowel
arbeid als vrije tijd niet onveranderlijk zijn, en dat ze van invloed zijn
op de reis en de vakantie. Dit wordt zichtbaar wanneer we gaan kijken
naar de manier waarop in verschillende perioden tegen vrije tijd en arbeid
werd aangekeken in onze geschiedenis.

In de Middeleeuwen worden zowel de tijdstippen als de invulling
van de vrije tijd vrijwel uitsluitend bepaald door de kerk en de gilden,
en zijn ze gekoppeld aan religieuze feestdagen. Daarvan zijn er talloze
in een jaar. Op feestdagen vinden vaak processies plaats waaraan men
verplicht moet deelnemen. Die zijn soms aan kerkelijke feesten gebonden, maar vaak ook aan de gilden en eigen beschermheiligen. Vrije dagen
zijn zo allerminst vrij, maar voor een belangrijk deel bepaald van buitenaf, al zal dat door gelovigen niet altijd zo zijn gevoeld. Toch bestaan
er in de Middeleeuwen zoveel opgelegde 'vrije dagen' dat er zelfs protest
tegen rijst: er blijft zo weinig productieve tijd over om te werken dat er
zelfs voedseltekorten ontstaan. Ter illustratie: in de hele Middeleeuwen
kent men gemiddeld 85 arbeidsvrije dagen per jaar. In de dertiende eeuw
zijn er zelfs 90-115 verlofdagen, de 52 zondagen niet meegerekend![9].
Tegenwoordig is het wettelijk minimum gesteld op 20 vakantiedagen
per jaar en zijn in veel sectoren 25 vakantiedagen gebruikelijk. Het aantal feestdagen blijft beperkt tot ca. zeven à acht dagen per jaar.

Opvallend in de Middeleeuwen is dat naast al deze opgelegde vrije
dagen, in het gewone leven juist veel minder verschil wordt waargeno-
men tussen de tijd om te arbeiden en de vrije tijd. Misschien is in die
periode weliswaar de vrije tijd niet zo vrij, maar is de arbeid vrijer dan

in latere perioden. Tijdens het werk kan men ook wel zingen en praten, net als in de vrije tijd. Wonen en werken gebeurt veel meer dan nu het geval is op dezelfde plek, hetgeen automatisch leidt tot een vervaging van de grens tussen werk en vrije tijd.

Vanaf ongeveer de zeventiende eeuw verandert dit geleidelijk aan. Met de industrialisatie van West-Europa neemt het aantal verlofdagen af. Door de komst van eenvoudige machines, zoals het spinnewiel en weefgetouw, vindt een proces van mechanisatie en industrialisatie plaats dat zijn hoogtepunt vindt in de Industriële Revoluties van het einde van de achttiende en halverwege de negentiende eeuw. De werkplaatsen worden groter en er worden fabrieken gebouwd. De arbeidsdifferentiatie doet zijn entree, waardoor mensen minder betrokken zijn bij het product dat ze maken: terwijl ze voorheen veelal de grondstoffen zelf inkochten, en het product maakten en vervolgens verkochten, zijn ze nu slechts betrokken bij een deel van het proces.

Alle arbeid is gericht op productie en op winst; de arbeider is vooral een manier om winst te maken en als zodanig niet meer dan een noodzakelijke schakel in het grotere productieproces. Kinderen maken werkdagen van veertien uur of meer; de romans van Charles Dickens geven een beeld van mensonterende kinderarbeid in de fabrieken. Ook volwassenen worden in het keurslijf gedrukt dat wordt opgelegd door de mechanisatie van het arbeidsproces.

Niet alleen het werk verandert. Zoals gezegd krijgt ook vrije tijd een ander karakter. Het werk vindt plaats op andere plaatsen dan de eigen woning, waardoor het gevoelde verschil tussen arbeid en vrije tijd groter wordt. Met de scheiding tussen wonen en werken, worden ook vaste werktijden ingevoerd. Dat betekent dat er een formele scheiding tussen werk en vrije tijd ontstaat: wanneer de arbeider niet in de fabriek hoeft te zijn, hoeft hij ook niet te werken. Tegenover de arbeid komt de vrije tijd te staan, hoe gering deze aanvankelijk ook is. De mechanisatie laat namelijk in eerste instantie geen toename van de vrije tijd zien. Hoewel sommige beroepen minder zwaar worden, en voor sommigen de arbeidsomstandigheden wél verbeteren, neemt de vrije tijd al met al nauwelijks toe.[10]

Wel zien we dat er iets wezenlijks verandert aan het karakter van de vrije tijd: ze wordt niet langer aan de kerk gerelateerd, die tot eind achttiende eeuw de vrije dagen aanwijst en de invulling daarvan bepaalt, maar aan de fabriek. De vrije tijd wordt geseculariseerd. De fabriek bepaalt wie vrij heeft, wanneer en hoe lang, en, niet onbelangrijk, de fabriek drukt ook haar stempel op de invulling van de vrije tijd. Met het scherper aangebrachte verschil tussen werktijd en vrije tijd ontstaat een formele scheiding tussen iemands werkende leven en de besteding van zijn vrije tijd. Dat creëert ruimte voor vrijetijdsbesteding. Nu ging de arbeider niet onmiddellijk op vakantie in zijn vrije tijd. Hoewel in het kielzog van de hoogste klasse en de hogere middenklasse uiteindelijk ook de arbeider de beschikking krijgt over meer vrije tijd, besteedt hij deze in eerste instantie vooral aan ontspannende activiteiten, waarbij kroegbezoek hoog scoorde. In Engeland wordt als tegenmaatregel de vroege sluiting van de kroegen bedongen, maar nog steeds bestaan er grote hallen die gevuld zijn met lange tafels en banken waaraan arbeiders zich na hun fabrieksarbeid zo snel mogelijk volgieten met grote pullen bier.

Niettemin ging ook de arbeider uiteindelijk op vakantie. En vanaf het moment dat na de voedsel- en handelsreizigers, de ontdekkingsreizigers, en in hun kielzog de wetenschappers, de studenten, Grand Touristen en de middenklasse ook de arbeiders op vakantie gaan, is vakantie definitief een deel van het moderne, menselijke bestaan geworden. Vakantie is een van de belangrijke vormen van vrijetijdsbesteding, die in de afgelopen honderd jaar voor enorme verplaatsingen van mensen heeft gezorgd en een belangrijk deel van de mondiale economie uitmaakt.

Vrije tijd is voorwaarde voor vakantie. In een opsomming van wat een toerist is, noemt socioloog John Urry als eerste een verwijzing naar het aspect van vrije tijd:

> Toerisme is een vrije tijdsbesteding (*leisure activity*) die haar tegengestelde veronderstelt, namelijk gereguleerd en georganiseerd werk. Het is een manifestatie van hoe werk en vrije tijd als gescheiden en gereguleerde sferen zijn georganiseerd in de moderne maatschappij. Toerist zijn is een teken van 'Modern' zijn.
>
> John Urry, *The Tourist Gaze*, 1990/2002

Ten tweede ziet hij het als een teken van moderniteit. John Urry ziet de groei van het massatoerisme als representatie van de democratisering van het reizen. Terwijl reizen tot de negentiende eeuw altijd is voorbehouden aan de hogere klasse, dus beschikbaar voor een relatief beperkte elite die hieraan haar status kon ontlenen, verandert dit eind jaren '30 en '40 van de negentiende eeuw. In de tweede helft van de negentiende eeuw ontstaat een groei in massale reizen per trein. Daarvan is Thomas Cook de grote aanjager geweest. Inzoomen op de periode waarin hij en zijn zoon actief waren laat niet alleen de ontwikkeling van het massatoerisme zien, maar ook de veranderende ideeën over vrije tijd en vrije tijdsbesteding. De vraag die we dan opnieuw kunnen stellen is: is de vrije tijd werkelijk vrij? In hoeverre zijn het tijdstip en de invulling van de vrije tijd zelf te bepalen?

Thomas Cook Travels en Holiday Camps

In de tijd dat Thomas Cook zijn eerste reisjes organiseert – het treinreisje van Leicester naar Loughborough (bij Liverpool) in 1841 – is het denken over arbeid sterk aan het veranderen. Enerzijds worden de dramatisch slechte omstandigheden voor fabrieksarbeiders steeds meer bekritiseerd en anderzijds profiteren steeds meer mensen van de industrialisatie. Thomas Cook had een feilloos gevoel voor de veranderende sociale omstandigheden; de reizen die hij organiseerde zijn hier het zichtbare resultaat van. In de tijd dat het werk meer en meer als tijdgebonden werd gezien, en steeds meer in formele kaders werd gegoten (zoals vaste werktijden, vaste werkdagen en vaste werkzaamheden), verdwenen niet alleen veel religieuze feestdagen, maar ook veel markten, die voorheen de voornaamste uitjes voor de gewone man betekenden. Daarvoor in de plaats kwam het georganiseerde toerisme op.

Nadat Cook zijn eerste reisje naar Blackpool had volbracht, publiceerde hij hier een gids over *(A Handbook of the Trip to Liverpool)*, die ervoor zorgde dat meer mensen van het bestaan van zijn reisje en over de reisbestemming wisten. Hij organiseerde in de jaren die volgden een drietal reizen naar Schotland, dat eeuwenlang als wildernis oninteressant werd bevonden, maar met de Romantiek opeens in nieuw en positief daglicht kwam te staan. Cooks tours naar Schotland trokken al na een paar jaar meer dan 3000 toeristen per jaar. Hij regelde de treinen, onderhandelde over tarieven met alle verschillende maatschappijen en regelde accommodatie. Hij organiseerde jarenlang reisjes naar Blackpool, de eerste grote badplaats, nog steeds populair als vakantiebestemming bij Britten. Terwijl de vroegere kuuroorden alleen werden bezocht door de elite die eigen accommodatie kon huren, werden er in de negentiende eeuw steeds meer huisjes en hotels voor minder rijken gebouwd.

Ook de arbeidersklasse trok naar de badplaatsen. Dat is alleen mogelijk door de veranderde opvattingen over tijd en arbeid. Werkgevers speelden een belangrijke rol in de opkomst van het toerisme: sommige van hen gingen reguliere vakanties als gunstig voor de efficiëntie zien en gaven hun werknemers langere tijd vrij (een week). Dankzij mensen als Thomas Cook werd het voor de onervaren toerist ook een stuk eenvoudiger om een vakantiereisje te maken. De spoorwegen maakten massaal reizen mogelijk. De elitaire kuuroorden uit de achttiende eeuw maakten plaats voor een heel scala aan soorten bestemmingen, die verschilden in 'sociale kleur'.

Thomas Cook zag toerisme niet alleen als recreatie, maar vooral als een manier om het volk te onderwijzen. Zijn doel was: reizen promoten voor de werkende klasse – ook zij moesten hun geest kunnen verruimen via reizen: meer tolerantie leren opbrengen voor anderen, meer kennis opdoen, en meer plezier, frisse lucht en recreatie vinden dan in hun gewone bestaan mogelijk was. Het is typerend voor de vroege vormen van georganiseerd toerisme, dat op de achtergrond vrijwel altijd idealistische motieven meespeelden: educatie, fysieke oefening, muziek en excursies zoals naar de Wereldtentoonstellingen.

Al met al veranderden de spoorwegen en mensen als Cook het reizen voorgoed: zij maakten georganiseerde reizen mogelijk voor redelijke prijzen. Toen het bedrijf vijftig jaar bestond (1891), bood *Cook agency* meer dan 30.000 series tickets aan, die 1,8 miljoen mijl aan spoorwegen, rivieren en oceanen bestreken. Hij verkocht ca. 3,3 miljoen tickets, en in 1900 werd dat zelfs 6 miljoen. We kunnen dus met recht zeggen dat de vrije tijd een belangrijk deel van haar invulling vond in de vakantie – of het nu ging om kortdurende uitjes naar de Wereldtentoonstelling of naar zee, of om langere reizen naar Italië.

Aan het eind van de negentiende eeuw vond bijna iedereen het normaal om vrije tijd te hebben én zelfs om op vakantie te gaan, ook al bleef de afgelegde afstand gering. Het idee van vakantie als onderwijs, wat Cook voor ogen stond, werd beetje bij beetje vervangen door vakantie als recreatie, wat hele andere vormen van vakantie tot gevolg had. Dat had ook te maken met het steeds strakker wordende keurslijf van het georganiseerde werk en de routinematige arbeid in de fabriek: zowel de strikte scheiding tussen werk en vrije tijd, als de aard van het werk schreeuwden om ontspanning en recreatie in de vrije tijd. Werk kwam steeds meer buiten de sferen van spel, religie en feest te staan. Wat voorheen aan vrije tijd in het werk te vinden was, wordt steeds meer van de werkvloer verdreven.

In zekere zin gaat dit nog steeds door: terwijl nog maar tien à vijftien jaar geleden een pauze van een uur in veel kantoren in werktijd plaatsvond, en een deel van de vrije tijd dus betaald werd, werd dit in de meeste bedrijven en kantoren afgeschaft, zodat de werknemer zijn pauze nu verplicht in zijn vrije tijd moet nemen. Werken van negen tot vijf wordt zo ongemerkt werken van half negen tot vijf, of van negen tot half zes. Terwijl voorheen in veel kantoren wel tijd was voor praatjes tussendoor, neemt de werkdruk tegenwoordig in veel bedrijven dusdanig toe, dat voor praatjes veel minder plaats is. Er dient optimaal gewerkt te worden; luieren doet men maar in zijn vrije tijd, die daardoor minder vrij wordt, want steeds meer gebruikt moet worden om uit te rusten van het werk, zodat men er de volgende dag weer hard tegenaan kan. Misschien zet deze nog steeds toenemende rationalisatie en calculatie van werk en vrije tijd mensen er uiteindelijk toe aan om een sabbatical te nemen en een jaar over de wereld te reizen: eindelijk verlost uit het keurslijf van arbeid en schijn-vrije tijd.

De kiem van die rationalisatie van de arbeid is in de negentiende eeuw gelegd, maar bereikt een historische mijlpaal wanneer Henry Ford de arbeid standaardiseert om de productie van zijn gelijknamige auto's te verhogen. De arbeidsdifferentiatie is hier een van de zichtbare kanten van: elke arbeider werkt aan een klein onderdeel van het productieproces, zodat de productie efficiënter verloopt, maar 'de arbeider tevens het zicht op het grotere geheel verliest. In de jaren '70 deden linkse activisten verwoede pogingen de arbeidsdifferentiatie terug te draaien om de betrokkenheid bij het product te verhogen, niet altijd tot genoegen van de arbeiders zelf overigens.

Vanaf het moment dat de vrije tijd en de arbeid bewuster van elkaar worden gescheiden, wordt ook de roep om vakantie steeds luider. Rond de Tweede Wereldoorlog is de gedachte dat vakantie goed is voor iemand, wijd verspreid. Vakantie wordt een teken van burgerschap, een recht op plezier. Het wordt gewoon om op vakantie te gaan, ook al is het niet ver van huis, niet duur of langdurig. Met het hele gezin per fiets naar het strand of kamperen op de Veluwe is voldoende om bij te komen van het werk. In de afgelopen vijftig jaar zijn de vakanties soms langer geworden, en zijn vaak de bestemmingen verder weg gelegen. Maar ieder modern mens begrijpt wat vakantie inhoudt. En dat is niet alleen dankzij de verbeterde toeristische infrastructuur, zoals de vervoersmogelijkheden, de uitbreiding van het wegennet, de beschikbaarheid van een enorme diversiteit aan overnachtingsmogelijkheden - van kamperen bij de boer, tot vakantiepark, tot luxe hotel-, en evenmin louter dankzij de hoeveelheid vrije tijd die de arbeider tot zijn beschikking heeft, maar heeft ook te maken met filosofische ideeën over vrije tijd.

Vrije tijd en vrije tijd
De wordingsgeschiedenis van de Grand Tourist, met zijn voorlopers pelgrim, ridder en wetenschapper, roept een gevoel van contrast op met de

ontstaansgeschiedenis van de moderne vakantieganger. Terwijl de Grand Tourist het resultaat lijkt te zijn van een nobele ontwikkeling met hoogstaande idealen (eer, verlossing, kennis, wijsheid), en, hoezeer de rondreizende jonge man ook in de ban was van nieuwsgierigheid en losbandigheid, is het ideaal van de Grand Tourist een ontwikkelder, beter mens te worden. Daarentegen is de arbeider op vakantie in een karikaturale maar zeker niet altijd onjuiste voorstelling van zaken iemand die al drinkend bijkomt van zijn werk. Het gevoelde verschil tussen de echtparen die drie weken kruiswoordpuzzels op de camping maken en de cultuurliefhebber die alle musea van Parijs in haar vakantie bezoekt is groot. Het vage gevoel van onrust dat deze tegenstelling oproept heeft een filosofische voorgeschiedenis die zo diep geworteld is, dat we ons nauwelijks bewust zijn hoe fundamenteel het verschil is dat aan deze verschillende invullingen van vakantie ten grondslag ligt.

Vrije tijd heeft namelijk in de geschiedenis van het denken twee radicaal verschillende invullingen gekregen. Grofweg is vrije tijd te zien als de tijd die overblijft na het werk, of juist als tijd die men heeft zichzelf te ontwikkelen. In veel talen bestaan hier verschillende woorden voor en veel denkers maken een onderscheid tussen vrije tijd als tijd die men niet hoeft te werken (*free time, Freizeit, temps libre*) en de kwalitatieve invulling van de vrije tijd – (*leisure, loisir, Muße*).

De eerste vorm van vrije tijd dankt zijn bestaan alleen aan wat er tegenover staat, namelijk de werktijd. Dit zien we bijvoorbeeld in de Nederlandse definitie van begrip 'vrije tijd': "de tijd gedurende dewelke men vrij is van arbeid, verplichtingen of activiteiten die als verplichtend worden ervaren"[11]. In die zin vormt ze het verlengde van de werktijd. Vaak wordt ze gevuld met genotvol vermaak, dat de werkende in staat stelt bij te komen van de arbeid, om de volgende dag weer uitgerust aan het werk te gaan: sport, TV-kijken, een biertje drinken, en een of meerdere malen per jaar een langere vakantie om bij te komen van het werk.

De vrije tijd in de tweede betekenis staat als het ware loodrecht op de werktijd: ze onttrekt zich er volkomen aan en is zeker niet bedoeld om uit te rusten van het werk. Veel meer appelleert ze aan de houding van rust, die de noodzakelijke voorwaarde is om tot intellectuele en culturele ontwikkeling te komen. Deze rust is een grondhouding die gepaard gaat met een ontvankelijk zijn voor waarheid en werkelijkheid; waarin men de dingen kan aanschouwen omwille van henzelf en niet om het nut dat ze zouden kunnen brengen[12].

Vrije tijd kunnen we dus op twee manieren bekijken: kwantitatief, als aanduiding van vrije tijd tegenover werktijd; en kwalitatief, over de

foto Piet Hermans

daadwerkelijke invulling van de vrije tijd. De vraag die ik eerder stelde: hoe vrij is de vrije tijd, klinkt in deze tegenstelling door. De eerste vorm is een negatieve vorm van vrijheid: vrij zijn *van* werk. De tweede vorm is positief: vrij zijn *om* je te ontplooien; het is een vrijheid gericht op ontwikkeling. Deze twee betekenissen worden in het Nederlands beide aangeduid als vrije tijd. Maar het verschil tussen beide is groot.

Geluk en vrije tijd

Achter de kwalitatieve betekenis van het begrip 'vrije tijd' gaat een lange geschiedenis schuil, die veel verder teruggaat dan de vrij recente invulling van 'vrije tijd' als onderscheiden van de werktijd. In verschillende perioden in de geschiedenis is nagedacht over vrije tijd – allemaal perioden die humanistisch georiënteerd zijn: het hellenistische tijdperk, het late Westromeinse Rijk, met denkers als Epicurus en Seneca, de Italiaanse Renaissance en de Verlichting. Vooral wanneer de beschaving een wending neemt en er wordt nagedacht over de positie van de mens in de wereld, de grondslagen van de moraal en over politiek, wordt ook de vrije tijd opnieuw onder de loep genomen. Denkers als Plato, Aristoteles, Augustinus, Thomas van Aquino en Heidegger hebben allen de vrije tijd, die zij opvatten als rust, aangewezen als voorwaarde om tot intellectuele beschouwelijkheid, kunst, liefde, religie en wetenschap te komen.

Om iets van deze invulling van vrije tijd te begrijpen moeten we terugkeren naar het Griekse woord *scholè*. Dit woord wordt soms als *rust* vertaald, maar vaak als *vrije tijd*. Scholè staat tegenover *ascholè*, de niet-vrije tijd. Door het begrip zo voor te stellen, wordt al duidelijk dat het accent ligt op de vrije tijd, en dat de niet-vrije tijd daar het negatief van is. Dat is anders dan onze huidige invulling van vrije tijd als niet-arbeid, waar het werken het uitgangspunt is en de vrije tijd haar uitzondering en negatief. Wij zijn zodanig op werken gericht, dat we stellen dat de vrije tijd bedoeld is om uit te rusten. Maar is dat wel zo? De Grieken gebruikten het woord a-scholè – letterlijk: de onrust – voor de bedrijvigheden van de werkdag, dus niet alleen voor de onrust of de stress, maar voor de dagelijkse bezigheden zelf. Dat doet vermoeden dat hun houding ten opzichte van de rust een heel andere invulling heeft dan het uitrusten, waar we rust nu mee associëren.

Het begrip scholè wordt voor het eerst uitgebreid besproken in de nog steeds toonaangevende *Ethica Nicomachea* van Aristoteles (384-322 v.C) en wordt in dat boek verbonden met geluk. Bij geluk denken veel mensen in eerste instantie aan genot: lekker eten, drinken, luieren, strandvakanties, niet werken, vrij zijn. Deze activiteiten gaan met genot gepaard. Maar de vraag is of iedere vorm van genot ook geluk brengt. Sommigen zouden zeggen dat het spel geluk brengt, of vakantie, of met vrienden een biertje drinken. Maar dit is volgens Aristoteles niet het geval. Kenmerkend voor geluk is dat er niets aan ontbreekt, en zichzelf genoeg is. Geluk is daarom zeker niet aan amusement verbonden, in de woorden van Aristoteles:

> Want het zou ook vreemd zijn dat het doel amusement was en dat we ons gedurende het hele leven zouden moeten inspannen en ellende verduren ten einde ons maar te amuseren. […] Zich te amuseren om zich vervolgens op serieuze zaken te kunnen concentreren (…) wordt wel als juist gezien. Zich amuseren lijkt namelijk een vorm van ontspanning en we hebben ontspanning nodig, omdat we ons niet voortdurend kunnen inspannen. Ontspanning is dus niet een doel. Men ontspant zich namelijk met het oog op de activiteit.
>
> Aristoteles, *Ethica Nicomachea*, X.6

Vermaak en het genot dat daarmee gepaard gaat, heeft men nodig ter ontspanning, maar ontspanning heeft men nodig om weer te kunnen werken. In die zin staat vermaak dus niet op zich, maar altijd in dienst van het werken. Dat betekent dat hierin niet het werkelijke geluk kan liggen, want dat zou op zichzelf moeten bestaan, en niet op iets anders berusten, aldus Aristoteles.

Wat brengt dan wel geluk? Geluk is een activiteit waarbij men optimaal functioneert (*aretè*). 'Optimaal functioneren' heeft betrekking op 'het beste zijn van' diverse mogelijkheden – de vraag is dus wat de beste manier is waarop de mens kan functioneren – dát brengt hem geluk. Voor Aristoteles is het optimaal functioneren de filosofische beschouwing. Dat is niet alleen de beste activiteit in ons, omdat het intellect het beste deel in ons is, maar ook de onderwerpen waarover het intellect zich buigt zijn van de dingen die gekend worden de beste, aldus Aristoteles. We kunnen hierbij denken aan filosofie, maar ook aan mathematica of astronomie. In de beschouwing van wiskundige principes of de sterren of andere wetenschappelijke onderwerpen, zijn genot en geluk met elkaar vermengd. Dat betekent dat van alle activiteiten waarbij men optimaal functioneert, de activiteit waarin wijsheid zich manifesteert tegelijkertijd ook de aangenaamste is.

Wie zich dus aan wijsgerige beschouwing overgeeft, vindt zowel geluk als genot, dat vanwege haar zuiverheid en stabiliteit, die "wonderbaarlijke genietingen" in zich hebben. Het bijzondere van de filosofische beschouwing is, dat zij de enige is die om zichzelf wordt bemind. Terwijl alle andere activiteiten ook nog andere doelen dienen, is wijsgerige beschouwing op zichzelf te verkiezen: aan geluk ontbreekt namelijk niets, maar het is zichzelf genoeg, aldus Aristoteles.

Nu is de voorwaarde voor dit geluk vrije tijd. Als we immers bezig zijn met oorlog voeren, met staatkundige activiteiten of met andere activiteiten die misschien wel goed zijn, maar omwille van een ander doel dan zichzelf worden uitgevoerd, zijn we niet werkelijk vrij. We zijn dan immers gericht op het besturen van de stad, of het winnen van de oorlog, of het opvoeden van kinderen, en hoewel dit met veel plezier gepaard kan gaan, zijn dit geen doelen die puur omwille van zichzelf worden gezocht. Maar geluk vereist vrijheid, en het vrij zijn vereist dat er geen doel is buiten zichzelf (waaraan de activiteit op berust of op gericht is).

Aristoteles verbindt het volmaakte beschouwen van de mens aan het betere deel in de mens, dat weliswaar in aanleg bij iedereen aanwezig is, maar wat hij wel in de *scholè*, dus in rust, in positieve vrije tijd, moet ontwikkelen. Dit rationele element heeft de juiste voeding en voedingsbodem nodig om tot bloei te komen. Filosofie, mathematica, astronomie en andere wetenschappen zijn die voeding, aldus Aristoteles. Vandaar dat het woord *scholè* uiteindelijk is uitgekomen bij ons woord 'scholing'.

Bij Aristoteles raken het volmaakte geluk en de vrije tijd elkaar, maar het is duidelijk dat geluk voor hem niet gelijk staat aan zintuiglijk genot. Het dobbelen, de atletiek en de drinkgelagen waarin het gewone volk zich verliest wanneer het niet werkt, vallen onder spel en amusement, en daarin ligt niet het hoogste geluk. Er is dus een groot onderscheid tussen de werkelijk vrije tijd van de scholè, en de recreatieve vrije tijd, die weliswaar genot brengt, maar die niet werkelijk vrij is, omdat ze in dienst van de arbeid staat – het uitrusten om de volgende dag weer aan het werk te kunnen.

Deze opvatting is typerend voor het denken over vrije tijd: lange tijd is er een onderscheid gemaakt tussen vrije tijd als mogelijkheid en voorwaarde voor zelfontplooiing en persoonlijke ontwikkeling enerzijds, waarbij de Aristotelische opvatting over geluk en *scholè* de bron is; en het vermaak, vertier en spel van het gewone volk anderzijds. Zo is altijd min of meer neergekeken op de spelen en op de vrije tijd van het gewone volk, die vooral in het teken van ontspanning stonden, en daarmee nodig waren om weer te kunnen werken. Werkelijke vrijheid was hierin ver te zoeken – de arbeid was op de achtergrond altijd aanwezig.

De middeleeuwse wijsgeer Thomas van Aquino (1225-1274) geeft in dit kader een waardevolle definitie van de vrije kunsten, als volgt samengevat:

'Vrije kunsten' zijn dus al die wijzen van menselijk werken, die hun zin in zichzelf hebben; 'serviele kunsten' zijn de werken , die een buiten zichzelf gelegen doel hebben, een doel dat nader beschouwd, in een door praxis te realiseren nuttigheidseffect bestaat.

Josef Pieper, *Rust en beschaving* (2003), p.34

Hier raken we al haast aan de houding van de reiziger tegenover de toerist. De "echte" reiziger beschouwt zichzelf als een vrij kunstenaar, in deze Thomistische betekenis van het woord: de zin van zijn reis is in de reis zelf gelegen. Terwijl de toerist reist om bij te komen, uit te rusten van zijn werk, misschien om kennis op te doen van monumenten, reist de reiziger omwille van het reizen – het doel is in zichzelf besloten en hoeft niet nuttig te zijn.

Aristoteles en Thomas van Aquino geven inzicht in de beweegredenen van de elite – de intellectueel - als hij niet liever thuisblijft! - reist vanuit een contemplatieve houding om zichzelf te ontwikkelen, terwijl de gewone man of vrouw op reis gaat – op vakantie - om zichzelf te vermaken. De arbeider gaat op vakantie om na een paar weken hangen op het strand weer uitgerust aan de slag te kunnen, de reiziger gaat op stap om zichzelf te ontwikkelen.

Hier is echter nog niet alles mee gezegd. Dit onderscheid in opvattingen over vrije tijd opent onze ogen voor de verschillende en diepgewortelde opvattingen over de vrije tijd. Maar het gaat voorbij aan veranderende ideeën over de arbeid. Dat vrije tijd voor ons uiteindelijk als niet-arbeid wordt opgevat – wat lijnrecht tegenover het oud-Griekse uitgangspunt van arbeid als 'niet-vrije tijd' (a-scholè) staat – wil zeggen dat er iets in onze houding ten aanzien van de arbeid is veranderd.

Is werk voor de dommen?

Een advertentie-tekst in het NRC Handelsblad voor een opleidingsinstituut; voor de moderne Nederlander roept deze tekst weinig vraagtekens op:

> Als manager of professional van deze tijd [...] gaat u tijdens uw hele carrière uitdagingen aan. [...] Met deze opleiding werkt u aan uw persoonlijke ontwikkeling en ontplooiing. U verbreedt uw bedrijfskundige kennis waardoor u de bedrijfsvoering verbetert.

Hoewel het ideaal van persoonlijke ontwikkeling Aristoteles in zekere zin zou hebben aangesproken, zou hij waarschijnlijk erg verbaasd zijn door de positieve houding ten aanzien van het werk. In de Griekse oudheid is werken voor het gewone volk, en houdt de elite zich hier verre van. Filosofen als Plato en Aristoteles houden vast aan een aristocratisch ideaal van rust en contemplatie, waarvan ontwikkeling het gevolg is, dat niet te combineren is met een al te grote betrokkenheid bij de maatschappij, laat staan in de arbeid zelf was te vinden.

De hedendaagse westerse houding ten aanzien van werk, is van een geheel andere aard. Die begint met 'ledigheid is des duivels oorkussen', en loopt via 'aan werken is nog nooit iemand doodgegaan' naar het hedendaagse ideaal van zelfontwikkeling in je werk. Wat is er gebeurd in de tussenliggende eeuwen?

In de Middeleeuwen worden ledigheid en verveling (*acedia*) als grote zonden beschouwd, als vijanden van de monnik. *Acedia* wordt zelfs als een besmettelijke ziekte beschouwd die hele kloostergemeenschappen kan aansteken! Het begrip wordt ook wel vertaald als 'traagheid', en wordt in de middeleeuwse levensleer ook verbonden met innerlijke rusteloosheid en gejaagdheid. Dit klinkt misschien tegenstrijdig, maar als we denken aan 'je actief vervelen' – bijvoorbeeld door een rusteloos voetbaltrappen tegen een muurtje, rondhangen op een pleintje of uit verveling bushokjes slopen, dan blijkt al snel dat de verveling zowel passieve als zeer actieve vormen kan aannemen.

De *acedia* lag in kloosters altijd op de loer. En terwijl het gewone volk werkt en luiert wanneer het haar uitkomt, wanneer het niet mee hoeft te doen aan de verplichte processies op de gildendagen, moeten de monniken hun tijd nuttig besteden. Werken is in deze optiek een goede manier om de ledigheid te bestrijden. Niet dat daarmee het werken op zich als goed wordt beschouwd, maar het voorkomt in ieder geval dat mensen ten prooi vallen aan die grote zonde van de ledigheid. Het is overigens discutabel of werken inderdaad de ledigheid buiten de deur houdt. De Deense filosoof Kierkegaard (1813-1855) vat juist het werk als een vorm van ledigheid op, omdat hierin het individu de verantwoordelijkheid voor de invulling van zijn leven in feite afschuift op zijn baas, en in de uren die hij werkt niet zelf zijn leven vormgeeft. Kierkegaard vat *Acedia* op als het 'vertwijfelde niet jezelf willen zijn'[13]. Deze opvatting is echter zowel voor de middeleeuwse monnik als voor de gewone man nog ondenkbaar, in hun tijd waren de ideeën over werk en tijd, verveling nog maar aan een eerste bezinning onderhevig.

Voor de gewone man is het ritme van de middeleeuwse werkdag gerelateerd aan de aanwezigheid van daglicht, waardoor de lengte van de werkdag varieert met de seizoenen. In de winter werkt men vaak zo'n 8,5 uur, in de zomer kan het ook wel 16 uur worden, met 's middags 1,5 uur rust. De vrije tijd wordt vaak op straat doorgebracht en wordt vooral gespendeerd aan zingen, drinken en praten. De taveerne speelt een belangrijke rol in de gezamenlijke vrijetijdsbesteding. Op vakantie gaat niemand. Blijkbaar leidt vrije tijd niet automatisch tot vakantie, noch tot de behoefte aan vakantie. Het eigen dorp verlaat men hooguit voor maandelijkse markten of jaarmarkten, die niet verder dan een halve dag gaans liggen. Verder speelt het leven zich in een straal van hooguit een uur lopen rond de eigen woning af.

Maar in de Middeleeuwen is een belangrijke stap gezet in de eerder genoemde rationalisatie van het arbeidsproces (het invoeren van vaste werktijden en dagen, en uiteindelijk het doorvoeren van de arbeidsdifferentiatie). Het invoeren van de klok en de dagindeling van Benedictus (480-547) zijn de eerste stappen in dit proces geweest. 'Ora et labora' is de lijfspreuk van de Benedictijnen. Benedictus stelt – tegengesteld aan Aristoteles – dat werken goed is voor de ziel, én dat het op gezette tijden dient te gebeuren. Er is een tijd voor opstaan, voor eten, voor rusten, voor bidden en voor werken. De dagindeling is tot op de minuut geregeld en doet denken aan een prikklok. Hoe revolutionair dit is, blijkt wel uit de poging tot vergiftiging van Benedictus in het eerste klooster waar hij deze leefregel wil invoeren. Hij vlucht en heeft vervolgens meer succes in het door hem opgerichte klooster in Montecassino. Zijn regel blijft echter beperkt tot de Benedictijner kloosters en heeft lange tijd geen invloed op hoe arbeid wordt georganiseerd.

Voor de gewone man bepalen niet de tijden, maar de taken hoe zijn dag gestalte kreeg. Tot de zeventiende à achttiende eeuw worden menselijke activiteiten gemeten naar de noodzakelijke activiteiten: zaaien, oogsten, rusten, eten, et cetera. De leken werken, vreten, drinken en feesten wanneer ze de kans krijgen op de vele vrije dagen en laten zich daarbij niet leiden door het tikken van de klok, maar door hun maag, het beschikbare daglicht, of de noodzaak te oogsten, zaaien, of geld te verdienen. De Benedictijner kloosterorde is haar tijd ver vooruit met haar structurering van de dagen in tijdseenheden (de metten). Maar het begin van de ver doorgevoerde koppeling tussen tijd en werk begint hier.[14]

Die koppeling is voor ons de normaalste zaak van de wereld. Maar het contrast tussen onze manier van naar werk kijken en de middeleeuwse wijze is groot. Waar zij hun leven lieten bepalen door de noodzakelijke activiteiten, wordt in onze tijd een groot deel van onze activiteiten bepaald door de tijd. Onze huidige manier van denken over tijd is, net als onze houding tegenover werken, een tamelijk recente uitvinding: wij meten in hoge mate de tijd af aan tijdmeters: horloges, agenda's, kalenders. Dat geeft een andere relatie van de mens tot zijn tijd dan de middeleeuwse mens die had: aan de ene kant zijn we bevrijd van de taken – het hoeft niet vandaag af, als het vijf uur is, mogen we naar huis en kan het werk morgen vervolgd worden -, aan de andere kant zijn we gevangen in die onzichtbare tijd en lijken we het alleen maar drukker te krijgen. Als een deels onbedoeld, deels bewust gezocht gevolg van die nieuwe relatie tot de tijd, die de laatste paar honderd jaar steeds sterker is opgekomen, is een nieuwe vrijheid voor de mens ontstaan: steeds meer duidelijk afgebakende vrije tijd, die besteed kan worden aan sport, spel of vakantie. De vakanties van Thomas Cook laten dit al zien.

Het protestantisme en de SBS6-moraal

Vooral met de grote verspreiding van het protestantse gedachtegoed verandert de houding ten aanzien van het werk. Terwijl Benedictus een nieuwe houding tot de tijd geeft, hebben we onze houding ten aanzien van het werk aan de protestanten te danken. Het waarlijk doorvoeren van de arbeidsmoraal is in hoge mate te danken aan het protestantisme – iets waar de socioloog Max Weber (1864-1920) op heeft gewezen in zijn klassieke studie *De Protestantse ethiek en de geest van het kapitalisme*. Het Calvinisme, met haar ideeën over voorbestemming, behelst de gedachte dat eenieders lot na de dood al bij de geboorte bepaald is. In die zin kan een mens dus geen goede werken verrichten om zijn lot te verbeteren. Die uitverkiezing werd evenmin bemiddeld door biecht en absolutie, zoals in de Katholieke kerk werd verkondigd, maar direct door God.

De gewone mens zocht naar tekenen dat hij was uitverkoren. Die vond men op twee gebieden: een groot gezin en succes in het werk. Weelde is een teken dat men is uitverkoren. De volgende stap - zelf meewerken aan de tekenen van uitverkiezing, door een groot gezin te stichten en hard te werken - was snel gezet, en daarmee deed het beroemde arbeidsethos zijn intrede. Mensen gaan zich bezighouden met werken omwille van het werken (dus niet per se om geld te verdienen). Daarbij komt ook dat men niet geacht wordt de rijkdom voor zichzelf te houden, maar deze weer te investeren. De Nederlandse Gouden Eeuw betekent dan ook een breuk met de zuidelijke, met name Italiaanse traditie om fraaie paleizen voor zichzelf te bouwen als teken van weelde, en maakt plaats voor veel soberder koopmanshuizen – het verdiende geld wordt opnieuw geïnvesteerd en mag niet gebruikt worden om al te opzichtig mee te pronken. De protestantse kerk riep op tot soberheid en eenvoud; de gelovigen hielden zich hieraan.

De gedachte dat werken op zich goed is, in contrast met de eerdere gedachte van werk als tegengif voor ledigheid en luiheid, vindt vanaf de negentiende eeuw meer en meer ingang. Daarnaast komt de propaganda tegen luiheid en ledigheid ook niet langer uit de mond van predikers en de Kerk, maar vooral vanuit industriële hoek. Campagnes tegen drinken, slecht taalgebruik en bloedige sporten worden door industriëlen opgezet. De industrie ontmoedigt recreatieve vakanties, aangezien hier alleen maar drinken, vechten en ledigheid uit voort zouden komen. En dat staat werken weer in de weg. Zij zet daarom bedrijfsuitjes op naar bijvoorbeeld vakantiekampen. Met name in Engeland is het Holiday Camp enkele decennia lang een populair concept: onderwijs, sport, muziek en excursies staan op het programma van de Holiday Camps, om te voorkomen dat mensen hun vakantie in luiheid doorbrengen. Kortom: de vrije tijd dient goed besteed te worden.

Ook los van vakanties is de protestantse moraal zichtbaar in de vrijetijdsbesteding. Vrije tijd in protestantse ogen – waardoor de noordeuropese mens ook zonder zich er bewust van te zijn, en zonder zelfs religieus te zijn opgevoed, de wereld beziet - is bedoeld om uit te rusten, maar niet om te niksen. In de negentiende eeuw wordt de hobby gepropageerd: hobby's zijn dé manier om verloren tijd toch nog productief te maken, ook al mag ze doelloos zijn (anders zou het werk zijn). Kunstige en ambachtelijke hobby's als borduurwerk, klussen, tuinieren, hobby's waar je iets van kan leren, in huis bezig zijn – dergelijke activiteiten staan vanuit de protestantse ethiek altijd hoger dan passief TV-kijken, uitgaan.

In de vakantie kunnen we de protestantse arbeidsmoraal eveneens terugzien: op vakantie gaan om iets van de natuur te leren, om te vogelen of bloemen te verzamelen om te drogen, om naar musea te gaan en zo dingen te leren over kunst, geschiedenis of cultuur, staat in hoger aanzien dan naar drie weken liggen bakken op het strand. Het verschil tussen reizen en toeristische trips maken heeft ten dele zijn wortels in de protestantse moraal. Zelfs de intensieve wandel- of fietsvakantie vertoont enig verband met deze arbeidsmoraal. Het vrijwillige afzien waaraan sommige Nederlanders zich met graagte overgeven tijdens hun vakantie lijkt uniek voor Noordwest-Europa – over Indiase fietsvakanties voor Indiërs of groepswandelreizen over de Chinese muur voor Chinezen heb ik nog nooit iets gelezen.

Wat dat betreft zijn de SBS6 televisieprogramma's waarin de vrije tijdsbesteding van jongeren op Ibiza of Terschelling – met veel kratten bier, veel seks en zo mogelijk veel drugs, een teken dat de protestantse hobby- en vrijetijdsethiek onbewust mee sluipt in het denken over vrije tijdbesteding, ervan uitgaand dat de makers heel goed weten dat hun programma's weerstand oproepen en hier zelfs naar streven. Het bandeloze vrijetijdsgedrag van de SBS6-jongere is een vorm van vrije tijdsbesteding die zowel het tegenovergestelde van werken uitdraagt in haar extreme vormen van ontspanning, als het eveneens extreme tegendeel van het Aristotelische idee van vrije tijd als zelfontplooiing en beschouwing. Zonder zich ervan bewust te zijn, steekt deze toerist zijn middelvinger omhoog tegen twee westerse beschavingsidealen.

Het rijk van de vrijheid

Veel hedendaagse ideeën over vrije tijd zijn ontstaan als kritiek op het kapitalisme, met haar doorgevoerde rationalisering van de arbeid. Het kapitalisme stelt alle vrije tijd in dienst van meer productie. Vanuit die gedachte zijn ooit de vrije zondagen ontstaan en de kortere werkdagen.

De ontwikkeling van bedrijven met interne fitnessruimte en restaurant is een doorvoering van deze kapitalistische moraal: wie gezond leeft (dus aan sport doet), is productiever, dus zorgt het bedrijf voor sportruimten. Individuele ontwikkeling en ontspanning staan in het teken van productiviteitsgroei.

Communistische denkers hebben vanaf het begin kritiek gehad op deze houding, waarin productiviteit vóór het welzijn van de arbeiders of de werkenden gaat. Communistische denkers hebben vanaf het vroegste begin geschreven over de verhouding tussen arbeid en vrije tijd. De ideeën daarover liepen wel uiteen, maar vertonen grote overeenkomsten in thematiek, bijvoorbeeld over het 'rijk van de vrijheid', dat in vrijwel alle op het communisme geïnspireerde ideeën over de vrije tijd terugkeert. Marx heeft uitgebreid geschreven over het 'rijk van de vrijheid': dat terrein waar het werk geen vat op heeft, waar de baas niets over heeft te zeggen, waar de arbeider zichzelf kan ontwikkelen op zijn eigen manier en niet omdat de baas het wil.

De vrije zaterdag is hieruit ontstaan: op deze dag zou de arbeider zichzelf kunnen ontplooien – niet alleen bijkomen van zijn zware week, maar ook op een positieve manier kunnen ontwikkelen op een gebied waar de fabrieksbaas geen zeggenschap over heeft. Daarnaast gaat de communistische filosofie ervan uit dat mensen vanuit hun eigen vrijheid tot werk komen en zich daarin ontwikkelen – we zien hier een vermenging van de Aristotelische gedachte van ontwikkeling met de protestantse arbeidsmoraal. Degene die deze vermenging succesvol tot stand brengt, wíl werken, vanuit de betrokkenheid bij wat hij doet.

Dit ideaal is in geen enkele communistische samenleving vervuld en het lijkt erop alsof het communisme aan de basis een paar grondige denkfouten heeft gemaakt. Niettemin is het interessant om onze eigen invulling van arbeid en vrije tijd eens te bezien vanuit die gedachte van 'rijk van de vrijheid'. Hoe vrij is onze vrije tijd eigenlijk? Gaan we op vakantie om bij te komen van ons drukke leven? Welke kwaliteit heeft een dergelijke vakantie als ze puur bedoeld is om uit te rusten en daarna weer een jaar te zwoegen? Of werken we ons het hele jaar kapot om op vakantie te gaan, waarbij we sparen voor de lange en verre reis? Waar ligt het accent en wat zegt dit over de kwaliteit van ons leven? Wat is het verschil tussen de werkende die drie weken naar Thailand gaat om er daarna weer helemaal tegenaan te kunnen, of degene die korte tijd een baantje heeft dat vooral middel is om drie weken (of misschien wel drie maanden) naar Thailand te gaan. Zou het ideaal niet zijn om te werken in Thailand, zodat arbeid en vrije tijd in elkaar overvloeien?

De veertigers die hun drukke baan in Nederland opzeggen, hun huis verkopen en in Frankrijk een pensionnetje beginnen of een restauratie-werkplaats voor oude meubels, lijken op een dergelijke manier hun vrije tijd en werk met elkaar te willen verweven. Voor Marx zou deze keuze waarschijnlijk te prefereren zijn, vanuit de gedachte dat de mensen in alle vrijheid een beroep kiezen waarin ze zichzelf kunnen ontwikkelen, al lag zijn accent meer op concrete producten. Volgens Marx komt de mens alleen via de arbeid tot werkelijke vrijheid, waarbij hij uiteraard niet doelt op de stompzinnige fabrieksarbeid waarmee zijn tijdgenoten in het gareel worden gehouden. Arbeid is juist het scheppende moment; door de arbeid wordt een mens waarlijk menselijk.

Marx baseert zich hierbij op het werk van Hegel (1770-1831), die als eerste wees op de vormgevende en vormende aspecten van de arbeid. In zijn analyse van heer en knecht laat hij zien dat de heer weliswaar toe-gang heeft tot de producten die de knecht maakt, en deze voor zijn genot kan aanwenden, maar uiteindelijk afhankelijk is van een ander om ze te maken. Terwijl de heer denkt dat hij de heerser is over de knecht, is hij in feite afhankelijk van de knecht of de arbeider, omdat deze de pro-ducten maakt. Juist vanwege de directe relatie tot de dingen die hij maakt, is de arbeid voor hem zelf zinvol. Hierin ligt de vrijheid van de knecht die de heerser ontbeert.

De gedachte dat de arbeid zelf scheppend is, is na de uitwerking van Marx opgepikt door neo-marxistische of socialistische denkers als Han-nah Arendt, Ernst Bloch of Adorno, die allemaal op eigen wijze de prak-tijk van vrije tijd als niet-arbeid bekritiseren en in hun opvattingen de vrije tijd als plek van ontwikkeling, als rijk van de vrijheid, gestalte geven.

Maar ook Nietzsche heeft zich uitgelaten over vrije tijd en arbeid: zijn ideaal is dat de arbeid op zijn best middel én doel is. Hij keert zich tegen de 'tätige' (werkzame) soort-mens, die zich veelal uit gemakzucht in het keurslijf van de arbeid laat persen, en roept op tot werkelijk leven, tot avontuurlijk leven en risico's nemen. Zijn bewondering gaat uit naar de kunstenaars en avonturiers, die van hun leven zelf een project maken waarin ze zichzelf ontwikkelen zonder zich veel gelegen te laten aan de normen die de samenleving oplegt.

Deze ideeën hebben in de jaren '60 en '70 van de twintigste eeuw invloed gehad op de manier waarop men naar werk en vrije tijd is gaan kijken. Ook Sartre en het existentialisme, met zijn grote nadruk op keu-ze en de verantwoordelijkheid die ieder mens heeft om zijn eigen leven gestalte te geven is door Nietzsche geïnspireerd en inspireerde op haar beurt maatschappelijke ontwikkelingen in de jaren '60 en '70. Vanaf de jaren '70 wordt kinderen op lagere en middelbare scholen geleerd dat ze zelf een beroep moeten kiezen, en dan liefst een beroep dat ze leuk vinden. De relatie tussen beroep en geld wordt nauwelijks gelegd, laat staan de "ouderwetse" relatie tussen arbeid als remedie tegen ledigheid. De uitspraak "van werken is nog nooit iemand doodgegaan" klinkt maar zelden. Het resultaat is overigens niet ondubbelzinnig positief: minstens één generatie twintigers en dertigers verkeert in twijfel over hun beroepskeuze en levensvervulling. Opgegroeid met het idee dat ze zelf moeten kiezen wat ze willen worden, verwachten ze daar hun levensvervulling en –geluk te vinden en worden ze niet zelden overweldigd en verlamd door de enorme keuzevrijheid. Of, aan de andere kant, worden gefrustreerd omdat ze beseffen dat hun werk hen wel geld brengt, maar niet de levensvervulling die een baan in hun ogen zou moeten brengen. De wereldreis is een poging om het heft zelf weer in handen te krijgen, om zo het Nietzscheaanse ideaal van het avontuurlijke leven vorm te kunnen geven.

Visser of manager

Voor veel mensen wordt vrije tijd in de moderne samenleving nog steeds beleefd als afgescheiden van de werktijd. In die zin is er van het Marxistische ideaal weinig terecht gekomen. Het aanbod van vrije tijdsbestedingen is weliswaar enorm verbreed, maar dit is alleen een teken dat het nog steeds niet goed gaat met onze vrije tijd, zegt bijvoorbeeld de door Marx geïnspireerde filosoof Lefebvre (1901-1991), die in de jaren '60 zeer tot de verbeelding van de kritische generatie studenten sprak. Hij publiceerde in 1965 zijn *Métaphilosophie*, waarin hij drie sectoren onderscheidde: de arbeid, het privé-leven en de sfeer van de vrije tijd, die naar zijn idee door de meeste mensen vooral werd opgevat als een bevrijding van arbeid en het 'normale' privé-leven – een negatief geformuleerd ideaal dus, dat haaks staat op de positieve vrije tijd van Aristoteles. Hij bekritiseerde deze opvatting van vrije tijd en de vormen van vrije tijd die hij om zich heen zag: sport, erotiek, vakantie, liefdesromannetjes, TV zijn in zijn ogen niet meer dan valse afspiegelingen van de arbeid. Ze vormen in die zin gezamenlijk een sociale kritiek: in onze vrije tijd doen we nu niet meer dan aanvullen wat ons in het dagelijks leven ontbreekt.

Zo gesteld is de vrije tijd niet werkelijk vrij. De vrijetijdsbestedingen vullen de hiaten van ons arbeidsleven aan – daarom zoeken we naar erotiek, avontuur, het andere. Lefebvre ziet, net als de meeste van zijn voorgangers, de recreatieve vrije tijd als negatief. De mens is vervreemd van zichzelf en zoekt in zijn vrije tijd naar zichzelf, aldus Lefebvre. Deze vrije tijd staat echter nog helemaal in het teken van het werk, en is daarom niet werkelijk vrij. Aristoteles' kanttekeningen bij het vermaak, dat tekortschiet en niet de uiteindelijke zin van het leven kan uitmaken omdat het niet omwille van zichzelf wordt gedaan, vinden bij Lefebvre een andere invulling, maar vermaak blijft een minderwaardige invulling van de vrije tijd in vergelijking met de 'scholè' of het rijk van de vrijheid dat zowel Aristoteles als Lefebvre voorstaan. Weliswaar is het denken over arbeid sterk veranderd, maar de ideeën over vrije tijd zijn in grote lijnen constant gebleven: recreatie tegenover ontwikkeling.

Niet iedereen koppelt vrije tijd echter aan het ideaal van ontwikkeling. Lefebvres leerling Baudrillard stelt zelfs dat vrije tijd helemaal niet meer als manier van zich ontwikkelen wordt gezien, en neemt daarmee afstand van zowel Aristoteles als Marx, maar als een teken van status. De consumptie van de vrije tijd is vooral een statussymbool. De hogere klassen hebben meer vrije tijd, de grote middenklasse probeert door haar vrijetijdsconsumptie haar status te verhogen. Hoewel in onze moderne burgersamenleving het klassenverschil officieel nauwelijks meer bestaat, wordt dit niet zo door mensen ervaren. Juist in consumptie en in vrije tijd vindt men manieren zich te onderscheiden van andere mensen. Een vakantiereis naar een ver land is vanuit dit perspectief beschouwd dus niet langer een teken van ontspanning of recreatie, noch een teken van zich ontplooien en ontwikkelen, maar een teken van status, net zo als de nieuwste BMW en Prada's.

Dat dit voor een aantal mensen zeker zal gelden, betwijfel ik niet. Baudrillard is ook zeker de eerste niet die reizen aan status verbindt; in de negentiende eeuw fulmineerde de Nederlandse schrijver en predikant Nicolaas Beets (ook bekend als Hildebrand) al tegen de plezierreizigers die per stoomboot de Rijn afdreven en zich hier vooral verveelden, maar zo wel thuis konden opscheppen over hun reisje. Maar het gegeven dat talloze mensen juist een jaar lang op reis gaan met een vaag idee 'zichzelf tegen te komen' en hun leven te verrijken, kan niet worden ontkend. In de vrije tijd en hun vakantie zoeken mensen wel degelijk naar een compensatie voor wat in hun dagelijks leven ontbreekt. Juist bij hoger opgeleiden, die zich ingeklemd voelen tussen het ideaal van zelfontwikkeling en de praktijk van inbedding op een werkplek, is de behoefte aan een reis groot.

Hannah Arendt (1906-1975) wijst erop dat de kwaliteit van de vrije tijd afhankelijk is van de kwaliteit van de arbeid. Wellicht is de laag opgeleide arbeider eerder geneigd zijn op productie gerichte bestaan in zijn vrije tijd te spiegelen aan een op consumptie gericht bestaan; terwijl de hoger opgeleide, die volgens Arendt zijn bestaan richt op handelen, in zijn vrije tijd bepaalde hogere idealen terugzoekt. En misschien is de hoger opgeleide die zijn idealen niet in zijn werk tot uitdrukking ziet komen, des te eerder geneigd om de compensatie in zijn vakantie of reis te zoeken.

Een vraag die door veel mensen wordt gesteld, is de vraag waar we ons kunnen ontwikkelen – in ons werk of op reis? Daarmee komt opnieuw de vraag naar de arbeid terug: is werken goed? De filosoof Fukuyama (1952-) zou het liefst de vrije tijd afschaffen, omdat hij gelooft dat we onze creativiteit veel meer kwijt kunnen in ons werk.

> We zullen niet meer van het werk wegvluchten omdat we ons er voortaan in kunnen waarmaken. Alles hangt af van de bekwaamheden die mensen willen verwerven. Voor getalenteerde mensen zal het werk vrije tijd worden. Wie minder getalenteerd is, zal zich ontzettend uit de naad moeten werken en studeren om bij te benen. Ook dat zal ten koste gaan van de vrije tijd. Je wordt dus best getalenteerd en gezond geboren. Het was nooit anders.
> Geciteerd in Luc Rademakers, *Filosofie van de vrije tijd,* p.76

Kortom: de relatie tussen vrije tijd en arbeid of werk is niet eenduidig. Wat vrije tijd waard is hangt af van de kwaliteit van het werk of de arbeid, lijken zowel Arendt als Fukuyama te suggereren. De vrije tijd dwingt ons om over ons werk na te denken.

Een bekend verhaal, dat in meerdere variaties bestaat legt het dilemma bloot. Het speelt zich af op een klein Grieks eilandje, het mag ook Turks, Indonesisch, Oceanisch zijn, het verhaal mag ook aan een strand plaatsvinden in Zuid-Amerika of Afrika. Een visser zit op zijn vaste steen. Petje op, peukje in zijn mondhoek, verweerd gelaat en heldere ogen. Een rijke directeur, manager, CEO – dure korte broek, poloshirt, leren sandalen, mobieltje bij de hand - komt voorbij, op vakantie, uitrustend van zijn drukke bestaan. We weten nu dat zijn vrije tijd nauwelijks werkelijk vrij is – het is een tijd die hij nodig heeft om er weer hard tegenaan te kunnen en die in die zin volledig beheerst wordt door zijn arbeid.

Hij blijft even staan bij de visser, en zegt dan: 'Vang je nou eigenlijk wat, met zo'n hengeltje? Weet je wat je moet doen?', en zonder het antwoord van de visser af te wachten, zegt hij: 'Neem geen hengel, maar een net.'

'Waarom?', vraagt de visser, 'het gaat prima zo.'

'Maar met een net vang je meer, dan kun je je vangst op de markt verkopen, en dan kun je geld sparen voor een boot, en vang je nog meer, en dan kun je een grotere boot kopen en nog meer vis vangen.'

'En dan?', vraagt de visser.

'Dan kun je anderen het werk laten doen en hoef je zelf niet meer te vissen.'

'En dan?'

De directeur kijkt hem aan. Dan kun je voor je plezier vissen, denkt hij. Hij hoeft zijn woorden niet uit te spreken.

De visser glimlachte en haalt zijn hengel op. 'Genoeg voor het avondeten', zegt hij, terwijl hij rustig de vis in zijn emmertje laat zakken en zijn spullen bijeenraapt.

De meeste mensen zijn noch visser, noch directeur, maar bevinden zich ergens in een tussenpositie. Maar wat is de richting van ons leven? Zijn we tevreden met het weinige dat de visser heeft, en afgezien van veel vrije tijd, ook weinig vrijheid – hij kan tenslotte alleen maar vis eten en heeft geen geld om vlees te kopen, of om een dokter te betalen als hij ziek wordt. Of zijn we de directeur of manager die maar doorholt en doorholt totdat hij aan het eind van zijn leven, als hij niet vroegtijdig geveld wordt door een hartaanval, nog wat tijd overheeft om te vissen? Zoeken we het terrein van onze persoonlijke ontwikkeling in ons werk, zoals Fukuyama stelt, of wenden we ons hier vanaf, al dan niet teleurgesteld in de mogelijkheden ons zelf te realiseren op de werkvloer, en proberen we bijvoorbeeld op reis onszelf te vormen?

Rust en reizen

Kierkegaard wijst erop – en in bovenstaande parabel is dezelfde les aanwezig - dat een van de problemen die de huidige mens heeft, een gebrek aan aandacht is. Heel fundamenteel is de mens die er voortdurend naar verlangt "er even uit te zijn" een mens die niet aanwezig is in wat hij op dit moment doet. Hij is met zijn gedachten elders – in de toekomst, in het verleden wellicht, of op een andere plaats. Een van de aantrekkelijke aspecten van het vissersbestaan in zijn geromantiseerde vorm is de aanwezigheid van de visser bij zijn pogingen vis te vangen. We zien hem in een bijna liefdevolle benadering van de vis. Niet het nietsdoen spreekt ons aan, maar zijn aandachtsvolle betrokkenheid bij zijn activiteit. In die aandacht is de werkelijke rust te vinden en hierin ligt ook de echte vrijheid.

Vrije tijd kan op deze wijze ontkoppeld worden van het werk: het werk kan vrij zijn, vanwege de aandacht en betrokkenheid waarmee we het verrichten; maar ook kan de vrije tijd alleen vrij zijn, indien ze niet als de negatie van het werk wordt opgevat. Bij iedere vorm van vrije tijdsbesteding kunnen we twee grondvragen stellen: ten eerste de vraag of onze vrije tijd werkelijk vrij is (of ligt ze puur in het verlengde van ons werk en is ze daarmee niet werkelijk vrij)? En de tweede vraag is: wat is onze houding ten aanzien van werk? Zijn arbeid of werk in zichzelf te waarderen, of niet? Daaruit kunnen we afleiden of onze vakantie 'alleen maar' bedoeld is om uit te rusten, of dat we in ons werk eigenlijk al onze vrije tijd – in de opvatting van Aristoteles of Marx - gebruiken om onszelf te ontwikkelen. Onze invullingen van onze 'vrije tijd' zijn binnen deze twee polen te vinden. Vakanties kunnen goede gelegenheden zijn om deze vragen weer eens opnieuw te stellen en ook langere reizen nodigen uit om deze fundamentele vragen opnieuw te beantwoorden.

In het verlengde van deze vragen ligt een derde vraag, waarin we de arbeid achter ons laten. Het is een vraag aan de reiziger. Is de houding van rust, door Aristoteles en andere denkers zo nadrukkelijk aangewezen als voorwaarde voor inzicht in de werkelijkheid, ook mogelijk tijdens een reis? Kan de reiziger zich de houding van rust (als vertaling van *scholè*) eigen maken en zo het geluk vinden? De reiziger is per definitie in beweging en heeft daarmee een hoge mate van onrust als we hem vergelijken met de geleerde die zich in zijn studeerkamer terugtrekt. Maar rust is niet hetzelfde als stilzitten. In de vertaling van *scholè* als vrije tijd, is die associatie minder aanwezig. Naar mijn idee is er een derde weg, naast die van de onrustige vakantieganger die zijn werk ontvlucht enerzijds en de rust van de studeerkamergeleerde die zich uit de wereld terugtrekt anderzijds.

Creatieve processen, veranderingen en groei gaan per definitie gepaard met onrust: deze zorgt ervoor dat iemand geen genoegen neemt met de situatie zoals hij is, met de inzichten die hij had, met de waarheden waarmee hij opgroeide. Deze onrust drijft ook de reiziger naar onbekende streken. Juist de combinatie van de onrust van de reiziger met een houding van ontvankelijkheid – waarmee de rust zijn rol krijgt in de ontwikkeling van de persoon, definieert de (tamelijk zeldzame) reiziger die zich middels zijn reis ontwikkelt. Deze reiziger besteedt zijn vrije tijd niet als een ontsnapping van zijn werk en zijn leven van alledag, zoals de vakantieganger; hij probeert de waarheid niet te vinden in stilstand, zoals de studeerkamergeleerde; maar oefent zich in een houding van ontvankelijkheid die hem uiteindelijk meer inzicht in zichzelf en de wereld kan verschaffen.

Het moderne leven tegemoet: de stad in

Stad of land, cultuur of natuur? Gaan we raften in Nepal, wandelen door de Pyreneeën, een week de Parijse musea aflopen of maken we een citytrip naar Barcelona? De ontdekking van de natuur in de Romantiek leidde tot een hausse aan hotels en reisjes naar natuurgebieden, maar ook de steden werden ontdekt als vakantiebestemming. Nu is de vraag natuurlijk: waarom? Niet alle steden zijn in trek bij toeristen, en in een stad zijn niet alle delen van de stad of alle objecten, mensen, of openbare gelegenheden in trek als attractie.

Amsterdam is een populaire stad onder toeristen. Wat doen zij hier? Vaak heel andere dingen dan de inwoners van de stad. De Wallen worden door circa één derde van de toeristen bezocht, het Rembrandt Huis staat hoog op het lijstje van bezienswaardigheden, net als het Anne Frankhuis en de Heineken Brouwerij. De gemiddelde toerist maakt graag een tochtje met een rondvaartboot en huurt een fiets. Terwijl de Amsterdammer de fiets gebruikt om van huis naar werk te gaan, zwabberen toeristen giechelend langs de grachten om te fietsen – maakt niet uit waarheen. Daarnaast vinden ook veel bezoekers het leuk om over de Albert Cuyp-markt te lopen, doen ze de Bloemenmarkt aan, slenteren door de Jordaan en bezoeken wellicht een diamantslijperij.

Wat zien we: een paar musea rond kunst en historische gebeurtenissen, een aantal bezienswaardigheden waarin het gewone leven plaatsvindt (de markten) en een aantal activiteiten die als 'typisch' Amsterdams worden beschouwd (Wallen, coffeeshops, fietsen, de Heineken Brouwerij). We zien een aantal bezienswaardigheden die in de eigen woonplaats of in andere steden ook zouden kunnen voorkomen: de toerist kan zien hoe de Amsterdamse markt of de Amsterdamse tram zich onderscheiden van hun eigen markten en openbaar vervoermogelijkheden. Ook bevestigt een aantal bezienswaardigheden een bepaald imago van Amsterdam, waarin Amsterdam zich juist zou onderscheiden van andere steden: de gezellige uitstraling van Wallen – een Amerikaanse toerist die ik eens sprak vergeleek The Red Light District met een soort Disney-land qua sfeer. Ook in bloemen, bier en diamanten onderscheidt Amsterdam zich van andere steden, in ieder geval als we de toeristische folders en reisgidsen geloven.

Tegelijkertijd zijn er ook buurten of activiteiten in Amsterdam waar nauwelijks toeristen op af komen, maar die wellicht best interessant zouden kunnen zijn voor toeristen: het vernieuwde Westerpark, de zwarte kerken in de Bijlmer, een woonwijk, een kraakpand. Of de HEMA, het café om de hoek, waar de gewone Amsterdammer graag komt of de sportschool. Het lijkt erop dat niet alles wat interessant zou kunnen zijn, onmiddellijk als toeristische attractie geldt. En het lijkt er ook op dat zaken die voor de inwoner interessant en van belang zijn, dit voor de toerist niet per se hoeven te zijn. Ook is het opmerkelijk dat er attracties zijn die voor toeristen interessant zijn, maar die voor de lokale bevolking niet of nauwelijks interessant zijn: veel inwoners van Amsterdam komen zelden in de rosse buurt en bezoeken nooit de diamantslijperijen, de kaasboerderijen of de restaurantjes in de buurt van het Rembrandtplein.

En tot slot is het opmerkelijk dat toeristische attracties in de mode kunnen komen of uit de belangstelling raken. Dat hoeft niet te liggen aan de aard van de attractie, maar aan een groter en in hoge mate sociaal proces waarin attracties worden gevormd. We kunnen om te beginnen eens kijken wanneer de stad zélf eigenlijk in trek kwam als attractie. Tot eind negentiende eeuw bezocht men steden vooral vanwege de historische of culturele bezienswaardigheden, maar in de negentiende eeuw kwamen steden in trek vanwege zichzelf. Dat begon in Parijs: men ging niet alleen naar Parijs voor de musea, maar omwille van Parijs.

De straat op

Wie regelmatig stedentripjes maakt en ervan houdt door de straten te slenteren, markten af te struinen of op terrasjes te zitten om naar mensen te kijken, zal verbaasd zijn te vernemen dat dit toeristisch gedrag nog maar net een eeuw oud is. Na de ontdekking van de natuur rond 1800 ontdekt de reizende mens eind negentiende eeuw het gewone leven en het gewone straatbeeld. Rond 1900 richt de toeristische blik zich voor het eerst op de openbare ruimte zelf, met haar wegen en bruggen, zoals de Parijse Champs Elysées of de Amsterdamse grachtengordel.

De openbare ruimte blijkt al snel een grote trekpleister te vormen. Ook nu nog vinden toeristen het leuk om in de stad ook een stukje 'gewone woonwijk' mee te pikken, al dan niet in georganiseerde vorm. In de Bronx of in sommige sloppenwijken in Zuid-Afrika worden rondleidingen georganiseerd voor toeristen, die zich zo op een veilige manier in een onbekende wereld kunnen begeven. Maar dan spreken we over ontwikkelingen die vanaf de jaren '70 van de twintigste eeuw zijn ingezet. Eind negentiende eeuw begint dit bezoeken van de openbare ruimte als toeristisch tijdverdrijf met de opkomst van de grote warenhuizen en komt het winkelen om de tijd door te brengen in de mode.

In dezelfde periode richt de toeristische blik zich ook op allerlei soorten werk. In de Baedeker-gids en andere reisgidsen staan gedetailleerde beschrijvingen van allerlei werkvormen, waar soms afkeurend over wordt geschreven, maar die niettemin als toeristische attractie worden gepresenteerd. Het 'gewone leven' komt in het blikveld van de toerist. Nu geldt dat niet alleen voor de stad – mensen zijn in de negentiende eeuw al geruime tijd gecharmeerd van het werk van de boeren op het veld – maar in de stad zien we dat gesloten ruimten worden opengesteld voor toeristen: mensen mogen de beurs bezoeken, een slachthuis, de riolen of een werkplaats voor tapijtwevers. Dat zet zich in de hele twintigste eeuw voort: wat begon bij rondleidingen op de beurs, is nu nog steeds zichtbaar in de bezoeken aan de diamantslijpers of de Heineken Brouwerij. Elders lokken Indiase tapijtenverkopers klanten naar hun zaak door ook demonstraties van tapijtknopen te geven in modelruimten. En een roman als *De zoon van het circus* van John Irving zorgt ervoor dat circusbezoek in India plotseling populair wordt onder rugzakreizigers.

Het bezoeken van werkplaatsen is geen neutrale of autonome ontwikkeling. In feite worden alle werkenden in één groot – toeristisch - systeem ondergebracht, waarbij het werk geneutraliseerd wordt: het lijkt routinematig en open voor buitenstaanders. De toerist onttrekt zich soms onbewust, soms willens en wetens aan het werk dat hij bezoekt: juist omdat hij als buitenstaander een kijkje neemt, lijkt het alsof de werkenden er als toeristische attractie bijzitten. Dit is echter schijn. De tapijtenshowroom is altijd schoner en beter verlicht dan de anonieme werkplaatsen in het achterland, maar zelfs hier heeft het iets ongemakkelijks om de tapijtknopers aan te gapen: hun harde arbeid is voor ons bezienswaardig. In India kun je bijvoorbeeld vrij eenvoudig binnenlopen in werkplaatsen – voor bidi-rollers (sigaretjes) of bij jonge vrouwen die wierookstokjes maken – ze hebben niets te verbergen, totdat je naar leeftijden gaat vragen, dan overtreedt de toerist een ongeschreven regel: hij hoort als buitenstaander niet meer te doen dan te kijken, eventueel te kopen, en verder geen vragen te stellen bij wat hij ziet.

Volgens socioloog MacCannell zit er iets pervers in om juist de werkplaats tot toeristische attractie te verheffen. De werktijd van de een wordt de vrije tijdsbesteding van de ander, zonder dat deze hier extra voor wordt betaald, en meestal zonder dat hij daarom gevraagd heeft of de vrijheid heeft het bezoek te weigeren. De scheefheid in de verhoudingen, waarbij de vrije tijd van de een de dwang van de ander is, heeft een bijsmaak.

Mensen kijken

Parijs wordt rond 1900 niet alleen populair vanwege zijn stadsbeeld, maar ook vanwege de vele mensen die Parijs bezoeken: de toeristische blik richt zich niet alleen op de attracties, maar ook op de lokale inwoners en niet te vergeten de medetoeristen. Parijs komt in trek bij de moderne jonge mannen die het flaneren over de grote boulevards ontdekken, die zich met hun geliefde in openbare cafés verpozen, en een magisch gevoel van overweldiging krijgen bij de gedachte aan intimiteit in de openbare ruimte. Boulevards zijn tot die tijd ongekend en brengen hevige emoties teweeg bij mensen. Parijs komt in trek als de stad van de romantiek.

Tegenwoordig brengen toeristen een belangrijk deel van hun tijd door met het kijken naar lokale inwoners en naar medetoeristen. Een maatschappij bestaat niet alleen uit individuen, maar ook uit groepen en deze groepen kunnen toeristische attracties worden. Het 'op een ter-

rasje zitten' en 'mensen kijken' zijn legitieme activiteiten in de stad geworden, waaraan overigens niet alleen toeristen, maar ook inwoners hun tijd graag besteden. De toeristische blik keert zich steeds meer naar binnen: beginnend met klassieke monumenten uit de oudheid, ontdekt ze de sensatie van de natuur, richt ze zich op de producten van de cultuur, ontmoet daar niet alleen de lokale bevolking, maar ook haar toeristische medemens ... om uiteindelijk bij zichzelf uit te komen. Vanaf de jaren '70 komt het zoeken naar jezelf op reis in zwang, maar daarover later meer. In de stad ontdekt de toerist vooral zijn medemens en de culturele producten waartoe deze in staat is. Dit betekent niet dat hij die medemens werkelijk wil ontmoeten, maar hij wil hem in ieder geval bekijken om zich ermee te vermaken. Dat is nog steeds het geval. Toeristen fotograferen ook graag andere toeristen; in mijn eigen foto-album bevindt zich nog een dubbel gelaagde foto uit de tijd dat de Muur Oost- en West-Berlijn nog doorsneed. Aan beide zijden van de muur staan groepen toeristen die foto's maakten van de groep aan de overkant – en ik, op dat moment zowel mede- als metatoerist maakte de foto van dit tafereel.

De stad als toeristische bestemming geeft andere ervaringen dan de natuur. De drijfveer voor het stadsbezoek is een heel andere dan die voor de behoefte aan natuur. En net als bij de ontdekking van de natuur, spelen er ook filosofische achtergronden mee in de waardering van de stad.

Van Paradijs tot Java-eiland

Wat doet de stad met een filosoof? Lang niet alle filosofen zijn gecharmeerd van de natuur. Eeuwenlang is ze genegeerd of veracht. Belangstelling voor de natuur komt pas op met de komst van empiristische filosofie, die zich ten doel stelde het Boek van de Natuur te lezen door de zintuigen te gebruiken, en in de Romantiek, waarbij de natuur stond voor de onschuld van het paradijs. Maar filosofen in de rationalistische traditie, zoals Sokrates (469-399 v.C.), Plato (428-347 v.C.), Descartes (1596-1650) en Hegel (1770-1831) achten niet alleen de rede hoog, maar zijn ook overtuigde stadsbewoners. Dat is niet helemaal toevallig. Hoewel we niet kunnen zeggen dat filosofen die in de stad wonen, per definitie de zintuigen als bron van kennis verwerpen, past de voorkeur voor de stad in het geval van deze vier filosofen goed in het bredere kader van hun filosofische denken.

Kunnen deze rationele filosofen ons iets over onze vakantiebestemming leren? Ja – hun houding tegenover de natuur en de stad sijpelt door in ons eigen oordeel over natuur en stad. Hun strenge onderscheid tussen mens en dier, tussen cultuur en natuur, kleurt ook onze blik. Terwijl de Romantici zich tot de natuur wenden, richten zij hun blik op de stad. Aan deze wending tot de stad ligt een diep gewortelde houding ten aanzien van de aard van de werkelijkheid ten grondslag.

Plato is de vroege grondlegger van dit denken. In zijn beroemde metafoor van de grot stelde hij zich voor hoe mensen geketend in een grot bewogen die verlicht werd door een vuur achter hen. Voor zich zagen ze schaduwen bewegen op de wand van de grot, en omdat ze nooit iets anders zagen, zagen ze deze schaduwen aan voor de werkelijkheid. Maar de echte werkelijkheid was die van de bronnen van die schaduwen, de werkelijke Vormen (ook wel Ideeën genoemd) van de dingen. Die werkelijke Vormen zijn echter niet toegankelijk voor de zintuigen. Alleen met onze geest, met het rationele deel van de ziel, zijn we in staat de werkelijke Vormen waar te nemen. Deze zijn absoluut, onstoffelijk en onvergankelijk – tegengesteld aan de stoffelijke, vergankelijke dingen in de wereld waarin wij leven. Blijkbaar is er, als we Plato volgen, dus een Echte Wereld, die meer werkelijkheid heeft dan de wereld die wij voor werkelijk aannemen, maar slechts schijn is. Wat wij met onze zintuigen waarnemen, heeft geen werkelijkheid. Alleen onze ratio is in staat om een glimp op te vangen van de absolute Vormen.

De tweedeling tussen de wereld van zintuiglijke verschijnselen, die vergankelijk zijn en daarom geen werkelijkheid hebben, en een wereld van absolute vormen laat zich goed verenigen met de joods-christelijke gedachte dat God buiten de natuur staat: God heeft de Natuur geschapen, maar valt er niet mee samen. Anders gezegd: het goddelijke zit niet ín de verschijnselen, maar is er boven verheven. Deze benadering staat in contrast met veel oosterse benaderingen, die God of vele goden *in* de natuur plaatsen.

Het idee dat God *buiten* de natuur staat geeft een opdracht aan de mens: God vinden; en een instrument om dit te realiseren: via de rationele ziel. Waarom via de ziel? Omdat de ziel, als rationeel, onstoffelijk en onsterfelijk principe, van alle dingen het meest op God lijkt. Wie daarom zijn ziel ontwikkelt, ontwikkelt het goddelijke element in zichzelf en kan God gemakkelijker vinden. De weg naar God, of naar de logos, de rationele principes die de natuur leiden, loopt dus niet via de natuur en via de zintuigen, maar via het denken.

De ratio is ook om een andere reden het aangewezen instrument: juist in de ratio of in de ziel onderscheidt de mens zich van het dier en toont de mens zich superieur aan het dier. Terwijl het dier van elke vorm van rede is gespeend en volkomen samenvalt met zijn natuurlijke aard, kan de mens zich dankzij de rede onderscheiden van of verheffen boven zijn natuurlijke aard. De rede stelt de mens in staat om afstand te nemen van zijn natuurlijke en zintuiglijke aard. We kunnen niet alleen maar indrukken ontvangen, maar daarop ook reflecteren. En die mogelijkheid tot actieve reflectie, geeft de mens de vrijheid om niet geheel en al onderworpen te zijn aan zijn natuurlijke impulsen, maar zich te richten tot hogere idealen.

Hiermee komen we op het terrein van de stad. De afkeer van de filosofen in de rationalistische traditie ten aanzien van de natuur uit zich in een ophemeling van de stad. Want wat verschilt meer van de natuur dan een stad? De stad is per definitie een product van de menselijke rede: hier vinden de activiteiten plaats die mens en dier wezenlijk van elkaar onderscheiden. Economische, architectonische en intellectuele activiteiten vinden grotendeels plaats in de stad, terwijl dorpsbewoners dichter bij de natuur staan. Terwijl de Romantici dorpsbewoners verheerlijkten als mensen die naar hun natuurlijke aard leefden, zagen de rationele filosofen dit toegeven aan natuurlijke neigingen juist als tekenen van onderontwikkeldheid. Hun ideaal richtte zich juist op het tegengestelde: hoe verder van de natuur verwijderd, hoe beter. Juist in de stad kon men zich ontwikkelen naar een hoger plan.

Dit is met name door de Duitse filosoof Georg Hegel uiteengezet in zijn grote denkwerk *Fenomenologie van de Geest* (1807). Aan hem hebben we het idee te danken dat de geschiedenis een ontwikkeling doormaakt in de richting van een vervolmaking van de rationaliteit. Die ontwikkeling was niet op het platteland of in de natuur te vinden, maar in de stad. Alleen hier kon onze groei als menselijk wezen plaatsvinden, aldus Hegel, en zouden wij ons aan ons aardse, lichamelijke bestaan kunnen onttrekken om geestelijk volwassen te kunnen worden. Daarbij was de stad overigens slechts een prille tussenstap in de richting van het einddoel van Hegels filosofie: de ontwikkeling van de geest in de richting van de Absolute Geest, waarin de individuele geest zou worden opgeheven (in de diverse betekenissen van het woord "opheffen") in een alomvattende Geest – de verre verwantschap met Plato wordt zichtbaar in het ideaal van absolute, rationele waarheid en werkelijkheid. Het voert te ver daar op deze plaats verder op in te gaan. Maar indien we ons beperken tot de stad, moeten we met Hegel constateren dat vernieuwing op het gebied van kunst, literatuur, techniek, economie doorgaans plaatsvindt in steden.

Hegels abstracte filosofie over de rol van de rede en de stad als symbool van het product van de rede is terug te zien in de verdere ontwikkeling van het stedelijk toerisme in de negentiende eeuw. De negentiende eeuw juicht vernieuwing toe en wordt in zijn algemeenheid gekenmerkt door een groot vooruitgangsoptimisme. De gang naar de stad past daarin. De stad als plaats van dynamiek en vernieuwing dreef toeristen naar Parijs en Londen. Naast de bestaande pelgrims-, handels, kennis- en opvoedingsmotieven, was er een nieuw motief om de stad te bezoeken ontstaan: als plaats van moderniteit en vooruitgang.

De natuur en de steden lonkten in de negentiende eeuw allebei naar de prille toerist. Ze vertegenwoordigen twee idealen, die parallel aan elkaar bestonden. Terwijl de natuur beantwoordde aan het ideaal van de onschuld van het Paradijs, appelleerde de stad aan een ander, eveneens uit de Bijbel afkomstig ideaal: de vervolmaking van de mens in de Nieuwe Stad Jeruzalem. Genesis en Openbaringen, het begin en het einde,

oorsprong en doel, traditie en vernieuwing – ze spreken allebei op hun eigen manier aan. Laat ook duidelijk zijn dat beide idealen, hoewel ze beide zijn te herleiden tot Bijbelse boeken, niet per se in de vorm van een religieus ideaal hoeven te worden gegoten.

De ontwikkeling naar een hoger ideaal middels de stad is mooi zichtbaar in de ontwikkeling van Mondriaan, die begon met het schilderen van bomen en zich liet inspireren door de zee, maar wiens werk steeds abstracter werd. Ton Lemaire wijst erop hoe de concrete materiële wereld bij Mondriaan steeds meer naar de achtergrond verdwijnt, om plaats te maken voor lijnen en vlakken in primaire kleuren. Het verschil tussen zijn vroege series bomen, met vloeiende bewegingen (1909) en een abstract schilderij als Victory Boogie Woogie (1942-1944) is illustratief, hetgeen ook te zien is in Mondriaans levensstijl. Hij woonde een groot deel van zijn leven in Parijs en New York en schijnt zich zelfs te hebben geërgerd wanneer hij in een restaurant zat dat op bomen uitkeek. Hij toont zich daarmee verre nazaat van de typische stadsfilosoof Sokrates, die ook niets van bomen in een stad moest hebben – hij zocht de mensen om mee te praten, niet de bomen.

Terugkerend tot het thema 'vernieuwing' wordt de aantrekkingskracht van steden als Londen en New York goed zichtbaar: ze stralen dynamiek uit, er gebeurt 'iets'. Mede daarom trekken ze bezoekers. Een deel van die bezoekers bezoekt zo'n stad juist omdat er 'iets' gebeurt, en zoekt naar manieren om daaraan deel te nemen. Een in architectuur geschoolde culturele elite bezoekt bijvoorbeeld inmiddels het Java-eiland in het Oostelijk Havengebied van Amsterdam vanwege de vernieuwende architectuur. Een groter deel van de culturele bezoekers is wat conservatiever in zijn keuze en bezoekt vooral wat in het verleden vernieuwend was. Misschien lijkt het op het eerste gezicht alsof hij de tradities bezoekt: de fraaie grachtengordel en het Rijksmuseum staan hoog op zijn lijstje. Dit is echter niet helemaal het geval: hij bezoekt op conservatieve en risicoloze wijze monumenten die eens nieuw waren, en nu nog steeds opzien baren. Een goede gids wijst op de vernieuwende monumenten uit het verleden.

Ondertussen bouwt de stad verder aan nieuwe projecten, die mogelijk na enkele jaren ook als attractie worden beschouwd. Of de toerist nu de 'oude' nieuwe gebieden bezoekt, of de recent aangelegde, de gedachte dat een stad die zich op intelligente wijze weet (of wist) te vernieuwen een goede stad is, reist met hen mee. En die gedachte zit ook in de hoofden van degenen die bijdragen aan de vernieuwing die in een stad mogelijk is: kunstenaars, architecten, wegenbouwers, denkers, opiniemakers. Wanneer we ons voorstellen dat we geen waarde hechten aan de rationele producten van de menselijke geest, is enige waardering voor de stad onmogelijk – teveel mensen, teveel verkeer, stank, chaos, drukte - en willen we haar vooral ontvluchten, op zoek naar rust, natuur, ruimte, eten dat vers van het land komt en schone lucht.

Steden die nauwelijks uitstralen dat ze de triomf van de menselijke rede vormen zijn maar weinig in trek bij toeristen, en worden vooral als vieze, drukke stad beschouwd – de Derde Wereld staat er vol mee. Waar Shanghai met recht als een vernieuwende, moderne stad kan worden gezien, met niet alleen een enorme groei van bedrijven, maar ook van een modern uitgaansleven, winkelcentra, een opzienbarende treintunnel die het vliegveld met de stad verbindt en de opkomst van een intellectuele elite, zijn steden als Daka, Teheran of Amman niet meer dan eindeloze steenklompen van woningen en werkplaatsen, zonder de ontwikkelingen op economisch, cultureel en intellectueel gebied die een stad haar meerwaarde geven.

Waarom is de Dam een toeristische attractie?

Veel toeristische attracties zijn niet gebouwd als toeristische attractie – op pretparken na. Dit betekent dat een voorwerp of een plek die eens geen toeristische attractie waren, dat op een of andere manier wordt. De gedachte dat sommige plaatsen of objecten 'vanzelf' een bezienswaardigheid worden is onjuist. Er gaat een heel proces aan vooraf. Juist daarin treedt het typisch menselijke naar voren dat de stadsfilosofen zo aansprak: de mens maakt ten dele zichzelf, hij maakt zijn cultuur en verhoudt zich hiertoe door delen eruit te beschrijven, te waarderen, als opmerkelijk te zien, er over te praten met anderen, er iets aan toe te voegen door zijn eigen aanwezigheid. Hij reflecteert op zijn bestaan, en hoe meer hij hiertoe in staat is, hoe hoger ontwikkeld hij lijkt te zijn: daarin toont hij zijn vrijheid ten opzichte van de natuurlijke gegevenheden. Dat blijkt niet alleen wanneer we kijken naar de filosofische reflectie, maar ook wanneer we de toeristische wereld onder de loep nemen. Wanneer we beter gaan kijken naar allerlei attracties, zien we, in tegenstelling tot de sublieme natuur, dat deze per definitie zijn ingebed in een breder cultureel kader. Hoe verloopt dat proces? Waarom is de Dam wel een toeristische attractie en Dienst Parkeerbeheer niet? En zouden we misschien van Dienst Parkeerbeheer een toeristische attractie kunnen maken? Welke mogelijkheden heeft de moderne mens om dit te verwezenlijken?

Wat zijn toeristische attracties in een stad? De Eiffeltoren, de Taj Mahal, het Paleis op de Dam. Gebouwen die niet alleen al enige ouderdom hebben verzameld, maar die vooral in brede kring gewaardeerd worden. Aanvankelijk soms beschimpt, soms alleen in kleine kring opzien barend, is hun betekenis verbreed en zijn ze uitgegroeid tot monumenten die iedereen wil bezoeken. Dat is een maatschappelijk proces. Allerlei groepen zijn betrokken bij het tot stand komen van een toeristische attractie: een stadsbestuur, deskundigen, planologen, kunstenaars, inwoners, binnenlandse of buitenlandse bezoekers, et cetera. Zij spelen allemaal hun rol in de totstandkoming van de attractie. De maatschappij, niet het individu, verdeelt de realiteit onder in wat als bezienswaardig wordt beschouwd en wat niet.

En dat geldt voor alle objecten. Voordat een object een bezienswaardigheid wordt, is er een heel sociaal en maatschappelijk kader werkzaam waarin dingen een betekenis krijgen, waarin het zichtbare bezienswaardig wordt. Een kader van wetenschappelijke kennis, of kunsthistorische toelichting, of aanvaarde normen voor wat mooi is, of geaccepteerde ideeën als dat het interessant is om mensen in hun werkomgeving te bezoeken, of dat het ertoe doet om de buitenwijken of de arme wijken van een stad te bezoeken, enzovoorts. Het object biedt daarbij zelf lang niet altijd een esthetisch of duidelijk zichtbaar handvat. Een archeologische vondst, een ontdekte ruïne, een bepaalde straat, worden niet vanzelf attracties. Een stukje Romeins schip oogt als een oud plankje voor de onwetende, een straat toont niet meteen waarom ze bijzonder is. In St. Petersburg bevindt zich een klein straatje (de Theaterstraat) met perfecte verhoudingen – wie dit niet weet vindt het misschien best een mooi straatje als hij er toevallig langsloopt, maar wie weet dat de verhoudingen zo bijzonder zijn en dat het is ontworpen door een beroemd Italiaans architect, Carlo Rossi, loopt er wellicht voor om.

Enkele jaren geleden bezocht ik in de Syrische stad Damascus het Nationaal Museum. Allerlei voorwerpen uit het rijke Syrische verleden trokken de aandacht, behalve dat kleine kleitabletje van nog geen tien centimeter groot. Toch was dit een van de belangrijkste museumstukken: het was het oudste artefact ter wereld waarop letters van het oudste alfabet ter wereld waren gegraveerd. Er was een gids voor nodig om de bezoeker hierop te wijzen. Toen ik eenmaal in de toeristenwinkel was, kon het me echter niet meer ontgaan: boekenleggers, ansichtkaarten en hangertjes in de vorm van dit kleine pinkje met letters waren in diverse materialen te koop.

Zij markeerden de attractie. De term *markeerder* wordt gebruikt in de semiologie, oftewel betekenisleer, een taalkundige stroming uit het begin van de twintigste eeuw die een groot stempel heeft gedrukt op onder andere filosofie en sociologie. Ze gaat ervan uit dat betekenissen niet inherent zijn aan de *betekenden* (de objecten waaraan we betekenissen toekennen) zijn, maar worden toegekd door mensen.

In plaats van het oude onderscheid tussen gekende objecten (in de buitenwereld) en kennende subjecten, en een ééndimensionaal model waarin woorden in een vaste betekenis refereren aan objecten, brengen mensen deze samen in één gemeenschappelijk kader van referenties, betekenissen, betekenden en tekens. Objecten zijn zo ten prooi aan een spel van betekenissen, die niet vastliggen. We doen zelfs de objecten onrecht aan door ze tot object met een vaste betekenis te reduceren: het zou lijken alsof ze nooit konden veranderen en alsof hun betekenis eveneens voor eeuwig vastligt.

"Laat de realiteit tot onze spraak terugkeren", zei de Franse socioloog Bruno Latour tijdens een lezing, en doelde hiermee op de ingewikkelde relatie tussen taal en objecten. De sociologie moet volgens hem de trajecten documenteren waarin we van het ene moment en gezichtspunt naar het andere bewegen, onderweg betekenissen toekennend aan wat we zien[15].

In één zin samengevat gaat de semiologie uit van het teken dat iets (het *betekende*) aan iemand representeert in de vorm van een representatie (ook wel *markeerder* genoemd). Deze structuralistische, postmoderne benadering van betekenis maakt het mogelijk om de betekenisspelen, de vormende of vooringenomen blik van de waarnemer, de schuivende betekenis van allerlei objecten en begrippen te plaatsen, beter dan een star onderscheid in kenbare en gekende objecten en in kennende subjecten.

Cultuurproductie

Socioloog Dean MacCannell past de semiologische begrippen toe op de toeristische blik: de attracties worden 'gemaakt' in een spel van betekenistoekenning, zet hij uitgebreid uiteen in zijn klassiek geworden boek *The Tourist. A new Theory of the Leisure Class*, dat oorspronkelijk in 1976 verscheen, maar inmiddels talloze herdrukken beleefde. De toerist is geen neutrale toeschouwer, maar bouwt in zijn vakantie of reis een sociale constructie van de realiteit. Wanneer hij monumenten bekijkt, is dat geen neutrale en willekeurige handeling, maar draagt hij bij aan de productie van cultuur - door zijn bewegingen, souvenirs en het creëren van omgevingen voor zijn plezier. Hij voegt iets toe aan de realiteit die hij bezoekt, samen met talloze andere toeristen, verkopers en producenten van souvenirs, schrijvers van reisgidsen, makers van brochures, of ook gemeenteraadsleden die een VVV in hun dorp laten zetten.

Laten we eens kijken naar een paar begrippen die zowel in de semiologie als in het toerisme bruikbaar zijn, te beginnen met de 'markeerder'. Een markeerder kan volgens MacCannell van alles zijn: het bordje dat naast het object hangt, de informatie in de reisgids, een souvenir – alle informatie die de aandacht vestigt op een object of een plek en haar daardoor uit haar anonimiteit haalt. De talloze klompjes en molentjes markeren de Hollandse klompen en molens als bezienswaardig, de ansichtkaarten van zonsondergangen laten zien dat zonsondergangen opmerkelijk zijn, het dorpje in het Zwarte Woud met minstens tien koekoeksklokkenwinkels maakt de bezoeker duidelijk dat koekoeksklokken dé bezienswaardigheid van het dorp zijn. Ook wie nog nooit een koekoeksklok heeft gezien – denk aan de Chinezen – , realiseert zich dat hij altijd wat heeft gemist en dat dit een object is dat op een of andere manier de moeite waard is.

Bezienswaardigheden hoeven niet per se menselijk te zijn. Toen ik op vakantie was in de Italiaanse Alpen en in een prachtig wandelgebied een bordje zag met daarop "Albero vecchio - 30 min." (*oude boom*), was mijn nieuwsgierigheid gewekt en liep ik een half uur langs rotsen, riviertjes en bloemetjes die op zichzelf al meer dan de moeite waard waren, om de meer dan vijfhonderd jaar oude lariks te bewonderen. De boom had, als ik er toevallig langs was gelopen, misschien ook mijn aandacht getrokken vanwege zijn aparte vorm, maar nu kreeg hij extra betekenis. Juist omdat het bordje aangaf dat het nog een half uur lopen was, kreeg ik de indruk dat de boom belangrijk was. Het bordje maakte mij niet alleen attent op de boom, maar wekte ook mijn nieuwsgierigheid en zorgde ervoor dat ik de boom zocht temidden van alle andere bomen.

Een bordje "zwijnen", dat de wandelaar in een Drents bosgebied attent maakt op een groepje zwijnen dat achter een hek in de modder ligt – de wandelaar kon er niet aan voorbij - , zorgt ervoor dat de zwijnen expliciet worden opgenomen in de toeristische ervaring van de natuurwandeling. Ze zijn geen extraatje, maar horen bij de totaalervaring.

Waar iedereen misschien jarenlang aan voorbij loopt, kan met de juiste representaties of markeerpunten opeens aantrekkelijk worden voor toeristen. De toerist is zich vaak niet bewust van het proces dat hier plaatsvindt – zoals wij dat in het dagelijks leven evenmin zijn – en neemt als vanzelfsprekend aan dat hij sommige objecten en plekken wél bezoekt en er een foto van maakt en andere niet. Maar het wordt duidelijk dat niet alleen het zichtbare ding waar de toerist naar kijkt ertoe doet om een bezienswaardigheid te begrijpen, maar ook de informatie over dat ding. Zelfs de toerist speelt een rol in het bepalen of iets een bezienswaardigheid wordt: hij bezoekt de plek, en kan bijvoorbeeld door met in steeds grotere groepen te komen de attractiviteit van de attractie vergroten ("Iedereen gaat ernaar toe, dus het moet wel mooi zijn") of juist verkleinen ("verpest door toeristen").

Dit betekent dat noch de Grand Canyon, noch het Rembrandthuis van nature bezienswaardig zijn. Die betekenis is tot stand gekomen door relaties tussen toeristen, het zichtbare ding en de verwijzing ernaar, oftewel hij komt tot stand in de driehoek tussen markeerder, het zichtbare en de toerist.

Een neutraal object kan pas een toeristische attractie worden als de juiste informatie aan dat object is toegekend. Van alle huizen van Amsterdam kan ik er één aanwijzen als het woonhuis van Rembrandt. Ik weet welk huis dat is, omdat er een bordje op hangt waarop staat "Rembrandt Huis". Het huis heeft op zich geen betekenis voor wie geen nadere informatie over de plek heeft, maar wanneer ik weet dat dát ene huis het woonhuis van Rembrandt is, én wanneer ik weet wie Rembrandt was, krijgt het een speciale betekenis. Het huis wordt in een heel proces van betekenistoekenning van een willekeurige plek tot een bezienswaardigheid. Het wordt van "slechts zichtbaar" tot bezienswaardig. Kleurige toeristenbrochures, duizenden verwijzingen op internet en talloze rondleidingen langs en in het huis hebben het in de afgelopen jaren steeds belangrijker gemaakt.

Het huis van Rembrandt was lange tijd geen attractie. Pas in 1906 zag het toenmalige gemeentebestuur, naar aanleiding van een tentoonstelling over Rembrandt, het belang van het huis in. Dat was toen eigenlijk rijp voor de sloop. In de tussenliggende eeuwen werd het blijkbaar niet als opmerkelijk of bezienswaardig beschouwd. Het werd pas een toeristische attractie toen het gebouw na een eerste restauratie in 1911 in de jaren '90 geheel werd gerestaureerd. De restauratie werd in 1999 afgerond. Vanaf toen werd de toerist er op allerlei manieren op gewezen dat hij dit gebouw moest zien omdat het belangrijk was.

Het huis is dus niet "van nature" bezienswaardig, net zo min als de Grand Canyon dat is. Het huis van Rembrandt bestond al voordat hij er ging wonen, de Grand Canyon was er al lang voor de eerste Amerikanen bordjes met "Grand Canyon" gingen plaatsen. Ze bestaan allebei, en de een is door mensen gebouwd, de ander door een samenspel van wind en rotsen tot stand gekomen, maar ze zijn pas een attractie geworden toen mensen er een betekenis aan hebben toegekend. Van het huis van Rembrandt moeten we eerst weten dat het dát huis is (en niet zomaar een huis, hoewel men het eeuwenlang zo opvatte en gebruikte); voor de Grand Canyon hebben we de Romantiek nodig gehad, die ons heeft geleerd dat wilde natuur bezienswaardig is en niet louter een lastig gebied om doorheen te trekken. Beide zijn dus niet als attractie ontstaan, maar tot attractie gemaakt.

Hoe maak ik een attractie?

De verschuivingen die de afgelopen tweehonderd jaar zijn opgetreden in de redenen waarom mensen een stad bezochten, zijn deels te begrijpen vanuit dit proces van betekenistoekenning. Om naast de kunst, cultuur en oudheden die vanaf de Renaissance al in de belangstelling stonden bij de *grand touristen*, ook het gewone leven als bezienswaardig te zien, moest er iets veranderen in de blik van mensen, ze moesten de betekenis van het gewone leven zien. Die ontdekking was niet individueel, maar collectief van aard. Als product van de idealistische kijk op de ontwikkeling van de menselijke geest, wekt het geen verbazing dat de toerist niet alleen maar keek naar de objecten om hem heen, maar ook andermans leven ontdekte, en uiteindelijk ook zijn medetoerist. Zijn reflectie had aanvankelijk louter op de objecten betrekking, maar werd steeds abstracter, waardoor hij ook zijn medemens en medetoerist tot object van reflectie ging verheffen.

De fotografie heeft een aardige rol in het vormen van de toeristische blik gespeeld. Een camera geeft een bril op de werkelijkheid. Mensen zijn met hun camera in staat snel een beeld te maken van wat ze zien. Het is opmerkelijk dat de stad als toeristische attractie in dezelfde tijd opkwam als het fototoestel: de blik kon zich sneller richten. Misschien kunnen we zelfs zeggen dat het pittoreske landschap zich vooral leent om te worden geschilderd, omdat de rust die voor schilderen nodig is past bij de rust van het landschap, terwijl de stad, met al haar dynamiek en snelle verandering zich beter leent om te fotograferen. De digitale camera versterkt dit, doordat je meteen kunt zien wat je gefotografeerd hebt – mensen fotograferen circa vijf of zes keer zoveel met een digitale camera als met het ouderwetse analoge toestel.

In de begintijd van de fotografie zou men nooit onbekende mensen fotograferen, maar nu ziet men op vakantiefoto's die in verre landen zijn gemaakt niet zelden volslagen onbekenden: de plaatselijke bevolking is ook deel van de bezienswaardigheden, is het waard gefotografeerd te worden wanneer de toerist zijn best doet 'het land te leren kennen'. Wie daarentegen alleen naar het land gaat om de oudheden te bezoeken, bijvoorbeeld de Romeinse restanten in Italië, doet zijn best om foto's te maken waar geen moderne Italiaan op staat.

In de loop van de twintigste eeuw is men zich meer bewust geworden van dit proces van betekenistoekenning, waardoor dit bewuster gemanipuleerd kon worden. Marketing speelt hier heel nadrukkelijk op in, en niet alleen in toerisme: om bijvoorbeeld een zout poedersoepje tot een kassucces te maken, moet het worden omhuld met een scala aan betekenissen, die het feitelijke product omringen en opwaarderen met de juiste sfeer, status en waarden. Wat toerisme betreft betekent het dat, in een extreem geval, als de gemeente Amsterdam het zou willen, ze met voldoende marketing technieken ook van de Dienst Parkeerbeheer een attractie kunnen maken, wijzend op het bijzondere systeem, de efficiëntie ervan, de vriendelijke en hulpvaardige houding van de parkeerwachters, het fraai aangelegde terrein voor weggesleepte auto's, enzovoorts. Er zouden mooie brochures worden gemaakt, een website met aanbiedingen voor rondleidingen van schoolklassen. De VVV zou worden ingelicht en reisagenten voor buitenlandse gezelschappen zouden kennismakingsreisjes naar Amsterdam krijgen om de Dienst te bezoeken. Als de bezoekers zouden komen, zouden ze erover spreken met andere toeristen, ze zouden kleine gele wielklemmetjes kopen als souvenir. Zo wijzen ze anderen op het fraaie systeem en zorgen ze ervoor dat iedereen die de Wallen en de Heineken Brouwerij heeft gezien, ook de Dienst Parkeerbeheer wil bezoeken.

Het helpt wel als er een kern van waarheid in schuilt en als de associatie vooral positief is. Maar zeg nu zelf, als we puur op de smaak afgaan, zouden we sommige producten met mooie verpakkingen beter links kunnen laten liggen, en die verkopen toch goed. En zo worden zonvakanties die de illusie van ongebondenheid, zorgeloosheid, rust en vrijheid verbinden met een goedkope chartervlucht die midden in de nacht vertrekt op weg naar een gehorig hotel met slechte service in een omgeving die niet meer biedt dan zon en zee, goed verkocht. Mensen zijn verbazingwekkend bereid zich collectief aan die illusie over te geven, juist naarmate de attractie abstracter is – waarden als ongebondenheid, rust en vrijheid, opgehangen aan het feitelijke strand, waar veel mensen niet eens naar toe gaan omdat het aangelegde zwembad (illusie van luxe) dichterbij is, en aan de zon, die zo heet brandt dat men liever in de schaduw blijft. Ze kopen een aantal betekenissen, geven zich over aan het web dat is uitgesponnen door de maatschappij, en houden, door zelf ansichtkaarten met zon en zee te versturen, T-shirts met "I love Thailand" te kopen en enthousiaste vakantieverhalen aan vrienden te vertellen, dit web van vakantiemythen in stand.

Deze benadering roept uiteindelijk een gevoel van onbehagen op. Zijn deze vakantiebestemmingen dan werkelijk leeg? Heeft het Colosseum in Rome geen inherente waarde; betekent het Paleis op de Dam dan niet meer dan een gebouw op palen; is het willekeurig dat dat kleine stukje leem met een paar letters achter dik glas wordt beschermd? Ons gevoel zegt dat sommige dingen meer waarde hebben dan andere, hoewel zonder de betekenissen die eraan werden toegekend, deze dingen niets betekenen – ontdaan van betekenis zijn het ruïnes en stof, en zo worden ruïnes in andere landen ook behandeld, als waardeloze objecten die langzaam vergaan. In de West-Chinese Taklamakan woestijn liggen oude boeddhistische ruïnesteden, die zo zijn versmolten en geërodeerd met het landschap, dat ze pas te herkennen zijn als stad als men weet dat er een stad was. Er staat geen bordje bij, geen enkele markeerder wijst aan dat de zichtbare restanten van muren een bezienswaardigheid zijn, zelfs de lokale chauffeur moet lang zoeken voordat hij vindt waarover de toeristen in hun reisgids hebben gelezen.

Betekent dat dat de Millenniumbrug in Londen net zo belangrijk is als het Colosseum? Dat het niet uitmaakt of we het strand van Zandvoort bezoeken, de kathedraal van Chartres, Disneyland of het Guggenheim Museum in New York? Kunnen we nog onderscheid maken in toeristische attracties, of gaat het er alleen maar om wie de meest opvallende brochure maakt?

De heilige attractie

Het proces waarmee een neutrale bezienswaardigheid een gewilde attractie wordt verloopt vaak geleidelijk. Er zijn vaak meerdere partijen bij betrokken: misschien een wetenschapper die vaststelt dat iets belangrijk is uit geologisch, architectonisch, kunsthistorisch of literair perspectief, misschien een gemeente die er geld in ziet en bijvoorbeeld een wandelroute aanlegt, bewegwijzering regelt of ervoor zorgt dat de plek schoon en zichtbaar blijft.

In India is te zien hoe een oude ruïnestad, Orccha, nu niet veel meer is dan een verzameling half vervallen paleizen die een penetrante lucht van duivenpoep uitwasemen. Sinds enige tijd is er een toeristische route aangelegd tussen de ruïnes, maar geld voor restauratie is er niet. Het dorpje ligt wat afgelegen en het openbaar vervoer is niet geweldig. Er zijn slechts enkele eenvoudige hotelletjes. Al met al genoeg reden dat maar weinig toeristen de moeite nemen het dorp te bezoeken, terwijl het zonder twijfel haar esthetische waarde heeft en een bepaald historisch belang. Als meer mensen het dorp zouden bezoeken, zou er misschien een beter hotel worden gebouwd, zou er geld komen voor restauratie, waardoor de plek aantrekkelijker zou worden voor meer mensen, enzovoorts. Hetzelfde geldt voor een prachtig tempeldorp in het zuidoosten van Nepal, waar evenmin veel buitenlandse toeristen komen. Het ligt niet op trekking-routes en het is bijna een dag reizen vanaf de hoofdstad Kathmandu. De kleurrijke tempels blijven bewaard voor Nepalese Hindoes. En zo bevinden zich over de hele wereld prachtige tempels, paleisjes, woningen, natuurgebieden, et cetera, die niet bezocht worden omdat ze niet bekend zijn, en niet bekend zijn omdat de infrastructuur slecht is, de accommodatie ontbreekt, er geen andere "interessante plaatsen" in de buurt zijn, et cetera.

In het algemeen helpt het als meerdere mensen iets bezoeken, als er een publieke opinie wordt gevormd over wat belangrijk is om te bezoeken en wat niet. Als attracties populair worden laten we zien dat we het eens zijn over wat de moeite van het bekijken waard is: het Anne Frankhuis en de Nachtwacht worden daarmee bijna *moreel verplichte* bezienswaardigheden voor de toerist. Een goede burger is een moderne burger, en een moderne burger heeft de Eiffeltoren gezien, luidt de achterliggende, impliciete gedachte. Toerist zijn is een teken van modern zijn, zei socioloog John Urry, en daarom gaat een modern mens op reis.

Hier gaat een sterke claim van uit. Als je naar Parijs gaat zonder de Eiffeltoren te bezoeken, moet je bijna een verklaring afleggen aan zowel de Parijzenaren als vooral ook het thuisfront. Je 'moet' bepaalde dingen zien – dat geldt overigens niet alleen voor steden, maar ook voor complete landen of in het algemeen toeristische attracties. In Zuid-China ontmoette ik ooit een nogal irritante Amerikaan die als eerste vraag stelde: "Have you been to Bangkok?" Daar moest ik blijkbaar geweest zijn, en toen dat niet het geval bleek, daalde ik in zijn achting. Het was een heilige must om Bangkok te bezoeken, anders was je geen serieuze reiziger in zijn ogen.

Mensen die niet op reis gaan beklagen zich erover dat het haast lijkt alsof je per se op wereldreis móet gaan, en anders niet meetelt. Zij weigeren en verkiezen de leunstoel boven de vliegtuigstoel. Maar alleen al het feit dat ze voelen dat ze zich moeten verantwoorden over hun niet-reisgedrag laat zien dat reizen in het huidige leven meer betekent dan een noodzakelijke verplaatsing van A naar B, maar betrekking heeft op iets anders – iets dat zich laat omschrijven als een teken van moderniteit.

Moderne burgers

Reizen, en meer specifiek attracties, zijn als indicaties van modern burgerschapniet zo neutraal als het op het eerste gezicht lijkt. In het verlengde van die gedachte bevindt zich de claimende gedachte die maakt dat de niet-reiziger voelt dat hij zich moet verdedigen ten overstaan van de reiziger: de gedachte dat een modern mens goed is. Sinds de Verlichting ligt het accent in het westen sterk op vernieuwing en moderniteit, die de positieve tegenpolen van conservatisme en traditie zijn. Net zoals men voorheen een goed christen was, na een pelgrimage naar Santiago de Compostela, Jeruzalem of Rome, ben je nu een goed burger als je New York, Parijs en Londen hebt gezien, op wereldreis bent geweest of dat op zijn minst overdenkt. Goed christen zijn is vervangen door goed burger zijn. De filosoof Charles Taylor zet in zijn lijvige boek *Sources of the Self* uitgebreid uiteen dat aan christen, burger of soldaat bepaalde waarden verbonden zijn, zoals naastenliefde, handelsgeest of dapperheid. Rond die waarden probeert hij zijn identiteit gestalte te geven, om zo een goed mens te worden. Maar er zijn ook bepaalde gedragingen aan verbonden, zoals op pelgrimage gaan, op vakantie gaan of in de oorlog dienen.

Voor de moderne burger geldt dat wanneer hij nog nooit een lang weekend in Barcelona is geweest, hij in de ogen van andere moderne burgers een lagere status heeft in deze moderne easyJet wereld. De moderne pelgrimages strekken zich op allerlei vlakken uit: voor sommige jongeren is de kampeervakantie op Terschelling een teken van modern burgerschap, voor anderen de house parties op Ibiza of – als je meer geld hebt – Ko Samui in Thailand; een wereldreis is een teken van moderniteit in wat hoger opgeleide kringen, enzovoorts. Let wel: die tekens van moderniteit gaan volkomen voorbij aan de feitelijke betekenis van de attractie, ook de lokale bevolking hoeft er geen weet van te hebben. Een verzameling grafstenen met inscripties uit de VOC-tijd werd door de inwoners van een Zuid-Indiaas dorpje gebruikt als goede stenen om de was op te schrobben; de Nederlander die ze wil fotograferen stuit op verbaasde blikken.

De westerse toerist is zich niet altijd bewust van het teken dat hij is voor de lokale bevolking. Zo kan het gebeuren dat een jonge Nederlandse vrouw, die zichzelf omschrijft als "Hollands welvaren" met haar rode wangen, blond haar en brede heupen, bij de Taj Mahal diverse malen een Indiase baby in haar armen gedrukt krijgt, om op de foto te worden gezet door de trotse vader. Pas naar de vierde of vijfde keer krijgt ze argwaan en begint ze zich te realiseren dat dit Kodak-moment wordt gecreëerd vanwege haar betekenis als vruchtbaarheids- en gezondheidssymbool voor de Indiase ouders.

Zeker in het buitenland weten lokale bewoners lang niet altijd dat zij statussymbolen van de westerse bezoeker zijn en dat het feit dat de westerling bij hen thee drinkt veel meer betekenis heeft dan het lessen van de dorst. Omgekeerd weet de toerist ook niet dat hij wellicht ook als statussymbool fungeert voor de dorpsbewoner bij wie hij thee drinkt. Voor de westerse toerist speelt de gedachte dat de moderne westerse burger zich op zijn gemak voelt bij andere volkeren en in principe met iedereen bevriend kan zijn. Beiden gaan gemakkelijk voorbij aan de betekenissen die hij kan hebben voor de ander.

Niet alleen het reizen zelf, maar ook bezienswaardigheden kunnen de status van moderne heiligdommen krijgen. Wie op Java de Borobodur heeft gezien, in het ochtendgloren vanaf de top van een vulkaan over groene wouden uitkijkt, wie in Rome de St. Pieter bezoekt, in Londen de London Tower, in Amsterdam de Nachtwacht, en in Barcelona over de Ramblas flaneert, is deel van de steeds groeiende gemeenschap van moderne burgers, van 'zij die er geweest zijn'. De koekoeksklok, het T-shirt met opschrift 'I was in Vietnam', het Marokkaanse kleedje en het kleine Delftsblauwe molentje zijn de hosties van onze tijd. Door ze in te nemen worden we deel van de gemeenschap van de moderne burger.

Dat verband tussen de pelgrim en de moderne burger is niet willekeurig gekozen. Luc Rademakers noemt het toerisme de 'nieuwe godsdienst, een cultische beweging van mensen die allemaal op zoek gaan naar waarden die in de dagelijkse samenleving op de achtergrond zijn geraakt.'[16] Maar terwijl hij vervolgens wijst op het gemeenschappelijk kader dat cultuurreizen biedt, door de bezoekers een band met het verleden te geven, en een losmaking uit hun dagelijkse leven (net als pelgrimsplaatsen), geloof ik dat de waarden van het reizen hiermee niet worden blootgelegd. Reizen appelleert naar mijn idee juist aan diepere waarden als vrijheid, moed en ontwikkeling. Vooral de authenticiteit als waarde is bepalend voor de ervaring van een reis. Daar kunnen bezienswaardigheden uit het verleden een rol in spelen - authentieke, pure objecten waarvan de puurheid door het patina van de tijd niet wordt betwijfeld door de argeloze bezoeker, die soms bij een gerestaureerd kasteel niet doorheeft dat er slechts één klein muurtje nog origineel was.

Verlies van betekenis

Zo'n kasteel staat niet op zich. In onze huidige cultuur is bijna alles gerelateerd aan kunstmatige dingen – waarbij de TV in de ogen van velen de grote boosdoener is - en vooral ook aan nieuwe dingen: vernieuwing is goed, jeugd is de norm, oude manieren zijn ouderwets. We tonen ons hierin in zekere mate nog steeds kinderen van de Verlichting: geobsedeerd door beheersing, het nieuwe, en daarmee gepaard gaand een verlies van het contact met de natuur, mythen en spiritualiteit. De Romantiek was daar een reactie op, maar in grote lijnen is de stedelijke ontwikkeling die de Verlichting belichaamt, dominanter.

Maar onze cultuur gaat nog verder: de postmoderne samenleving heeft zich losgemaakt van het 'werkelijke' en het 'reële'; geeft zich over aan het spel van betekenissen. Terwijl men voorheen leek te weten wat echt en waardevol was, kan nu alles dankzij het sociale proces van betekenistoekenning belangrijk ogen. De Dienst Parkeerbeheer zou in theorie een toeristische attractie kunnen worden. De paleizen van Orccha zijn het niet, ondanks hun culturele waarde. In de postmoderne werkelijkheid bestaan geen werkelijke betekenissen; die maken we gezamenlijk in sociaal verband, en zij zijn volkomen context afhankelijk – zowel cultureel als historisch bepaald. Mensen gaan mee in het spel van betekenissen, tekens, betekenaars.

Maar dat gaat op den duur vervelen. Het maakt onrustig. Dingen kunnen niet meer belangrijker, waardevoller of bijzonder worden gevonden – alles kan betekenis krijgen, alles is de moeite waard, als iemand er maar het juiste verhaal bij houdt. Het lijkt alsof niets meer echt is, alsof niets meer werkelijk bestaat, alsof alles geconstrueerd is. Er ontstaat een gevoel van verlies van het authentieke in ons eigen leven: als niets meer werkelijk is, als vaste betekenissen, onaantastbare waarden, in een relativistisch spel van verschuivende betekenissen ten onder lijken te gaan, ontstaat bijna natuurlijk een verlangen naar een echte realiteit. En dat is precies wat er gebeurt. Die 'echte' realiteit ligt niet meer in onze eigen, postmoderne wereld, maar wordt elders gezocht: in andere historische perioden en in andere culturen, waar men eenvoudiger levensstijlen zou hebben. Hier zien we een echo van Rousseau's nobele wilde, die ons sinds haar uitvinding inspireert: we zoeken naar het eenvoudige dorpsleven, de vrouwen die de was schoonslaan op een steen, het getimmer in werkplaatsen, het stoomtreintje in de bergen. Kortom: we zoeken het authentieke.

Het authentieke vindt haar oorsprong in de Duitse Romantische filosofie van met name Herder (1744-1803). Aan het eind van de achttiende eeuw rijst de gedachte dat ieder individu niet alleen anders is dan andere mensen, maar dat deze uniciteit gevolgen heeft voor zijn levenswijze. Iedereen heeft zijn eigen pad te bewandelen, omdat we allen origineel zijn. In de woorden van Herder:

> Ieder mens heeft zijn eigen maat, als het ware een eigen stemming van al zijn zintuiglijke gevoelens tot elkaar.
>
> Herder, geciteerd in Taylor, *Sources of the Self* p.375

Deze originaliteit vindt al snel haar uitdrukking in de hang naar het authentieke: het tot uitdrukking brengen van het meest eigene. Dit wordt een hoeksteen van het moderne Europese leven, een mijlpaal die zo diep in de grond is geslagen dat we ons niet realiseren dat het hele idee van originaliteit en authenticiteit tot voor twee eeuwen geleden volstrekt onbegrijpelijk was als ideaal en dat het ook in veel andere culturen een onbegrepen kreet is. Maar in het westen heeft de gedachte dat we ons eigen leven moeten vormen om zodoende aan onze eigen, originele aard te kunnen beantwoorden, diep post gevat, welke gedachte met name in de jaren '60 en '70 van de afgelopen eeuw breed is verspreid.

Gezien het grote belang dat aan de waarde "authenticiteit" wordt gehecht, voelen mensen het als een diep gemis en gebrek in hun leven indien ze haar niet voelen. Volgens velen is onze samenleving op drift, juist vanwege een gevoel van gemis van het authentieke. Met een leven dat voor een groot deel op een vooringevulde werkplek wordt doorgebracht, voor een ander groot deel voor de TV, in de bioscoop, in een gereguleerd verkeer, met Sofi-nummers en pincodes om je te identificeren, lijkt er weinig ruimte voor het individu te zijn authentieke ervaringen op te doen.

De laatste decades wordt in brede kring een ongerustheid geuit over de authenticiteit van interpersoonlijke relaties in de moderne samenleving. Met alle snelle contacten, email communicatie, anonieme medewerkers in grote bedrijven, lijkt de echtheid soms ver te zoeken. Wat zijn echte vrienden, wie is oprecht betrokken? Ook op andere levensterreinen speelt de vraag door: welk voedsel is niet door technologie tot stand gekomen, wat is echt waardevol, wat is niet kunstmatig? Is ons leven nog wel echt of spelen we allemaal rollen in een spel waarvan niemand de betekenis meer kent?

Reizen biedt voor sommigen een uitweg. Bezien vanuit de gedachte dat we in onze vrije tijd doen wat we in ons alledaagse bestaan missen, is het verlangen naar authentieke ervaringen op reis zeer goed te begrijpen. De zorg om de verloren gewaande authenticiteit van het gewone leven zien we in het toerisme terug in haar tegendeel: de authenticiteit van toeristische bezienswaardigheden wordt alom gezocht en zelfs aangeboden in georganiseerd verband, tot hilariteit van sommigen: de retoriek van toerisme staat bol van het belang van de authenticiteit van de relatie tussen toeristen en wat ze zien. We maken foto's van *typische* boerenhuizen, hechten extra veel waarde aan het *echte* Hunebed in Drenthe, en vinden het bovenal van grote waarde om *ongerepte* gebieden te bezoeken.

Het echte wordt gezocht, maar wordt onmiddellijk in het toeristische spel van betekenistoekenning gezogen. Het echte ongerepte strand is het doel van iedere rugzaktoerist – de roman *The Beach* van Alex Garland en de gelijknamige film met Leonardo Dicaprio waren beide een enorm succes: het verhaal over een onontdekt eiland waar nog nooit toeristen zijn geweest. Dit eiland is aanvankelijk een oorspronkelijk, onbedorven paradijsje op aarde voor degenen die er met veel moeite op terecht zijn gekomen. De persoonlijke problemen van de personages en de slechte afloop van het verhaal ten spijt, hebben talloze toeristen er niet van weerhouden om op zoek te gaan naar hun eigen strand. Het eiland waar de film werd opgenomen, is inmiddels een toeristische trekpleister geworden. De jacht op het authentieke vernietigt wat ze zoekt zodra ze het gevonden heeft. En met de andere Thaise eilanden gebeurt hetzelfde: is het niet fijn als aan het ongerepte strand wat hutjes komen te staan om je spullen veilig op te bergen en om vrij van insecten te slapen? En een restaurantje vinden de meeste reizigers ook wel handig. Net als een toegangsweg. En een wat luxer hotel, zodat ook anderen dan hippies de eilanden konden bezoeken. En dan, op een goede dag, staat er opeens een hotel met een zwembad. Dag authentiek strand.

Reizen is niettemin voor velen één van de manieren om de verloren authenticiteit en het 'echte' leven elders terug te vinden. Als we onze eigen wereld een schijnwereld vinden, is het zaak te vluchten naar een 'echte wereld' – die vaak ver weg is. Dat deze niet zelden ook geconstrueerd is, valt maar weinigen op. De authentieke plek is een zeer problematisch ideaal. De onbetwijfelde authenticiteit in de toeristische bezienswaardigheden is niet meer wat hij misschien ooit was. Want de toeristen zorgen niet alleen voor veranderingen voor zichzelf, maar ook voor de lokale bevolking, die zelf vaak ook verder kijkt dan de grenzen van het eigen dorp. De wereld is continu in verandering, dus de pre-industriële samenlevingen zijn net zo min wat ze altijd waren als post-industriële samenlevingen. Waar leggen we de grens van het authentieke: mag een keuterboertje in Afrika een moderne put gebruiken? Of vinden we dat al een verlies van het authentieke? Mag hij zelf nieuwe dingen uitvinden? Mag de Thai die backpackers ontvangt in zijn dorpje in de jungle zijn Coca Cola T-shirt aanhouden of moet hij zijn lokale Volendamse kostuum aantrekken als de backpackers komen? De 'primitieve stammen' luisteren naar de nieuwste Westerse muziek, die ze soms zelfs krijgen van dezelfde mensen die de teloorgang van het authentieke betreuren. Ik heb meerdere malen meegemaakt dat Nepalezen mij de Delftsblauwe klompjes lieten zien die eerdere toeristen als porseleinen reuksporen hadden achtergelaten – een gevoel van teleurstelling dat deze Nepalees al niet meer onbezoedeld was, dat ik niet zijn eerste buitenlandse ervaring was, kon ik de eerste keren nauwelijks onderdrukken.

Het verband tussen het zoeken van de pelgrim en van de moderne toerist is dat beiden op zoek zijn naar iets 'echts' dat niet in de wereld van alledag te vinden is. De pelgrim zoekt via zijn pelgrimage naar het hogere, naar God, die meer realiteit heeft dan de gewone werkelijkheid, terwijl de toerist het authentieke, echte zoekt dat hij in zijn eigen leefwereld evenmin kan vinden. In beide gevallen is de dagelijkse wereld waarin we leven opgevat als een schijnwereld; daarbuiten ligt een 'echte wereld', van authentieke objecten en ervaringen.

foto André Homan

De toeristische wereld is daarbij veranderd als we haar vergelijken met de wereld van de pelgrim. Ton Lemaire beschrijft in *Filosofie van het landschap* hoe de christelijke samenleving oorspronkelijk allerlei sacrale middelpunten kende – de plekken waar de pelgrims naar toe gingen om hun contact met het spirituele, het Goddelijke, oftewel het transcendente van het bestaan te vinden en te herstellen: er waren dus plekken die de zin van het bestaan openbaarden, het contact met iets Anders zichtbaar maakten. Maar die plekken hebben een belangrijk deel van hun betekenis verloren voor de moderne toerist. De oorspronkelijke betekenis die sommige plekken hadden, vervaagt – zoals Lemaire het zegt: de ruimte heeft haar eigen – immanente - betekenis verloren. Daarmee wordt alle ruimte in principe even interessant.

Dat betekent dat de reiziger in eerste instantie geen enkel houvast heeft in wat hij zoekt, hij vindt daarom in principe alles even interessant en zoekt wanhopig naar het karakteristieke of het typische, zonder te weten wat hij daar nu precies in zoekt. Maar op het tweede gezicht weet hij wel degelijk wat hij zoekt: het authentieke, waarachtige, oprechte. Die dubbelheid – de relativiteit van wat waardevol is, en het zoeken naar moderne heiligdommen, geeft de hedendaagse reis een lading die voorheen onbekend was. Het verschil tussen de 'echte' wereld en de 'schijn' wereld speelt een belangrijke rol in het toerisme of in de reis: het echte authentieke, tegenover een kunstmatige, door opinie- en reclamemakers bedachte wereld.

Voor- en achterkamertjes

Socioloog Erving Goffman maakte een analyse van sociale instituties in termen van *voor- en achterruimtes*, in zijn bewoordingen: *front* en *back regions*. Dit zien we bijvoorbeeld in de oude structuur van onze eigen huizen, die nog steeds in veel plaatsen ter wereld zichtbaar is. Aan de voorkant worden gasten ontvangen of klanten en personeel, achterin is de plaats waar leden van het thuisteam verblijven tussen hun optredens en uitrusten of voorbereiden. *Back regions* zijn keukens, verwarmings-ruimten, personeelstoiletten; *front regions* zijn recepties en ontvangst-hallen. Het verschil daartussen kan enorm zijn. Ik ken geen land waar het zo schaamteloos zichtbaar is als in China, waar de receptie van vrij-wel elk hotel groot en luxueus is, maar waar op geen enkele manier het grote verschil met de kamers met afgebladderd behang en lekkende kra-nen wordt verbloemd, en de personeelsruimten voor toeristen simpel-weg verboden gebied zijn.

Voor het creëren van front- en back regions zijn deels architectoni-sche aanpassingen nodig, maar het is vooral een sociaal onderscheid, gebaseerd op het type sociale performance dat op een plek wordt uitge-voerd, en de sociale rollen die daar gevonden worden. De insiders/ per-formers mogen op beide terreinen komen, het publiek wordt aan de voorkant toegelaten, en de buitenstaanders mogen nergens in. De faça-de van het Chinese hotel is nog mooier dan de hal.

De back region kan activiteiten hebben die de *front performance* in diskrediet zou kunnen brengen, er gaat enige mystificatie mee gepaard. Het kan een teleurstelling zijn om de toneelspeler achter de poppenkast te zien, of, om het modern te zeggen, de DVD met 'the making of'. Of willen we juist wél een kijkje achter de schermen nemen?

Zowel reizigers als toeristen willen graag weten hoe het 'echt' is. Bei-den zijn een product van de romantische gedachte dat de primitieve, de andere samenleving ons op een waarachtiger manier toegang geeft tot iets 'echts', iets authentieks. Beiden willen dat 'echte' ervaren, al doet de een meer moeite het zelf te vinden, terwijl de ander het 'koopt' in de vorm van een excursie, een dagtrip of een zogenaamde 'avontuurlijke reis'. Maar beiden gaan ervan uit – zonder zich overigens zo bewust van te zijn - dat er een bepaalde waarheid te vinden is in de back regions, die te maken heeft met intimiteit.

Front zou de show zijn, en *back* het intieme en werkelijke. Daarmee wordt het betreden van de back regions nastrevenswaardig: intimiteit en nabijheid vinden we in onze maatschappij belangrijk: zij worden in onze samenleving beschouwd als de kern van sociale solidariteiten en worden ook als moreel superieur geacht aan louter rationaliteit en afstandelijkheid in sociale relaties. 'Intieme relaties' zien we – en hierin tonen we ons wederom kinderen van de Romantiek - als 'echter'.

Dit ideaal klinkt door in het willen betreden van de back regions wanneer we op reis zijn. Hoewel we bezoekers zijn, passanten, voelen we ons vereerd als we 'één van hen' zijn: als we samen met de lokale bevolking over de markt lopen en fruit kopen, als we worden uitgenodigd bij mensen thuis te lunchen, als we achter de schermen mogen kijken van de dansvoorstelling. Toestemming om de back regions te betreden wordt hoog gewaardeerd; daarmee zijn we in staat achter iemands 'gedragingen' te kijken, om ze te bekijken zoals ze werkelijk zijn. De toeristische ervaring is omgeven door deze tendensen. Toeristen willen graag het leven zien zoals het werkelijk wordt geleefd, ze willen graag bij de *natives* naar binnen treden, en tegelijkertijd zullen ze vrijwel altijd falen in het bereiken van deze doelen. Want er is een heel scala aan factoren waardoor zowel de toerist als de reiziger hoogst waarschijnlijk in meerdere of mindere mate zullen falen in hun verkrijgen van intimiteit en in het beleven van authenticiteit.

Ten eerste zal de toerist vrijwel altijd meer of minder afstand houden tot de back region waarin hij wordt toegelaten. De toerist kan zich net zo goed vereerd als ongemakkelijk voelen bij de intimiteit waarin hij wordt uitgenodigd. Of, hij wil wel op bezoek bij de inwoners van een dorp, maar neemt zijn eigen lunchpakket mee. Ik heb in reisgroepen regelmatig meegemaakt dat reizigers zeer vereerd waren dat ze bij mensen thuis werden uitgenodigd, maar het aangeboden water pertinent weigerden. Het aanbieden en accepteren van voedsel of water is echter een van de meest basale uitnodigingen tot intimiteit. Wie het water weigert, uit een mogelijk zeer terechte angst voor diarree, toont onmiddellijk dat hij anders is, niet 'één van hen'. De gezochte intimiteit wordt onmiddellijk op afstand gehouden. Een bekend issue bij 'reizigers' om als reiziger en niet als toerist te worden gezien, is dan ook het lokale eten nuttigen, en bij mensen thuis uitgenodigd worden om daar te blijven slapen.

Daar vinden vreemde processen plaats. Terwijl in de Indiase deelstaat Rajasthan de meeste boeren een onderkomen hebben in een eenvoudig stenen huis, vindt de toerist het 'authentiek' om een kamelensafari te maken en een nacht in de woestijn te overnachten. Natuurlijk is het slapen in de open lucht een aparte ervaring, maar toen het een keer hard ging regenen, nodigde de kamelenman ons uit in een huis in zijn dorp. Samen met de groep van ca. tien deelnemers zat ik op de kleine binnenplaats van het huis. Er was een WC, we konden slapen in de schuur. Maar mensen waren licht teleurgesteld omdat het minder 'echt' was dan ze zich hadden voorgesteld. Onderweg naar het dorp bleek dat de bewoonde wereld eigenlijk vlakbij de woestijn was; en de verwachte boerenhutten bleken moderne, zij het eenvoudige, huizen te zijn. De WC was te modern en dat er elektriciteit was, was ook niet zoals men gedacht had. Toen de TV aanging werd voor de groep duidelijk dat het dorp 'al verpest' was.

Tegelijkertijd bekritiseerde iemand de 'authentieke' gewoonte dat de vrouw des huizes pas ging eten nadat wij ons eten op hadden in plaats van gezellig aan te schuiven. Daarnaast deden zich andere lastige kwesties voor: hoe ga je om met de vriendelijke boer – wil hij bijvoorbeeld geld, wat de ervaring in de ogen van de toerist minder authentiek maakt, of stelt hij de intimiteit van het gezamenlijk onderdak met een stel vreemde buitenlanders juist op prijs? Juist in de geborgenheid van het huis werd het ongemakkelijke van het contact met het authentieke voelbaar, en werd ook duidelijk hoe moralistisch hier over gedacht werd: dit was authentiek (=goed), dat is modern (=niet goed). Vanuit hun toeristische bril bekeken was authenticiteit in dit geval hetzelfde als traditioneel, en een waardevol kader om ervaringen aan af te meten.

De back regions hoeven trouwens niet per se in de jungle of woestijn te liggen. De toerist bezoekt ook in steden de achterbuurten – ook in de Bijlmer worden rondleidingen georganiseerd –, maar neemt ook graag eens een kijkje in de keukens van een universiteit, of wordt door een verkoper uitgenodigd om de werkruimte van de zijdefabriek te bezichtigen – het gevoel van vereerd zijn duurde kort; twee andere toeristen kropen net uit de kleine ruimte achterin de winkel.

Het dóórdringen in de back region is echter ook om andere redenen niet zo eenvoudig. De innerlijke werking van andere individuen of maatschappijen is niet zo makkelijk doordringbaar als men wel zou willen; wat echt lijkt, kan zelf ook weer een show zijn. Enige tijd geleden stond er een mogelijk verzonnen maar niettemin illustratief voorbeeld van in het Volkskrant Magazine: een vrouw op vakantie in Afrika wordt uitgenodigd door de schoonmaakster van het hotel. Ze voelt zich vereerd, denkt dat het om vriendschap gaat, maar komt er tot haar verrassing achter dat dit een wekelijks terugkerend fenomeen was, wat ook volmondig werd toegegeven. Het hele familiespel, compleet met oma die een frutseltje voor haar haakte, bleek vele malen te zijn opgevoerd – iets waar de familie ook niet geheimzinnig over deed. De schoonmaakster had waarschijnlijk niet eens door dat de uitnodiging voor de toerist als een blijk van vriendschap werd beschouwd, of dat er zo'n principiële kloof was tussen een eenmalige uitnodiging aan één toeriste, of een wekelijkse uitvoering. Tenslotte was het alle keren een aangename onderbreking van de dagelijkse sleur en leverde het wat geld op. Wat zou het dan uitmaken dat er iedere week een nieuwe toerist zou komen?

De toeriste dacht daarentegen dat ze was doorgedrongen in de back region, terwijl het uiteindelijk een front region was waar iedere week een andere toerist het schouwspel van de familie mocht aanschouwen. Er was waarschijnlijk een andere back region waar ze geen toegang toe had.

Soms lopen front en back in elkaar over of zijn ze moeilijk te scheiden, schrijft John Urry in zijn bespreking van Goffman. Bij sommige mensen lijkt het bijvoorbeeld alsof de front altijd spreekt, en ze nooit iets van 'zichzelf' laten zien. Dat is zeker het geval bij wat je zou kunnen noemen 'opgevoerde authenticiteit in toeristische settings'. Toeristen nemen vaak geleide tours in sociale vestigingen omdat die anders ontoegankelijk zijn. Je kunt bijvoorbeeld beginnen bij het op schoolreisje gaan naar de brandweer, de bank, de krant, of de melkfabriek. De buitenstaander is tijdens zo'n rondleiding diep in de organisatie doorgedrongen, maar het is opgevoerd, waarmee het tegelijkertijd een aura van oppervlakkigheid krijgt. Is dit nu een authentieke ervaring of niet? De ruimte voor buitenstaanders is vaak afgescheiden van de ruimte voor werknemers, bezoekers zijn er half in, half buiten.

Of wat te denken van de daklozentour door Amsterdam, gegeven door Wim, die Theo's Tulpentour uitvoert voor een slimme organisator van buurtwandelingen. Hij trad op in de documentaire *Echter dan echt* (2004) van Sunny Bergman, die als thema authenticiteit had. De organisator, Raoel Saré, organiseert wandelingen onder namen als "Schateren met de schutters", "Gluren bij de buren" of "Op de thee bij een travestiet", allemaal om authentieke belevenissen te verkopen aan welwillende toeristen op bijvoorbeeld bedrijfsuitjes. "Op excursie met Theo", zoals Theo's Tulpentour inmiddels heet, belooft volgens de website het volgende: "Dakloze Theo laat u kennismaken met het leven op straat in de Nieuwmarktbuurt". In de documentaire bleek dat Theo/Wim eens dakloos was, maar nu een kamer heeft. Hij voelt zich ongemakkelijk bij zijn andere naam, het gegroeide verschil tussen realiteit en presentatie, en zal zich zeker niet prettig voelen bij de goedbedoelde opmerkingen van zijn klanten ('je hebt geen zorgen aan je hoofd, behalve overleven'). Maar moet ondertussen de klanten een authentieke ervaring bieden en voert ze dus een bosje tulpen. Het is de vraag of de huidige "Theo" nog dezelfde is als Wim, en het is zeker de vraag of dat relevant is voor de "authentieke ervaring" van de klanten.

Op bezoek in de kleedkamer

De zoektocht naar authenticiteit wordt gemarkeerd door stadia in de overgang van front naar back. Er is een duidelijke front regio, maar er zijn ook toeristische front regions die zo gedecoreerd zijn dat ze een back region lijken, aldus Goffman. Er zijn ook opgeruimde of veranderde back regions waar toeschouwers een kijkje in mogen nemen, zoals bijvoorbeeld de schminksessies bij Zuid-Indiase (Kathakali) dans. De van oorsprong louter als tempeldans uitgevoerde dansen, waarin mannelijke dansers godenverhalen uitbeelden in bewegingen die tot in het kleinste detail van vingers en oogbewegingen vastliggen, worden tegenwoordig vaak voor toeristen opgevoerd. Zij mogen voor aanvang van de (sterk ingekorte) voorstelling aanwezig zijn, om te kijken bij het proces van schminken, dat minstens een uur duurt en op zichzelf een voorstelling is. Wat ooit een back regio was, wordt hier front.

Maar als er geen geld voor zou hoeven worden betaald en men er per ongeluk terecht kwam, zou het weer meer op een 'echte' back region lijken. Niet iedere toerist weet van te voren dat zowel de dansvoorstelling, als het schminken vooraf deel uitmaken van de voorstelling. Ook al genieten ze van het proces van voorbereiding, de wetenschap dat dit ook van te voren geregeld was, doet voor sommigen iets af aan de ervaring. Wat front is en wat back, heeft soms meer met de ervaring en de context te maken dan met wat er feitelijk gebeurt. Hoe zeer we ook zoeken naar authenticiteit, we kunnen ons niet onttrekken aan het grotere sociale proces dat betekenissen verschaft aan wat er gebeurt.

Toeristen moeten vaak grote moeite doen om in een echte back region terecht te komen. Ze maken uitstapjes uit hun hotel, hopend op een authentieke ervaring, maar hun paden wordt gekruist door allerlei steeds echter ogende authenticiteit die toeristische settings bieden – de kleedkamers, werkplaatsen en steegjes maken steeds meer deel uit van het reguliere programma, waarbij ze wel worden aangekondigd als back ruimtes, maar het feitelijk niet meer zijn. Reisgidsen als de Lonely Planet wijzen op plekken die 'nog niet ontdekt zijn door het toerisme'. Zouden de schrijvers nu werkelijk niet doorhebben dat zij helpen de toeristen die plekken te ontdekken?

Het is de spagaat van deze tijd: de reiziger zoekt naar ontsnapping uit de geconstrueerde attracties. Hij zoekt naar authentieke ervaringen, die hij – en daarin schuilt de valkuil - ophangt aan authentieke objecten: als het object (de tempel, de berg, de oude stad) maar authentiek genoeg is, is de ervaring dat ook, denkt hij. Wie wijst hem erop wat authentieke objecten zijn? De reisorganisaties met hun mooie brochures, de reisgidsen, de artikelen in de krant over ongerepte gebieden, documentaires op TV. De reisorganisaties doen met hun brochures echter meteen teniet waar de reiziger eigenlijk naar op zoek is: niet alleen het ongerepte, maar vooral het zelf ontdekte – of dat nu een verlaten strand is of een kathedraal waar nog nooit iemand van gehoord heeft. Het zoeken naar het authentieke is het zoeken naar het onmogelijke. Authentieke ervaringen zijn niet alleen ingegeven door de objecten, maar ook in belangrijke mate door de subjecten, oftewel de toerist.

Het 'authentieke' is een problematisch begrip. Misschien ligt dit aan de verwarrende dubbele betekenis van het woord 'authentiek'. Het authentieke duidt op twee richtingen: ten eerste duidt authentiek op oorspronkelijk, op dat wat puur een historisch/culturele/esthetische bron aanduidt. Dit is de objectieve betekenis die doorklinkt in de 'heilige attractie'. We kunnen dan denken aan de oorspronkelijke objecten (historisch gezien) of – cultureel gezien - de back regio's. De Taj Mahal en Borobodur blijven authentiek vanwege deze betekenis.

Maar 'authentiek' duidt tevens op een persoonlijke, individuele verwerkelijking – in Maslows zin van het woord: zelfontplooiing – een zeer subjectief begrip. Het is enigszins te vergelijken met de ervaring van het sublieme: gaat het om het sublieme object, zoals Burke nog schreef, of om het psychologische en subjectieve ondergaan van een bepaalde ervaring? Heeft authenticiteit betrekking op het authentieke object, of op de unieke – en daarmee authentieke – ervaring van de toeschouwer? Als beide betekenissen door elkaar worden gebruikt ontstaat verwarring. Reisorganisaties wijzen op authentieke objecten en beloven dat de objecten tot authentieke ervaringen leiden. Maar de vraag is of de heilige attractie wel zo automatisch een vervolg heeft in een bijpassende ervaring. Om daar iets over te kunnen zeggen moeten we de reiziger zelf eens beter bekijken.

III. De reizigers

Ik zit hier ...

Vele ansichtkaarten, ontelbare brieven en epistels vanuit talloze internet-cafés in de hele wereld geschreven, beginnen aldus. Ik zit hier. Op een ter-ras aan de Piazza Navona. Tegen het koele marmer van de Taj Mahal, uit-kijkend over de rivier de Yamuna. In een restaurantje waarvan het tafeltje zo vies is dat het papier blijft kleven – de vlekken die je op deze brief vindt zijn authentieke Pakistaanse prut, ooit geclassificeerd als eetbaar. In mijn hotelkamer naast de bazaar.

Vanwaar deze dringende behoefte om, alvorens in te gaan op belevenis-sen van de dag of de gemoedstoestanden van geluk of gemis, een punt van oriëntatie in de ruimte te geven? Dat het om een diep verlangen gaat moge duidelijk zijn. De eerste vraag die een mens stelt als hij bijkomt uit een flauwte is: 'Waar ben ik?' Reizen - een vaak gezocht maar tevens beangsti-gend verlies van oriëntatie: door zijn vertrouwde omgeving achter zich te laten, is de reiziger voortdurend op zoek naar een bevestiging van waar hij is. Hij is zoekend in de ruimte, hopend ankers tegen te komen om zijn erva-ringen aan te verbinden. Dat begint bij wat hij ziet, voelt en hoort: de ruim-te dient zich aan in de vorm van klanken, omtrekken, kleuren en warmte. Pas na die eerste oriëntatie in de ruimte volgt de beschrijving van de gemoeds-toestand. 'Ik zit hier aan de rivier... en ik heb het warm... en ik mis je... en ik heb eindelijk een rustig plekje gevonden, weg van alle drukte.'

Daar hebben wij hem te pakken, de reiziger. De drukte, die hem voort-durend achtervolgt en met wie hij een voortdurende haat-liefde verhouding heeft. Hij zoekt de drukke bazaars op, om ze te ontvluchten als de mensen teveel worden, de geuren te overweldigend, de stegen te nauw. Hij laat zich bezweet meevoeren in de stroom bezoekers die met hun hoofd in hun nek en hun ogen wijd opengesperd naar de plafonds van Michelangelo in het Vati-caan staren, maar voelt zich anders dan al die andere verkrampten, wil niet dat zij er ook zijn.

De reiziger neemt zichzelf mee - zijn grootste last tijdens zijn reis. Het liefst zou hij een onzichtbare toeschouwer willen zijn, een gesluierde Afghaanse die door een kiertje gluurt naar de exotische wereld waarin hij een vreem-de is. Want steeds weer moet hij in zijn dagelijkse bestaan als reiziger ten overstaan van de vreemden die hij ontmoet, vertellen wie hij is. Om te ont-

snappen aan die eeuwige vragen: 'wie ben je, wat doe je, ben je getrouwd, hoeveel kinderen heb je, en, de vraag die altijd in verlegenheid brengt, hoeveel verdien je? schrijft de reiziger brieven, ansichtkaarten, dagboeken en emails. Aan zijn dierbaren hoeft hij niet te zeggen wie hij is, maar waar hij is.

Het schrijven brengt hem terug tot de essentie van het reizen: elders zijn. Reizen gaat in de eerste plaats om het ergens zijn, liefst ergens anders. Niets verlost hem meer van zichzelf als buitenstaander tegenover het vreemde, en brengt hem meer tot wie hij wil zijn - een reiziger in den vreemde - dan de noodzaak te expliciteren waar hij is. Dan pas kan hij zich onderdompelen in het ergens anders zijn, rondwentelen in de impressies die hij die dag opdeed - van wierook, fruit en ongedierte, van tempels en krotten, van ochtendlicht en avondschemer en in het exotische waarvoor hij van huis vertrok. De ware reiziger reist in brieven, dagboeken en reisverslagen. Vergeten is hij zelf, hij wordt de onzichtbare toeschouwer die hij zou willen zijn.

Maar wie is hij, die reiziger, die, zodra hij pen en muis laat rusten, voortdurend zichzelf en anderen ontmoet? Is hij de vreemdeling, of zijn degenen die hij ontmoet dat? Wat is zijn verhouding tot mede-reizigers, andere toeristen, andere vreemdelingen?

Toeristen en reizigers

Het probleem van reizen tegenwoordig is dat ze gemakkelijk te maken zijn, maar moeilijk te rechtvaardigen. [...] Alleen de geboren toerist kan – als een opgewekte, voor zich uit starende herkauwer – in andermans voetsporen treden in de overtuiging dat hij zijn tijd niet verspilt.

Peter Fleming, 1935

Massatoerisme ontstond met de reizen van Thomas Cook. Het maakte, zeker in de twintigste eeuw, een enorme vlucht door. De reacties van sommige reizigers op dergelijke reizen verschillen echter weinig over deze honderdvijftig jaar. De reizen van Thomas Cook naar de Schotse Hooglanden en het Lake District stuitten al snel op kritiek uit de hoek van de upper class reizigers, die het massatoerisme van Cook verwierpen. Ze maakten de massatoeristen belachelijk en zetten ze neer als volgzame schapen die zo snel van de ene bezienswaardigheid naar de andere renden dat ze niets werkelijk konden zien. Cook vond dit snobisme uit de tijd en riposteerde:

> Jongelingen die met hun goedgevulde portemonnee te koop lopen, en hen die zich in lagere sferen dan zijzelf begeven met minachting bejegenen, denken dat plaatsen van bijzonder belang buiten het zicht van de gewone man moeten worden gehouden, en alleen voor de 'geselecteerden' van de maatschappij toegankelijk zouden moeten zijn. Maar in deze dagen van vooruitgang is het te laat om zulke totale nonsens te spreken; Gods aarde, in al haar volheid en schoonheid, is voor de mensen; en spoorwegen en stoomboten zijn de resultaten van het gemeenschappelijke licht van de wetenschap en zijn ook voor het volk.
>
> in: Lynne Whithey, *Grand Tourists and Cook's Tourists*, 1998

Anderen, waaronder Charles Dickens, prezen hem juist omdat hij mensen kennis liet maken met andere culturen, en daarmee meer begrip voor elkaar konden opbrengen.

Maar, zeiden degenen die zich 'echte reizigers' noemden, de deelnemers aan Cooks reizen hadden een heel hoog reistempo, hun reisverslagen waren zeer oppervlakkig in vergelijking met de uitgebreide en gedetailleerde verslagen van de vroegere Grand Touristen (ze noemden vaak alleen de plaatsen), ze praatten vooral over wat ze konden zien – gebouwen, uitzichten, gezichten van mensen – en over de reisomstandigheden zelf (met name de treinreizen en het eten), en zelden over de mensen van de landen die ze bezochten of over het leven daar.

Het tegenargument was dat drie weken Italië beter was dan helemaal geen Italië. Daarop antwoordde de 'echte reiziger' dat niet reizen beter was dan imperfect reizen, omdat Cooks reizigers het voor de 'echte' reizigers verpestten met hun aanwezigheid en de rust verstoorden.

We zien hier in de kiem een discussie die sinds de opkomst van het toerisme gewoed heeft: het conflict tussen zij die zich reizigers noemen en toeristen. Reizen lijkt een serieuzere onderneming dan toeristische activiteiten – iets wat onder meer doorklinkt in de Brusselse straatnaam Avenue des Touristes, die in het Vlaams als Speelreizigerslaan wordt vertaald.

Talloos zijn de opmerkingen van welgestelde reizigers over het klootjesvolk dat hun rust en reis verstoorde. Het gaat daarbij niet eens om geld dat de hogere klasse wel heeft en de lagere sociale klassen niet, al speelde dit zeker in de begintijd wel een belangrijke rol. Maar met name sinds de jaren '70 geldt ook een andere norm: authenticiteit. Dat wordt in belangrijke mate bepaald door de mate van zelfstandigheid waarmee mensen reizen.

Onder rugzaktoeristen die door Azië of Afrika reizen wordt vaak enorm neergekeken op de toeristen die in een reisgroep reizen. Zelfs in reisgroepen maken mensen nog een onderscheid tussen toeristen en reizigers. Ik ontmoette eens een jonge man die met een zogenaamde 'avontuurlijke reisorganisatie' op reis was geweest naar Vietnam, en zichzelf met nadruk een 'reiziger' en geen toerist noemde. Hij ging namelijk geheel zelfstandig per riksja naar het marktplein. Dat verder alles voor hem werd geregeld, van vervoer tot hotel, maakte hem in zijn eigen ogen niet minder 'reiziger', noch het feit dat hij wekenlang informatie van de reisbegeleider over onderhandelen, prijzen, omgangsvormen en algemene kennis kreeg. Ik vond het van weinig respect voor de reisbegeleiding getuigen, noch van veel inzicht in de moeilijkheden die zelfstandiger reizenden tegenkomen onderweg. Maar als zelfs iemand die meegaat met een groepsreis zich reiziger noemt, moet er wel een gevoel van status aan zelfstandig reizen, en daarmee in het verlengde, met authenticiteit verbonden zijn. Een 'echte reiziger' wordt hoogstaander gevonden dan een 'toerist' zijn (lees dit woord met het dédain waarmee de 'echte' reiziger' het uitspreekt).

De reizigers

Miljoenen mensen trekken er dagelijks op uit. Toeristen, reizigers, vertegenwoordigers, stewardessen, vluchtelingen, reisbegeleiders[17], kermisklanten en zwervers begeven zich dagelijks op pad. Waarin liggen de verschillen tussen deze groepen mensen? En wie is een reiziger? Op zoek naar de reiziger kunnen we de vluchtelingen en zwervers al snel uitsluiten – zij reizen niet op vrijwillige basis. Stewardessen, vertegenwoordigers en reisbegeleiders zijn evenmin reizigers in de bedoelde zin van het woord: zij reizen voor hun beroep. Beide groepen zijn te typeren door enige mate van onvrijwilligheid: de ene groep zou thuisblijven als ze een veilige plek had om te verblijven; de andere groep zou thuisblijven als ze geen geld meer kregen voor hun activiteiten die ze al reizend verrichten.

Ook de reisbegeleiders die op vrijwillige basis op reis gaan krijgen op zijn minst hun ticket vergoed, en als ze niet meer dan dat krijgen, houden ze het meestal snel voor gezien. Hoewel niet één reisbegeleider voor het begeleiden van groepsreizen kiest vanwege de hoge verdiensten – het gemiddelde loon bedraagt ca. dertig Euro per dag – houden de meeste van hen het slechts één à twee seizoenen vol. Wellicht is het "leuke" dat aanvankelijk het gebrek aan fatsoenlijke betaling compenseert, na verloop van tijd niet meer voldoende en kiest de reisbegeleider na een paar seizoenen toch voor andere manieren om zijn geld te verdienen en/of op reis te kunnen. Een beroep in Nederland, of een beroep dat de deuren naar het buitenland op een kier houdt: fotograaf, journalist, leraar, of een restaurant in Lhasa beginnen – ex-reisbegeleiders blijven lang niet altijd thuis na die paar jaar reisbegeleiden.

Naast de reizigers die vanuit meer of minder economische motieven reizen, of vanuit motieven van honger, doodsangst of vanwege religieuze of politieke vervolging reizen, zoals vluchtelingen, is er een steeds groter wordende groep mensen die vanuit eigen keuze en met eigen financiële middelen reist: reizigers en toeristen. De variëteit binnen deze groep is groot. Aan het uiterste eind van het spectrum zijn de onrustige reizigers te plaatsen die niet thuis kunnen blijven. De bekende reisboekenschrijver annex reiziger Bruce Chatwin was zo'n reiziger. Hij ziet de reiziger als een neurotisch wezen, die uit eigen keuze reist omdat hij thuis een verzadigingspunt heeft bereikt. Economisch gezien zou hij vaak beter thuis kunnen blijven – reizen kost in het algemeen meer geld dan het oplevert – maar hij kan niet anders.

Deze reiziger is deel van een lange reeks van reizigers, zegt Chatwin: volgens hem is de mens van nature een migrerend wezen. De moderne mens is eerder een uitzondering dan een regel, omdat hij zich opsluit in kunstmatige huizen, zich afschermt van kou en hitte. Chatwin is in die zin een romantische reiziger: de wandelende figuur die vanuit een eindeloos nostalgisch verlangen (pathos) op reis gaat en op zoek is naar iets verlorens, iets onnoembaars. Een zucht naar de verte, in het Duits zo mooi aangegeven door het begrip *Fernweh*, drijft de romantische reiziger; de reis zelf wordt de zin, niet de bestemming. Hij treedt in de voetsporen van de ontdekkingsreizigers, en, filosofisch gezien, kan hij een concretisering van Heideggers *unheimliche* mens worden, de mens die nergens thuis is. De hedendaagse echte reiziger zoekt naar zichzelf en doet dat door de horizon te verkennen. In zijn onbenoembare tocht kijkt hij neer op de toerist, die de gebaande wegen neemt, een concrete bestemming kent, en op zijn beurt de spot drijft met de niet benoembare doelen van de romantische reiziger.

Deze reiziger, die niet anders kan dan reizen, zonder te weten waar hij precies naar op zoek is, de gekwelde mens die altijd gedreven wordt door de verte, lijkt in niets op de toerist, die heel goed weet wat hij zoekt: ontspanning en vermaak. De verschillende ideeën over vrije tijd als manier voor zelfontwikkeling en als manier om bij te komen van de arbeid komen in harde botsing wanneer reiziger en toerist elkaar ontmoeten.

De typische (avontuurlijke) reiziger onderneemt zijn tocht individueel, er zit vaak een avontuurlijk karakter aan, hij voelt zich 'op reis', zoekt naar een bepaalde mate van zelfontwikkeling (in die zin kan hij reizen met de Aristotelische houding van *scholè*, oftewel rust), neemt vaak enig risico, gaat vaak langer op stap, voelt dat zijn onderneming diepzinniger is en probeert zelf zijn bestemming te vinden (in plaats van de reisgids na te reizen). De zin van zijn reis ligt in het reizen: 'reizen is beter dan aankomen' is een motto waarin hij zich kan vinden.

De vakantie van de toerist – wat bij de reiziger een 'reis' heet, wordt in het geval van de toerist 'vakantie' genoemd – heeft een wat massaler karakter. Er is vaak sprake van groepsreizen of van accommodatie waar veel mensen tegelijk verblijven. Hij zoekt het bekende en is consumptief – hij neemt de folders tot zich en probeert zijn vakantie hieraan te spiegelen. Zijn motief is 'negatief' – vanuit zijn werk bedacht: wat hij in zijn werk niet heeft, zoekt hij op vakantie, zoals zon, zee en vrijheid. In plaats van zijn bezienswaardigheden zelf te vinden, gaat hij vaak af op de aanwijzingen van anderen (gidsen, bordjes), wat zijn onderneming oppervlakkiger maakt en passiever.

De indeling is deels psychologisch, op basis van gedrag en intenties; deels filosofisch te noemen, met de reiziger als wezen van de verte onderscheiden van de toerist die de horizon van bestaan niet werkelijk verlegt. Deze indelingen worden deels onderstreept wanneer we gaan kijken waar mensen hun geld uitgeven: geheel of gedeeltelijk in het land van bestemming, of vooral voor het vertrek, in het land van herkomst. Hoe meer men het uitgeeft in de eigen woonplaats, hoe meer men 'zekerheid' koopt en hoe eerder men iemand toerist zal noemen. Diverse sociologen stelden in de jaren '70 typologieën van reizigers op, die deels uitgingen van waar de reiziger/toerist zijn geld uitgaf (bijvoorbeeld Cohen, 1974; Smith, 1978). Hoewel hun indelingen inmiddels wat verouderd zijn door bewegingen in de reiswereld, en ze enigszins voorbijgingen aan het feit dat men de ene keer anders reist dan de andere keer, zijn hun uitgangspunten wel bruikbaar om wat meer grip te krijgen op het nogal vage onderscheid tussen toerist en reiziger.

Een volledig verzorgde reis boeken bij een erkend reisbureau, betekent dat men verwacht dat de accommodatie en het vervoer geregeld zijn en van een bepaald niveau zijn. Dat hoeft overigens niet per se het geval te zijn: de Nederlandse keurmerken zijn in Mexico onbekend; de sterren-indicatie van hotels zegt niets over de kwaliteit, maar over de soort voorzieningen – wat betekent dat een kamer met afgebladderd behang en een groezelig toilet nog steeds bij een drie- of viersterrenhotel kan horen. Maar wie er van te voren voor betaalt verwacht een en ander. Dit geldt in de meest extreme mate voor de massatoerist. Deze betaalt alles vooraf en levert zich over aan een veilige 'omgevingsluchtbel' die gecreëerd wordt door de internationale toeristen industrie. Alles is inclusief en dat niet alleen, het bekende domineert. De toerist hoeft de veilige gronden van de resort niet eens te verlaten. Te denken valt aan een alles-inclusief vakantie naar Isla Margarita of Turkije, waar ommuurde hotels de toerist toegang geven tot de zee en zoveel mogelijk afschermen van het armere binnenland, waar misschien nog een busexcursie naartoe wordt georganiseerd voor de liefhebber. Wat buiten het pakket valt wordt sterk gecontroleerd, zoals de excursies waarop men kan intekenen.

Wat minder extreem zijn de georganiseerde groepsreizen waarbij men van te voren betaalt voor vliegticket, accommodatie en vervoer, plus een reisbegeleider die eventuele problemen oplost, maar op de plaats van bestemming de dagen zelf invult. De reisbegeleider geeft informatie over de bezienswaardigheden, tips over het vervoer en restaurantjes, en de deelnemers vermaken zich op de plaatsen van bestem-

foto Piet Hermans

ming zonder zelf in de rij voor de treinkaartjes te staan. Vanaf begin jaren '80 zijn er meerdere Nederlandse reisorganisaties opgekomen die zich specialiseerden in dergelijke 'avontuurlijke reizen', waarbij het avontuur net zo goed kon bestaan uit instappen in de lokale bus, het zelfstandig per riksja naar de markt gaan, als het gevaarlijke oversteken van een landverschuiving in de bergen onder extreme weersomstandigheden of twee dagen in een omgebouwde jeep moeten liggen met een hersenschudding bij gebrek aan ziekenhuizen. Avontuur is niet altijd leuk, noch altijd voorspelbaar.

In de jaren '90, toen de meeste derdewereldlanden hun toeristische infrastructuur verbeterden en het dankzij de Lonely Planet-gidsen wat eenvoudiger werd om alles ter plaatse te regelen, kwam de klad in veel van de avontuurlijke reisbureaus en maakte een aantal de overstap naar het aanbieden van meer individuele arrangementen. Zo kwamen er meer toeristen die het ticket en de accommodatie voor de eerste nachten van te voren boekten in Nederland, om bij een lokaal reisbureau de rest te regelen. Hij laat zich leiden door wat het lokale bureau aanbiedt aan excursies, en komt mogelijk op dezelfde plekken als de massa-toerist, maar heeft het gevoel het meer 'zelf' te hebben gedaan.

De huidige avontuurlijke reisorganisaties bieden tegenwoordig ook vaker groepsreizen aan met lokale reisbegeleiders, al dan niet Nederlands. Dit is avontuurlijker, want onbekender, dan het meesturen van reisbegeleiders uit Nederland, maar de toerist/reiziger heeft wel de bescherming van een Nederlandse reisorganisatie, mocht het allemaal mis gaan.

De grootste concurrentie van de avontuurlijke reisorganisaties wordt gevormd door de groeiende groep veelal hoog opgeleide reizigers, die met behulp van internet zelf zijn reis samenstelt, en alleen de vluchten van te voren boekt. Deze reiziger regelt verder alles ter plaatse, waarbij opnieuw variatie mogelijk is. Hij stapt ofwel zelf naar treinstations en busstations, om daar zelf wijs te worden uit de lokale chaos die elk systeem voor een vreemde is, wacht in groezelige of juist hypergekoelde wachtruimtes, laat zich door lokale taxichauffeurs naar diverse hotels brengen en stapt alleen een reisbureautje binnen als het niet anders kan. Maar dankzij de groei en professionalisering van het toerisme in grote delen van de wereld, is het voor veel reizigers net zo makkelijk om de treinkaartjes en de trektochten door een lokale reisagent te laten regelen: het scheelt een hoop gedoe, en waarom zou je een halve dag van je welverdiende vakantie besteden in de wachtruimte van een treinstation?

Tot slot zijn er nog altijd reizigers die het nieuwe tegen elke prijs zoeken, met alle ongemakken en gevaren van dien. Zij proberen het contact met 'toeristen' zoveel mogelijk te vermijden. Hun doel is het nieuwe. Waar de toeristen zijn, proberen zij niet te zijn. Hun bestedingen komen geheel ten goede aan de lokale bevolking: ze eten in de kleinste lokale restaurantjes, slapen bij mensen thuis in ruil voor wat geld of verkiezen in ieder geval de lokale hotelletjes boven de grote keten hotels.

Reizigers en toeristen lijken zich op vier punten van elkaar te onderscheiden: individueel reizen of in een groep reizen; een veilige omgeving kiezen in termen van vertrouwdheid, zoals Westerse voorzieningen en comfort; en een aanpassing aan de lokale normen. De reiziger doet – ook noodgedwongen – vaak meer pogingen om de lokale gewoonten en normen te begrijpen; hij heeft de lokale inwoners immers harder nodig dan de toerist, omdat hij alles ter plaatse regelt en niet wil worden opgelicht of misleid, of mensen wil beledigen vanuit een totale onwetendheid op het gebied van sociale normen.

De authentieke ervaring
In het verlengde van de mate van zelfstandigheid ligt de authenticiteit. Hoe zelfstandiger men reist, hoe groter immers de kans op unieke, authentieke ervaringen, die niet door een reisorganisatie, lokale gids of Lonely Planet zijn voorgekauwd. Authenticiteit hoeft niet noodzakelijk

gerelateerd te worden aan authentieke bestemmingen, omgevingen of objecten, maar heeft vooral een subjectieve component: de authentieke ervaring. Al zijn er tien miljoen mensen bij de Taj Mahal geweest, als ík er sta, heb ik een authentieke ervaring die wordt opgeroepen door het wit marmeren monument. Die ervaring heb ik nooit eerder gehad en is in die zin uniek. Naar dergelijke ervaringen zijn veel reizigers op zoek. Wat vroeger het 'sublieme' werd genoemd, het overrompelende, is ontdaan van zijn beangstigende en religieuze aspect, maar is verder een concept dat er een grote overlap mee vertoont. Het heeft zijn eigen religieuze en morele trekjes en sinds kort ook economische trekjes: authentieke ervaringen verkopen goed – ze zijn schaars en iedereen wil ze, schrijft bijvoorbeeld psychologe Suzanne Piët in *De emotiemarkt* (2004).

De authentieke ervaring lijkt wel hét kernwoord te zijn in de discussie over reizigers en toeristen. Veel reizigers lijken voortdurend op de vlucht te zijn voor toeristen en proberen zoveel mogelijk zélf het nieuwe te ontdekken - zie daar al de mogelijkheid tot een glijdende schaal: neem je een reisgids mee, een lokale gids, zoek je naar verloren gewaande plekken zoals de ontdekkingsreizigers, de archeologen en de goudzoekers? Reis je zelfstandig de tocht van een overgrootvader na?

Zelfbenoemde "echte reizigers" kijken vaak sterk neer op de vermeende tweedehandse en voorgekauwde ervaringen van de toeristen. De "echte reiziger" vindt de gebaande paden minder waard dan het zelf ontdekken en beleven, en wanneer wordt aangedragen dat anderen hem voorgingen, wordt het aspect van de subjectieve eigenheid aangevoerd als bewijs voor de authenticiteit van de ervaring. De reiziger zegt desgevraagd dat hij reist omdat het een deel van zijn aard is, omdat hij niet anders kan dan beantwoorden aan de innerlijke stem die roept dat hij het gevestigde alledaagse bestaan achter zich moet laten om zich over te geven aan het onbekende.

Hij leidt een origineel leven, dat beantwoordt aan zijn eigen, individuele aard – hij is een regelrechte afstammeling van de Romantische filosofen. Dat hij daarbij niet zelden hetzelfde Heilige Boek – de Lonely Planet - als alle andere reizigers met zich meedraagt, doet daar niets aan af. Vaak zijn het jongere reizigers voor wie het belangrijk is een "echte reiziger" te zijn. Wie langer reist, komt vanzelf de nuance tegen, ontdekt dat een vakantiehuisje op zijn tijd ook heel prettig kan zijn en niet meteen tot moreel verval hoeft te leiden, en dat ook op wereldreis niet alles voortdurend opnieuw hoeft te worden uitgevonden. Al zoekt iedereen zijn eigen, authentieke weg; hij ontkomt toch nauwelijks aan de 'rugzak' van ervaringen van eerdere reizigers, van ideeën en opinies die in het Europese denken zijn geslopen over zelfontplooiing, authenticiteit, arbeid en vrije tijd, en begeeft zich deels in hun voetsporen.

De – deels terechte - angst van de reiziger, net als van de Grand Tourist, is dat de toeristen komen zodra de reizigers het pad hebben gebaand en ervoor hebben gezorgd dat er hotels komen, restaurantjes, betere wegen, en in een later stadium souvenirs, ansichtkaarten, en andere aanwijzingen dat een plek bezienswaardig is. De plaats of het object worden van neutraal terrein langzaamaan bezienswaardigheden, met steeds meer verwijzingen ernaar in gidsen, door souvenirs, et cetera. De vraag of hier nog wel sprake is van authentieke plekken, kan echter omzeild worden, door ons te richten op de andere kant van de authenticiteit: de subjectieve ervaring.

Op bezoek bij 'echte' mensen

De toerist en/of reiziger wil graag de illusie hebben, of men probeert hem de illusie te geven dat wat hij doet of ziet uniek is. Dat is moeilijk waar het gaat om absolute topattracties als de Eiffeltoren of de Taj Mahal, maar zelfs reisorganisaties proberen het authentieke aan te bieden in kleinschaliger situaties, die bijvoorbeeld in de sfeer van de menselijke ontmoeting plaatsvinden. Juist omdat er levende mensen en een echte sociale interactie bij betrokken zijn, is het gemakkelijker om de reiziger een gevoel van authenticiteit te geven. Denk bijvoorbeeld aan een lunch bij mensen thuis.

In het reisprogramma van een georganiseerde groepsreis naar Roemenië werd het kleine, pittoreske dorpje Sibiel aangedaan (houten huisjes, riviertje, net rommelig genoeg). Na alle kloosters en kastelen die Roemenië rijk is, was hier ruimte in het programma voor een groepslunch bij mensen thuis. Het eten was heerlijk, de familie gastvrij en de groep onder de indruk van de mooie boerderij. Navraag bij de reisleidster leerde dat de verhoudingen in het dorp wel wat schever waren komen te liggen nadat deze boerderij elke maand een goedbetaalde lunch voor dertig mensen kon organiseren. Het collectief genieten van georganiseerde boerenlunches is niet zonder gevolgen.

Toen tijdens een andere groepsreis naar Roemenië, georganiseerd door dezelfde reisorganisatie, het gereserveerde hotel in het nabijgelegen stadje vol was wegens een bisschopsconferentie, werd onderdak gezocht bij de inwoners van Sibiel. Achteraf bleek dat veel deelnemers dit als het hoogtepunt van hun reis hadden ervaren. Het was weliswaar van te voren geregeld – en dat gaf de deelnemers het gevoel van veiligheid dat hen ertoe aanzette bij wildvreemden te logeren, of, uit Roemeens perspectief, aan wildvreemden onderdak te verlenen – maar de huizen waren niet speciaal voor de mensen gebouwd, de slaapkamers niet voor hen ingericht en de Roemenen niet speciaal gevraagd typisch Roemeense kleding aan te trekken. Ze waren hartelijk en gastvrij, en de reizigers geïnteresseerd en enthousiast.

Het was voor beide partijen een eenmalige gebeurtenis, iets dat ze nooit eerder hadden meegemaakt. Mocht de reisorganisatie dit echter standaard gaan opnemen in het programma, dan zal de verandering ongewild plaatsvinden: er ontstaat een professionele houding, een formalisering van de verhouding tussen toerist en gastheer, waarbij beiden meer gaan eisen en verwachten in de vorm van comfort of geld. Het spontane van de eerste keer verdwijnt geleidelijk aan naar de achtergrond. Het authentieke wordt uitgehold. Ook in structurele zin zal er wat veranderen: de mensen worden rijker, gaan hun huizen misschien anders inrichten, andere kleding kopen, hun kinderen naar de stad sturen om te studeren, et cetera. Waarschijnlijk profiteren niet alle gezinnen mee, want er zijn meer huizen in het dorp dan nodig om de toeristen onder te brengen. Het oorspronkelijke dorp is na vijf jaar behoorlijk veranderd. De omgang tussen toerist en gastheer eveneens, en voor beide partijen kan onduidelijk zijn hoeveel oprechtheid, spontaniteit en authenticiteit er nog in de gereguleerde ontmoeting te vinden is.

In een van mijn reisgroepen naar India raakte een deelnemer, een man van ongeveer dertig jaar, in contact met een vriendelijke Indiase jongen van circa achttien. De jongen nodigde hem uit iets van de stad te tonen. De hele middag dwaalden ze door straten, de Nederlander bood hem eens een kopje thee aan, ze spraken over de verschillen in hun landen en de man had een gevoel van 'echt contact'. Totdat de jongen hem aan het eind van de middag een winkel mee binnentroonde, waar zijn oom sieraden verkocht. In één keer was het authentieke gevoel voor de man weg en sloeg de twijfel toe: was dit de opzet geweest? Was de jongen de hele tijd van plan geweest hem mee te nemen naar de winkel? Was het de bedoeling hem eerst een halve dag bezig te houden, om de kans dat hij zich verplicht zou voelen iets te kopen toe zou nemen? Of vond de Indiase jongen het een even plezierig gesprek als hijzelf?

De toerist voelde zich als een vrouw die een man mee naar huis neemt en de volgende ochtend vijftig euro op haar nachtkastje vindt: de gevoelswaarde wordt onmiddellijk vervangen en kapotgemaakt door een economische waarde te verbinden aan het gebeurde, dat ook onmiddellijk zijn gevoelde authenticiteit verruilt voor een verdachtmaking van herhaling: wie weet doet de Indiase jongen dit iedere dag bij iedere toerist die eruit ziet alsof hij meegaat. Het speciale van de gebeurtenis verdwijnt. Authenticiteit en herhaling hebben een moeizame verhouding tot elkaar. Hoewel het nog steeds een unieke gebeurtenis was voor de Nederlander – hij ging niet iedere dag op stap met een Indiër – maakte de gedachte dat het voor de Indiër een proces was dat hij vele malen eerder had ingezet, het tot een gebeurtenis die minder waard werd voor hem.

De relatie wordt asymmetrisch, net als in het geval van het Roemeense dorp als dit standaard wordt opgenomen als onderdak. De Indiër weet meer dan de Nederlandse toerist, de Indiër doet hetzelfde iedere dag zonder dat de Nederlander dat werkelijk weet. Het zou anders zijn als er transparantie was in het hele proces: als de Nederlander bij een Indiaas bureautje een gids zou bestellen die hem door de stad zou rondleiden en zou eindigen in een juwelenzaak. Hij zou daar een vergoeding voor betalen, en dan zou voor beide partijen duidelijk zijn hoe de vork in de steel stak, zonder dat gevoelens van oprechtheid een rol zouden spelen.

Het proces werkt overigens ook omgekeerd: mocht de jongen toevallig deze man leuk hebben gevonden om de middag mee door te brengen en aan het eind van de middag hebben bedacht dat een kopje thee bij oom Kumar ook wel gezellig was, dan zou hij misschien ook beledigd zijn als de Nederlander de volgende dag wederom op stap zou gaan met iemand die hem op straat aanspreekt, en de dag daarna weer ergens gaan eten met weer iemand. Of wanneer de Nederlander tijdens zijn rondwandeling voortdurend denkt hoe hij hiermee kan 'scoren' bij medereizigers.

We kunnen ook denken aan de knappe Griekse man, die met elke bootlading meisjes weer een nieuw jong vriendinnetje verleidt en vermaakt, en haar naam vergeet zodra ze op de boot naar het vasteland stapt, terwijl zij van plan is hem serieuze liefdesbrieven te schrijven. Of dat het voor hem een ware liefde is, terwijl zij op elk eiland een nieuw vriendje heeft. Waar in deze gevallen alleen gevoelsverwarring meespeelt, speelt in de situatie tussen de Indiër en Nederlander ook nog een verwarring van gevoel en economie mee, wat het nog complexer maakt.

Het avontuur tegemoet

Een woord dat al snel wordt geassocieerd met het authentieke op reis is 'avontuur' – de lokroep van het onbekende drijft mensen in enge bussen, naar onbekende vrienden, naar vreemde verten. Vanuit verveling of een gevoel van onrust verlaten mensen hun vertrouwde omgeving om het onbekende te bezoeken. De authentieke ervaring speelt een belangrijke rol in het avontuur. Daarin kan de mens zijn bekende, alledaagse bestaan achter zich laten. In het avontuur verheft hij zich uit zijn alledaagse bestaan. Wanneer het authentieke niet in de objecten zelf ligt, zoals de reiziger die langer op pad is beetje bij beetje ontdekt, ligt het misschien in de ervaring. Wat zich tussen onze oren afspeelt, is wellicht eerder authentiek te noemen dan de verwarrende realiteit.

De reiziger heeft er een fantastische authentieke ervaring bij als hij na aankomst op een donker busstation gered wordt door 'locals', als hij met een plaatselijke boswachter de jungle in mag trekken, of als vrijwel enige buitenlander op een schip vol kotsende Chinezen meedeint in de Chinese Zuidzee. Sommige mensen zoeken dit soort dingen op, gaan bijvoorbeeld te voet door India, wetend dat niemand dat doet, maar krijgen wel waardevolle, authentieke ervaringen, mogelijk gemaakt door het avontuur.

Sommige reisorganisaties probeerden in de jaren '80 en begin jaren '90 eveneens dit soort ervaringen aan te bieden, maar deze liepen uiteindelijk stuk op de eisen van de Algemene Vereniging van Reizigers (ANVR), waarin staat dat een reisorganisatie het programma moet uitvoeren zoals het wordt aangeboden. Problematischer was nog de behoefte aan zekerheid en comfort binnen een groep. Ik heb meegemaakt dat mensen klachtenbrieven aan de reisorganisatie schreven, omdat de trein van Agra naar Varanasi een zeer grote vertraging had opgelopen, waardoor het gereserveerde hotel de kamers had weggegeven aan anderen en er de eerste nacht geïmproviseerd moest worden. Wel avontuurlijk, niet aangenaam. Net als de gevaarlijke tochten door de Himalaya in het regenseizoen, wanneer je maar moest hopen dat er geen ernstige landverschuivingen waren. Voor sommige deelnemers een avontuur, voor anderen iets waarin de reisorganisatie haar boekje te buiten ging.

Reisorganisaties lossen dit op verschillende manieren op. De avontuurlijke reisorganisaties Shoestring en Sawadee benadrukken het avontuurlijke en actieve karakter van hun reizen, maar doen in één adem door wel een beroep op de flexibiliteit en het gevoel voor humor van de reiziger. De avontuurlijke reisorganisatie Djoser prijst in haar dikke reisgids (2005) de 'andere manier van reizen' als volgt aan op de introductiepagina: "Op reis staan je altijd verrassingen te wachten. Djoser zorgt ervoor dat dit alleen aangename zijn". Maar achter in de gids is te lezen dat "je er rekening mee moet houden dat je sommige verschillen met thuis ook wel eens als minder aantrekkelijk kunt ervaren".

Pseudo-toeristen en post-toeristen

Niet zelden worden de ervaringen van toeristen – onder wie de Djoser reizigers - als inauthentiek en oppervlakkig of ééndimensionaal afgedaan door hen die zelfstandig op stap gaan of thuisblijven. Hun ervaring zou zelfs moreel inferieur zijn aan de gewone ervaring. Een toeristische ervaring wordt altijd gemystificeerd, nog meer dan gewone ervaringen. Voorts doet de leugen die in de toeristische ervaring ligt, zich voor als een waarheid bevattende onthulling, als een manier die de kijker voorbij zijn valse schermen in de realiteit brengt.

Boorstin introduceerde in 1961 het concept 'pseudo-gebeurtenis'. Er is volgens hem iets in de toeristische setting dat niet intellectueel bevredigend is:

> Deze toeristische attracties bieden een grondig uitgewerkte indirecte ervaring aan, een kunstmatig product dat geconsumeerd dient te worden op dezelfde plaatsen als waar het echte ding zo vrij als de lucht is. Dit zijn manieren van de reiziger om geen contact te hoeven hebben met buitenlandse volkeren in de act zelf van ze bekijken. Ze houden de *natives* in quarantaine terwijl de toerist in air-conditioned comfort ze door een raam bekijkt. Zij zijn de culturele beelden die je nu overal op toeristische oases vindt.
>
> Daniel Boorstin, *The Image. A Guide to Pseudo-Events in America.* New York, 1961

Volgens Boorstin is een valse back gevaarlijker dan een valse front; een inauthentieke demystificatie van het sociale leven is geen leugen maar een superleugen. Zo zou een enigszins misleidende rondleiding zoals Theo's tulpentoer moreel verwerpelijker zijn dan een echte rondleiding van Wim die vertelt over zijn voorbije daklozentijd.

Maar veel toeristen willen juist wel in contact met de natives komen, maar kunnen daarnaast ook teleurstelling aanvaarden wanneer dat verboden is of niet lukt. In Ladakh, in het noorden van India, maakte ik een trekking met een lokale gids, die regelmatig liep te steunen over zijn zere voeten en zijn oude schoenen. Na afloop van de trekking kreeg hij een goede fooi. Enkele dagen later nodigde hij me uit in zijn ouderlijk huis. Hij had minstens drie paar goede leren schoenen, maar trok ze niet aan tijdens de trekking, deels om ze goed te houden, deels om meer fooi van toeristen te krijgen.

Steeds meer reizigers en toeristen aanvaarden dergelijke praktijken als normaal. Ze voelen zich niet misleid, noch ingewijd, maar beschouwen het als deel van de tocht. Dat wijst volgens de Amerikaanse sociologe Feifer op een nieuw type toerist: de post-toerist (in 1985 door haar beschreven). Deze aanvaardt dat zijn ervaring deels een pseudo-ervaring is in termen van authenticiteit, maar vermaakt zich ermee. Misschien heeft hij door dat het thema authenticiteit problematisch is. Noch de vraag of de objecten die hij bekijkt authentiek zijn, noch de vraag of de ervaring van degene die het bezoekt authentiek is, laat zich gemakkelijk beantwoorden. Wanneer Disneyland een Inca-tempel tot in detail bestudeert, om vervolgens een replica van vochtwerend, hittebestendig materiaal, compleet met beschilderd mos neer te zetten, is er dan sprake van enige authenticiteit? In sommige opzichten is Disneyland authentiek te noemen: er zijn immers ook pretparken die zich op hun beurt door Disneyland laten inspireren – schoolkinderen willen allemaal naar het "echte Disneyland". In andere opzichten creëert ze een schijnwerkelijkheid zonder weerga, waarbij zelfs de 'echte' Mickey Mouse wordt nagebootst door mensen met muizenpakken.

Gaat het om het oorspronkelijke object, of om de oorspronkelijke ervaring van de beschouwer? Afhankelijk van het gegeven antwoord, kan eenzelfde plek wel of niet authentieke ervaringen oproepen. Veel denkers staan cynisch tegenover de authentieke ervaring die wordt aangedragen door de toeristenindustrie, ten dele terecht. Precies aangeven wanneer iets dan wel authentiek is, blijkt echter niet eenvoudig, zullen diezelfde auteurs ook zeggen.

De posttoerist, een product van onze postmoderne tijd beseft dat hij ook thuis kan blijven om bepaalde toeristische ervaringen op te doen, dankzij TV en internet. Hij voelt zich niet meer belemmerd door de vermeende eisen van intellectuelen, en speelt met de keuze om zich te vermaken of te ontwikkelen, om zijn vrije tijd te gebruiken om te recreëren of zichzelf te ontdekken. En hij beseft dat toerisme een spel is met meerdere lagen en verhalen en niet één authentieke ervaring.

Ontmoetingen met de vreemdeling

Het was tijden geleden sinds ik met een echte... je weet wel, volwassene, had gesproken. Iemand met een baan. Anders dan de Indiërs - die hebben ook banen natuurlijk - ik bedoel gewoon iemand van thuis.

William Sutcliffe, *Are you experienced*

Het valt niet mee om het verschil tussen toerist en reiziger te definiëren. Het is misschien zelfs irrelevant om tot de essentie van de 'reiziger' te komen, alsof de reiziger een begrip is dat verwijst naar een vaststaande identiteit, die duidelijk aan te wijzen is. Veel activiteiten op reis- of vakantiegebied bevinden zich in een schemergebied of wisselen elkaar af. Het zoeken naar authenticiteit is zeer problematisch, zowel waar het gaat om subjectieve belevenissen als om objectieve bestemmingen. Is dit onontkoombaar? Ik denk dat de reiziger, zeker indien hij zijn geld ter plaatse uitgeeft, zich enigszins tracht aan te passen aan de lokale normen en andere motieven heeft dan het louter recreatieve motief van de toerist, in staat is tot een vorm van waarheid die de toerist zelden tegenkomt, herkent of opzoekt.

In de breedste optiek is de reiziger iemand die vrijwillig een grens overschrijdt, zich verwondert en bereid is eventueel te veranderen. Het woord 'ontvankelijk' is op hem van toepassing. Reizen heeft in die zin alles te maken met wat men als 'gewoon' ervaart of wil ervaren en met de bereidheid zich daar voorbij te bewegen. Reizen heeft te maken met het overschrijden van grenzen.

Ik zou daarom iemand die gaat overwinteren in Spanje nauwelijks een reiziger en zelfs geen toerist willen noemen: hij neemt zoveel mogelijk van zijn vertrouwde omgeving mee naar zijn bestemming: de kanarie, de aardappelen, de pindakaas, de Hollandse gordijntjes. In Spanje wacht hem een omgeving die zo vertrouwd mogelijk is: er is patat-met te koop, de muziek is Nederlands, er treden Nederlandse artiesten op, et cetera. Het verblijf is net zoals thuis, maar net even leuker op sommige punten: het is er lekker weer. De zonoverwinteraar zet zijn bestaan in zoveel mogelijk opzichten voort, er is sprake van een voortdurend bestaan waarin de grens tussen thuis en uit, tussen het vertrouwde en het onbekende zo minimaal mogelijk is.

Om dezelfde reden is ook de Turk die in Nederland als gastarbeider werkt en na kortere of langere tijd zijn gezin laat overkomen geen reiziger. Ten eerste is zijn motief vaak niet, het onbekende tegemoet willen treden omwille van het onbekende, maar geld verdienen. Motieven bepalen ten dele wie een reiziger is: het motief van financieel gewin is een zwak motief in vergelijking tot het motief van het willen overschrijden van de grens. Dat ervaart deze gastarbeider – inmiddels overigens vaker Pools dan Turks - eerder als een nadeel: ook hij neemt het liefst zijn vertrouwde omgeving mee, en waar dat niet mogelijk is, creëert hij zijn vertrouwde omgeving opnieuw in zijn nieuwe vaderland, waar theehuis, moskee, een Turkse vrouw, de hamman, Turkse muziek, *baklava* en *halal* vlees een inmiddels tot thuis geworden omgeving zijn.

Reizen heeft bovendien een aspect van beweging: wie tot stilstand komt door ofwel terug te keren naar zijn woonplaats, of van een andere plaats zijn woonplaats maakt, houdt op met reiziger te zijn. Iemand die op reis gaat verlaat zijn vertrouwde omgeving en overschrijdt daarmee onmiddellijk een aantal fysieke en psychologische grenzen. Na de lange tocht langs onze voorgangers en de bezienswaardigheden, is het tijd om een van de meest bepalende kenmerken van reizen nadere aandacht te geven: de grens. Het thema van de grens is bij uitstek van toepassing op de reiziger, die niet alleen zijn landsgrenzen overschrijdt, maar ook lichamelijke, persoonlijke en culturele grenzen.

De Dappermarkt als grensgebied

Al eerder heb ik betoogd dat een reiziger niet alleen met een zuiver persoonlijke onderneming bezig is, maar door de rugzak van verwachtingen en 'wegenkaarten' van zijn voorgangers, ook met een culturele. Daarom plaats ik eerst de reiziger in een breder perspectief. De ontwikkelingen die de culturele antropologie als vakgebied heeft doorgemaakt zijn illustratief voor de ontwikkeling van "de reiziger".

De culturele antropologie was aanvankelijk vooral gericht op het vinden van de essenties van culturen. Veldwerkers trokken het veld in en verbleven maandenlang bij hen vreemde culturen om er achter te komen wat de kern van die cultuur was. Die kern werd gezocht in rituelen, omgangsvormen, huwelijkspraktijken, eetgewoonten, et cetera. Dit is typerend voor een moderne manier van denken, in tegenstelling tot de postmoderne manier. De achterliggende gedachte is dat een cultuur een bepaalde identiteit heeft, die te kennen is – aanvankelijk vanuit een vooringenomenheid over de 'primitieven', later vanuit een meer ontvankelijke houding door langere tijd in een andere cultuur te verblijven. Voor beide benaderingen was het echter een vanzelfsprekende gedachte dat er bepaalde kenmerken zijn aan te wijzen die de kern van een bepaalde cultuur uitmaken, en die het 'hart' van een samenleving uitmaken. Vaak plaatste men daarbij de westerse cultuur tegenover alle andere culturen. Deze wijze van denken is de laatste jaren ter discussie komen te staan: het denken in termen van *the West* en *the Rest* verliest aan populariteit. De vraag is namelijk of culturen wel zijn aan te duiden als intern homogene samenlevingen. Culturen zijn aan verandering onderhevig, ondergaan invloeden van buitenaf, veranderen zelf eveneens en zijn met andere woorden dus heterogeen. In ons zoeken naar nationale identiteit zien we dit terug: 'Waaruit bestaat de Nederlandse nationale identiteit?' is een momenteel vaak gestelde, maar niet naar grote tevredenheid beantwoorde vraag, en vanuit een postmodern perspectief zal hier ook geen eenduidig antwoord op komen.

De postmoderne benadering kijkt niet zozeer naar het hart of de kern van een cultuur, maar naar de grenzen. In plaats van te kijken naar wat onveranderd bleef, kijkt men naar de dynamiek van culturen. Culturen komen namelijk juist voort uit de contacten met anderen, met vreemden: door toerisme, handel, uitwisseling van informatie en technologie, financiële markten en ideologieën over staat, religie, welvaart en dergelijke. In de contactzones zien we dat cultuur niet gemaakt wordt door in de veilige kern te blijven, maar juist door het zoeken van de grenzen, waarbij wederzijdse beïnvloeding het resultaat is.

Een bevriende archeoloog woonde jarenlang boven de Amsterdamse Dappermarkt. Tijdens zijn denken over de essenties van de neolithische samenleving in Syrië, zag hij iedere dag hoe de autochtone vrouwen Indiase kruiden kopen bij de Indiër, dat de Surinaamse vrouwen hun bloemkool halen bij de marktkoopman wiens familie al minstens drie generaties op de markt staat, maar die inmiddels zijn repertoire ook heeft uitgebreid met groenten en vruchten waarvan hij twintig jaar geleden nog nooit had gehoord. Door onze eigen vakanties naar Italië zijn we vertrouwd geraakt met pasta en olijven, we weten wat couscous is en kunnen het hier inmiddels goedkoop kopen. De archeoloog realiseerde zich door zijn dagelijkse uitzicht dat exact hetzelfde gaande moest zijn geweest bij de culturen die hij in Syrië bestudeerde: juist het feit dat er contact was tussen verschillende culturen, door handel, maakte dat de cultuur levend bleef. In plaats van zich af te vragen wat de kern van de cultuur was, ging hij zich verdiepen in de wederzijdse beïnvloeding van culturen.

Het bestuderen van culturen vanuit het zoeken naar een vaste, onveranderende kern, is tot mislukken gedoemd, zeggen postmoderne denkers: iedere levende cultuur verandert, juist door haar grensontmoetingen[18]. Juist die verandering is essentieel voor culturen. Een cultuur die zich afsluit voor vreemde invloeden, is ten dode opgeschreven, maar ook kleine culturen handhaven zich niet wanneer ze geen vreemde invloeden toelaten. Vers bloed is nodig! Amsterdam is groot geworden door de handel en het contact met nieuwe culturen; in de zestiende eeuw bestond de helft van de Amsterdammers uit gevluchte Antwerpenaren, die onder andere door de diamantindustrie Amsterdam een geweldige economische impuls gaven.

Hoewel het moderne verhaal over de westerse cultuur het doet voorkomen alsof er sprake is van een voortschrijdende moderniteit vanaf de oude Grieken, hebben juist de ontmoetingen met andere culturen voor de dynamiek gezorgd – de Arabische invloed in de Middeleeuwen, met haar rekenkunde, astronomisch inzicht en haar kennis van de filosofie van Aristoteles zorgde voor een broodnodige injectie van het in zichzelf gekeerde denken in Europa. De handel met koloniën bracht naast geld en specerijen ook woorden, stoffen (de stof voor klederdrachten in Marken en Spakenburg werd in India geweven) en nieuw voedsel mee. Het moderne verhaal heeft altijd veronachtzaamd hoeveel het westen heeft geleerd van oosterse culturen. Maar juist in de periferie ontstond de uitwisseling van kennis, ideeën, handel, mensen, en vernieuwing. Reizen speelt dus een grote rol in het vormen van culturen.

Dat betekent wel dat we minder zeker zijn van het verhaal dat voortkomt uit al die contacten – het is minder lineair, het kan verwarrend zijn, en levert zelden zekere feiten op, maar het doet wel meer recht aan een realiteit die voortdurend in beweging is. Dat is nog steeds het geval, en is uitgebreid met invloeden door toeristen en reizigers. De individueel rondtrekkende reizigster laat aan de Nepalees een westers idee van vrijheid voor vrouwen zien; toeristen en bergbeklimmers hebben de Gore-tex jassen voor in de bergen geïntroduceerd; de Nepalese vrouw breit op haar beurt wollen truien en sokken die weer op het Waterlooplein worden verkocht – aan Spaanse en Italiaanse toeristen - en in het zuiden van Nepal wordt op grote schaal handgeschept papier tot foto-albums verwerkt, die in luxe westerse winkels worden verkocht. De westerse toerist verschaft de Nepalees een nieuwe kijk op de bergen – namelijk als beklimbare objecten - , de Nepalees verschaft de westerse toerist ideeën over gastvrijheid.

Vooral door lokaal te reizen, zoals met de bus waar ook de gewone dorpelingen in zitten, stuit de reiziger voortdurend op allerlei nieuwe contactzones, die hem nieuwe inzichten verschaffen over zichzelf en over zijn eigen cultuur – en die hem tevens doen veranderen en nieuwe elementen in zijn cultuur kunnen inbrengen. De reiziger zoekt deze mensen vaak op in hun anderszijn: hij zoekt niet de hoger opgeleide middenklasse van een land, die waarschijnlijk meer overeenkomt met zijn eigen achtergrond, maar juist de arme bevolking, die hem het verschil met zichzelf zo goed laat zien. Contact met mensen die meer op jezelf lijken is subtieler en misschien daarom wel confronterender – het is eenvoudiger met grote verschillen te beginnen, om in eerste instantie 'wij' tegenover 'zij' te kunnen zetten.

Toerisme betekent meer dan alleen onze individuele invulling van ontspanning, maar is, net als handel en oorlog een manier om culturen met elkaar in contact te brengen.

De grens van het lichaam

Naast dit culturele traject, stuit de reiziger ook als individu op allerlei grenzen en overschrijdt zijn eigen grenzen regelmatig. Slechts een klein deel van de reizigers is bereid is om enig risico op zijn vakantie te nemen; het merendeel van de reizigers gaat tot in details voorbereid op stap. Maar toch overschrijdt iedereen in meerdere of mindere mate de grenzen van het vertrouwde. Ik verdiep me hier vooral in de groep die zijn vertrouwde wereld verder achter zich laat.

Zodra de reiziger zijn eigen woonplaats verlaat en naar een ander land gaat, begeeft hij zich in den vreemde. Als dit land ver weg is, in tropische contreien, wordt hij onmiddellijk geconfronteerd met een ander klimaat, met ander eten en drinken, en kan geplaagd worden door ziekte of honger. Het gevecht van op reis zijn begint, zowel in lichamelijke als in geestelijke zin. Hij overschrijdt vaak onderschatte, maar zeer diep gewortelde grenzen van het lichamelijke. En hij komt zichzelf tegen in de confrontatie met de ander.

De eerste grens die na het afstempelen van het paspoort wordt overschreden, wordt van te voren even vaak gevreesd als onderschat: de grens van het lichaam. Op reis is geen ontmoeting met de ander denkbaar zonder dat het lichaam hier een rol in speelt – dat is het verschil tussen chatten op internet, en lijf aan lijf in een overvolle bus zitten. In een wereld waarin de mens zijn lichaam beheerst en dit lichaam het instrument is van ons handelen – de aloude Platoonse en Cartesiaanse gedachte die in ons binnenste verstopt ligt - is het een harde les om met de aanwezigheid van je lichaam te worden geconfronteerd. Op reis is dit echter vrijwel niet te voorkomen, en deels zelfs juist gezocht.

Mijn eerste kennismaking in Pakistan is met de warme, vochtige lucht, die onmiddellijk nadat ik het vliegveld verlaat in mijn gezicht slaat als een muur van natte watten. Dat gevoel houdt dagenlang aan. Het klimaat dringt zich op bijna gewelddadige wijze op. Mijn lichaam protesteert op allerlei manieren. Net gedronken water zoekt zich onmiddellijk een weg naar buiten via mijn poriën, in een proces van constante rehydratie, een cyclus van drinken en zweten, drinken en zweten. Enkele weken later protesteren mijn oren tegen de hoge druk op de hoge bergpassen, mijn ogen raken ontstoken door het vele stof in de straten van de Chinese woestijnsteden, mijn darmen protesteren in alle kleuren van de regenboog als reactie op onbekend eten dat elke referentie aan bekende smaken smoort in scherpe pepersauzen.

Mijn lichaam doet zich voelen, verbrandend, zwetend, koortsig of sloom, of juist bibberend en verregend. Mijn lichaam weigert te slapen in benauwde ruimten zonder ventilatie, het weigert te eten wanneer het voedsel te vreemd is. Wanneer het protest van mijn lichaam krachtig genoeg wordt, krijgt mijn geest vanzelf genoeg van het gereis. Alle fraaie beelden in documentaires of de mooie foto's in reisboeken ten spijt, is reizen in de eerste plaats een lichamelijke ervaring.

Iedere reiziger wordt geconfronteerd met de noodzaak te eten – de vraag is waar, wat en hoe? In het hotel, westerse maaltijden, of in de onooglijkste lokale restaurantjes? Hoe vreemder het land, hoe meer de vraag zich opdringt. De afkeer van scherp eten in Thailand, de angst om per ongeluk hond voorgeschoteld te krijgen in China, de angst voor diarree in India, maar ook het ongemakkelijke gevoel tussen vreemden te moeten eten, bepalen waar de reiziger eet. Veel reizigers vinden het vervelend om alleen te eten, zeker vrouwelijke reizigers die in landen reizen waar het openbare leven wordt gedomineerd door mannen, en waar eten een dermate sociale gebeurtenis is dat een alleen-etende een rariteit is.

Rustig en ontspannen eten in een restaurantje met alleen maar mensen - mannen - om je heen die het vreemd vinden als iemand alleen eet, zeker als dit een vrouw is, is onmogelijk. Een oplossing voor dit probleem is om een alleen reizende medereiziger rond etenstijd aan te spreken met de vraag of deze zin heeft om samen te eten, omdat alleen eten zo vervelend is. Een afwijzing is onwaarschijnlijk. De ene keer zal het beter klikken dan andere keren, maar er is voor beide partijen op zijn minst een tijdelijke verlossing van de (vermeende) starende blikken van onbekenden.

Er zijn andere oplossingen: in restaurants eten waar alleen andere reizigers komen, om zo de vreemdheid van de lokale bevolking niet te voe-

len en in gezelschap van andere alleen-etende buitenlanders te zitten. De keuze voor westerse restaurants heeft ook een andere reden: de angst voor diarree. Diarree is een veel voorkomend gespreksonderwerp aan tafel, een gemeenschappelijk kader waar de meeste reizigers, en in ieder geval vrijwel elke India-ganger mee te maken heeft of heeft gehad. Een goede opvoeding ten spijt, is het in de meeste gezelschappen gespreksonderwerp nummer 1 tijdens de maaltijd. Vandaar de zucht naar westers eten, hoewel veel reizigers diep in hun hart wel vermoeden dat het lokale eten verser en van een betere kwaliteit is dan zogenaamd westerse 'sandwitches' [*sic*], de lasagne met niet meer te identificeren groenten of te lang gekookte 'spageti' [*sic*] met tomatenketchup en een beetje kaas.

Eten betekent echter meer dan alleen voedsel tot zich nemen. Het is een sociaal gebeuren en er is status aan te ontlenen. Onder zelfstandig reizende reizigers wordt veel gesproken over waar men eet en wat men eet. Iemand die bekent altijd in Indiase restaurants te eten, is in de ogen van anderen en vooral in zijn eigen ogen een 'echte reiziger'. Hij durft zich niet alleen bloot te stellen aan een ander soort eten, maar ook aan andere disgenoten. Mensen die smakken of staren, maar vooral: mensen die hem vreemd vinden.

Eten is een intieme gebeurtenis. De mens leeft met het overblijfsel uit een evolutionaire ontwikkeling van lang geleden, dat bepaalt dat je alleen kan eten als je je veilig voelt. Dieren eten niet als ze hun omgeving niet vertrouwen. Bij mensen verkrampt een maag of keel eveneens als ze zich onprettig voelen – denk maar aan eten voordat je een sollicitatiegesprek hebt of een eerste afspraakje (nooit in een restaurant afspreken met iemand die je echt leuk vindt!). Om te kunnen eten in een lokaal restaurantje, moet je die grens zijn gepasseerd en in staat zijn om je op je gemak te voelen bij vreemden. Dat kan alleen door die vreemden als minder vreemd te zien en meer als mensen zoals jijzelf. Als je dat maar lang genoeg volhoudt, zal ook de ander jou minder als vreemde zien. Er is sprake van een wisselwerking. Eten wordt dan ook al snel een statussymbool onder de rugzakreizigers: hoe vaker je lokaal eet, hoe hoger je status, vooral als je kunt bekennen dat je niet voortdurend lijdt aan diarree.

In nog sterkere mate geldt dit voor slapen. Slapen doe je alleen op veilige plekken of op plekken waar je je veilig voelt. Daar zit een verschil tussen. Een eigen kamer in een hotelletje met alleen maar 'locals' zal objectief gezien waarschijnlijk veiliger zijn dan een slaapzaal vol westerse budget toeristen, zowel vanuit oogpunt van gezondheid als van diefstal; veel westerse toeristen lijden aan diarree, wat besmettelijk is, en sommigen zijn asociaal genoeg om hun zaalgenoten van waardevolle spullen te beroven. In een Amsterdams jongerenhotel waar ik begin jaren '90 werkte, meldden zich in de zomer zeer regelmatig bestolen toeristen bij de balie. Vrijwel allemaal vertrouwden ze ten onrechte hun medereizigers.

Er speelt hier natuurlijk nog een ander argument mee. Praktische overwegingen als nabijheid bij een station, de prijs of vermoedens of ervaringen met betrekking tot de gewoonten van de medehotelgasten spelen ook een rol in de keuze voor bepaalde hotels of restaurants. Ik denk aan mijn eigen ervaring in Delhi, toen ik na enkele reizen naar India eens niet in de bekende rugzakhotels wilde inchecken, maar in een onbekend Indiaas familiehotel. Ik was net aangekomen, had een jetlag en een kamer met TV. Dat was vermakelijk, totdat ik wilde slapen en ontdekte dat mijn buren ook TV hadden. Ik bleek mij temidden van een familie op vakantie te bevinden, die de vier kamers om mij heen bezette. Over het geluid van verschillende TV-programma's heen schreeuwden ze elkaar vanuit de ene kamer naar de andere boodschappen toe. Deuren werden dichtgeslagen, om binnen enkele minuten weer opnieuw een uitlaat te geven aan populaire hindi-liedjes of geagiteerd klinkende filmdialogen.

Toen de familie eindelijk stil was, verstoorde schelle en vervormde religieuze muziek de rust. Het verscholen tempeltje aan de straatzijde van het hotel bleek twee enorme luidsprekers aan de muur te hebben hangen, het bandje draaide tot de vroege ochtend door om de goden uit hun slaap te houden. De nacht duurde lang. Ik luisterde naar de ruzie die onder luid geschreeuw op straat werd uitgevochten. Ik zuchtte toen de vuilnisauto's in de vroege ochtend voorbij reden en de rolluiken werden opgehaald, een geluid dat naadloos overging in het begin van het dagelijkse rumoer van de markt. De dag was aangebroken. Die ochtend ging ik op zoek naar oordopjes. Ik stuitte op niet-begrijpende winkeliers, waarvan de eerste met wattenstaafjes aankwam, en de laatste, nadat hij had begrepen dat ik niet méér, maar minder wilde horen, grijnsde: 'Oh, but we Indian people we love noise!'

De volgende nacht heb ik mijn intrek genomen in een hotel met rustige rugzaktoeristen, die, net aangekomen in India, het nachtleven van Delhi aan zich voorbij lieten gaan en om elf uur het licht uitdeden. Ondanks de potentiële gevaren die kunnen uitgaan van medereizigers, zijn er zeker redenen om elkaar wel op te zoeken.

Reisgidsen spelen daarin een belangrijke rol. In de bekende reizigersbijbels van Lonely Planet staat bij elke plaats die de Lonely Planet de moeite waard acht, niet alleen wat de bezienswaardigheden zijn en hoe men er kan komen en weer weg kan komen, maar ook een uitgebreide sectie "Where to stay" en "Places to eat". Met hulp van deze gids kunnen reizigers soortgenoten vinden en zo in 'veilig' gezelschap slapen en eten. Dat heeft een aanzuigende werking: de eerste taak van een nieuw toeristenrestaurant is dan ook om zo snel mogelijk in de nieuwe Lonely Planet te worden opgenomen.

Khao San Road in Bangkok is een begrip onder rugzakreizigers. Niet omdat het er bijzondere bezienswaardigheden zijn, ook niet omdat het er rustig, mooi, of verrijkend is - de lokale bevolking heeft geen idee van het bestaan van deze straat, maar omdat er vrijwel alleen maar goedkope rugzakkershotelletjes zijn, waar reizigers niet de Thai ontmoeten (die mogen vaak de hotels niet eens in), maar elkaar.

In Delhi is de scheiding tussen allerlei groepen toeristen/reizigers eveneens goed zichtbaar: de Israëliërs slapen in Israëlische hotels – waar zelfs een rabbi zijn residentie heeft voor de talloze verloren schaapjes die na drie jaar actieve dienstplicht niet zijn opgewassen tegen de vrijheden van India; Japanners vinden via eigen reisgidsen hotels die naar Japanse maatstaven aanvaardbaar zijn (vaak met Japanse eigenaren) en Afrikanen of Russen trekken eveneens naar elkaar toe. De bulk van westerse toeristen logeert liefst in hotels waar voornamelijk westerse toeristen zijn, net zoals de Indiërs overigens ook liever onder elkaar zijn. Dit valt samen te vatten onder de eenvoudige noemer 'soort zoekt soort'. De vraag is natuurlijk alleen wie of wat dan tot die eigen 'soort' behoort – we komen nu op het gebied van de psychologische grenzen. De lichamelijke overgang is niet neutraal, maar beïnvloedt het persoonlijke vlak. Eten is meer dan voedsel tot je nemen, slapen is meer dan je ogen sluiten en je terugtrekken uit de bewuste wereld.

De grens van je zelf

Het is niet verwonderlijk dat juist jongeren een wereldreis willen maken; op zoek naar zichzelf. Terwijl een deel van de mensen thuisblijft en zichzelf bevestigd ziet in de vertrouwde omgeving, met bekende relaties, een wereld waarin alles zijn vaste plek lijkt te hebben, zoekt een ander deel van de mensen zijn identiteit in de contactzones met anderen. Een belangrijk deel van onze identiteit wordt immers gevormd door de ander. De postmoderne benadering van de culturele (grens)ontmoeting werkt ook door op het individuele vlak, iets waar overigens ook het existentialisme al op wees. Door je bloot te stellen aan het Vreemde, kom je jezelf tegen. Wie ben je ten overstaan van een vreemde? Durf je zelf een vreemde te zijn? Of wil je toch liever je 'gewone zelf' zijn? En wie is dat 'zelf' eigenlijk?

Om te begrijpen waarom we eigenlijk onszelf willen tegenkomen, als we dit al echt willen, moeten we ons realiseren welke ideeën we hebben over de persoonlijke identiteit. Want waar voorheen een diepe blik in de ziel ons zicht op ons zelf zou hebben gegeven, is er sinds de zeventiende eeuw het een en ander gebeurd in de filosofie op het vlak van de menselijke identiteit. Tot de zeventiende eeuw werd het woord 'identiteit' eigenlijk nooit gebruikt om mensen als individuele personen aan te duiden, hooguit als soort: een mens was mens en geen dier dankzij zijn ziel. De ziel bepaalde dus iemands 'identiteit' als mens. Maar de ziel is een ongrijpbaar begrip, dat zich moeilijk laat vatten in rationele termen.

De Britse filosoof John Locke (1632-1704) weekte echter als het ware de ziel los uit de mens, en introduceerde een andere denkwijze over identiteit. Locke vroeg zich af wanneer we iets 'mens' noemen, en wees erop dat dit vooral een biologische zaak is: het verschil tussen de overige zoogdieren en de mens ligt in een aantal organische eigenschappen. Dieren met bepaalde biologische kenmerken noemen we "mens", de rest heet "dier". Tegenwoordig zouden we spreken van een bepaalde genetische opmaak. Het menszijn heeft dus niets te maken met een ziel, geest of andere ongrijpbare en religieuze kenmerken – Locke had het begrip ziel niet nodig om een mens te onderscheiden van een dier.

Maar daarnaast introduceerde hij het begrip 'persoon'. Een persoon is een wezen dat zelfbewustzijn en reflectie op zichzelf kent, dat herinneringen heeft en zichzelf als zichzelf kan beschouwen. Ieder wezen dat dat kan, ook al zou het een papegaai of een computer zijn, kunnen we persoon noemen. Persoon heeft dus te maken met bepaalde psychologische kenmerken. Ook het begrip "persoon" heeft ziel of geest niet nodig, maar berust op aanwijsbare psychologische kenmerken, namelijk rede, zelfbewustzijn en geheugen. Een verwijzing naar de ziel komen we hier niet tegen – een grote stap in het westerse denken over identiteit.

Vanaf het moment dat de persoonlijke identiteit was losgemaakt uit de traditie van geest en ziel, kon het begrip 'identiteit' aan een meer inhoudelijke opmars beginnen, waarbij allerlei persoonskenmerken, karaktertrekken of psychologische vermogens aan iemands identiteit werden toegekend. De psychologie heeft, vooral in de twintigste eeuw, een belangrijke bijdrage geleverd aan de invulling van de identiteit. Om te weten wat personen waren, was het niet langer nodig om naar de ziel te verwijzen, maar naar een heel scala meetbare eigenschappen. Let wel: in deze benadering is het mogelijk dat een mens geen persoon is, namelijk wanneer hij geen geheugen of zelfbewustzijn heeft. Iemand in coma is in die opvatting wel mens, maar geen persoon. In de rechtspraak is het begrip ontoerekeningsvatbaar hier aan ontleend: een mens zonder rede en zelfbewustzijn, bijvoorbeeld een slaapwandelaar, kan zijn misdrijf niet worden aangerekend – als mens is hij misschien schuldig, maar als persoon niet.

Nu is dat begrip persoon in het westerse denken niet zo neutraal gebleven als Locke het zich voorstelde. Met de komst van het romantische thema van de authenticiteit sloop een ander aspect in het denken over personen, een aspect dat ons denken over onszelf in grote mate heeft beïnvloed: als mens was je niet op een geheel vanzelfsprekende wijze "jezelf", maar je moest jezelf leren kennen, en zelfs jezelf worden. De Duitse filosoof Herder leverde hier met zijn ideeën over het authentieke de belangrijkste voedingsbodem voor (zie "De heilige attractie"). In de jaren '60, waarin de uitlopers van de Romantiek definitief in de samenleving belandden, kwam hier nog een ander aspect bij: identiteit werd niet alleen als een verzameling persoonlijkheidstrekken en dergelijke opgevat, maar werd ook als iemands kern beschouwd – een kern die je verloren kon zijn, moest opzoeken of moest realiseren. In deze benadering kon je 'jezelf zijn', 'jezelf tegenkomen', 'jezelf ontplooien' en je 'authentieke zelf ontwikkelen'. De ziel, nu opgevat als wezenskern, komt op die manier, niet per se religieus ingevuld, maar zeker als metafoor, toch terug als onderstroom van het denken.

Dit zijn allemaal voorbeelden van een moderne benadering (die eigenlijk een ouderwets perspectief is, als gecontrasteerd met het postmoderne perspectief). Er wordt vanuit gegaan dat er zoiets is als een vaststaande identiteit, een Waar Zelf dat men kan zijn, tegenkomen, ontplooien. Het moderne perspectief gaat over een zoeken naar de kern of de essentie van iemands persoon. En dat is waarom veel mensen op reis gaan: in de hoop zichzelf als mens tegen te komen, omdat ze zich afvragen waaruit hun menszijn nu eigenlijk bestaat.

Sinds Locke is de mens een persoon dankzij bepaalde psychologische eigenschappen: rede, geheugen, zelfbewustzijn. Maar in de Romantiek wordt hier een nadere invulling aan gegeven door niet zozeer de rede en het geheugen te benadrukken, maar juist de gevoelsmatige aspecten die berusten op authenticiteit op de voorgrond te plaatsen. Voelen in plaats van denken maakt ons van louter biologische wezens tot 'werkelijke' personen. En dat maakt ons verward: als we niets voelen, of niet het juiste, lijkt het alsof we ons persoonlijke zelf verloren zijn. Een reis kan een manier zijn om onszelf weer terug te vinden.

De mythe van de avontuurlijke reiziger

Aan deze tocht naar ons zelf kleeft echter een belangrijk bezwaar: ze gaat voorbij aan wat anderen eigenlijk met ons doen en in hoeverre de ander een rol speelt in het vormen van onze identiteit. Maar is juist die ander niet van groot belang wanneer we op reis gaan? Zelfs in het dagelijks leven wordt iemands identiteit gevormd door de relaties die hij aangaat met anderen – met familie en vrienden, maar ook met mensen die minder bekend zijn en minder vrijwillig in zijn leven voorkomen: in relatie tot de dokter is iemand patiënt, in relatie tot de dief een slachtoffer, in relatie tot de bakker een klant. Omgekeerd geldt dat wanneer iemand bijvoorbeeld lange tijd niet actief is als dokter, zijn identiteit als dokter langzaamaan naar de periferie van zijn identiteit verschuift en andere delen meer prominent naar voren schuiven, bijvoorbeeld zijn identiteit als actieve VUT-ter.

Vanuit een postmoderne optiek wordt het zelf vooral gevormd door de relaties met anderen. En wanneer we spreken over reizigers, is dit een zinvoller perspectief dan het wat statische perspectief van de moderne benadering. Weliswaar gaan jongeren nogal eens op zoek naar zichzelf wanneer ze op reis gaan, maar dat doen ze in de ontmoeting met anderen, en daar gaat het om in de postmoderne benadering.

De vraag die de reiziger zich meteen na aankomst moet stellen, een vraag waarmee de reiziger ook voortdurend wordt geconfronteerd is in wezen een postmoderne vraag, namelijk de vraag: Wie ben ik in relatie tot de inwoner van een ander land?

In relatie tot de lokale Indiër ben ik een buitenlander. Voor de meeste mensen is dit een nieuwe en confronterende relatie. Wie zich nooit 'anders' dan anderen heeft gevoeld, is op reis opeens op allerlei fronten anders: zowel in uiterlijk opzicht, zoals in kapsel, kleding, lengte, huidskleur als in sociaal opzicht – beroep, omgangsvormen, humor, als in spiritueel opzicht – ideeën, religieuze opvattingen, benoemde karaktereigenschappen.

Toen ik voor het eerst in India kwam, werd ik mij onmiddellijk bewust van een aantal kenmerken die ik had in de ogen van Indiërs die in Nederland nog nooit een rol hadden gespeeld om mij te identificeren. Nog nooit had het ertoe gedaan dat ik blank was, niet eerder was ik 'buitenlander', noch 'die lange vrouw'. Maar van de ene dag op de andere werd ik door mensen op straat gezien als iemand die rijk was en konden ze me aanduiden als die lange, die buitenlandse, die rijke vrouw. Als iemand mij in Nederland vraagt 'Wie ben jij?' zal ik niet antwoorden: ik ben lang, rijk en autochtoon. Maar dat waren in eerste instantie wél de categorieën die ertoe deden in de ogen van de Indiër en waarmee ze mij konden onderscheiden van andere mensen (lees: gewone mensen, namelijk Indiërs). Erger nog, ze identificeerden mij niet alleen als zodanig, maar behandelden me ook conform hun ideeën over wie ik was, en het had geen enkele zin om hier tegenin te brengen dat ik niet rijk was, dat het niet belangrijk voor mij was om ongetrouwd te zijn en dat ik bezig was met een belangrijke persoonlijke onderneming, namelijk: in India reizen.

De reactie van de Indiërs bracht mij in verwarring. Ik wilde zijn wie ik in Nederland dacht te zijn: een jonge, avontuurlijke vrouw die alleen naar India gaat. Mijn verwarring moet door talloze avontuurlijke reizigers zijn gevoeld. Het is schokkend om zo snel na aankomst in een nieuw land, zo onbegrepen te worden. Op het moment dat ik door de schuifdeuren van Delhi Airport de buitenlucht in stapte dook een heel leger aan riksja-chauffeurs op mij af, die mij als rijke prooi zagen. In hun kielzog volgden enkele uren later de bedelaars en de winkeliers. Verder negeerde men mij, net zoals ik in Amsterdam toeristen in het algemeen negeer. Waar waren de mensen die mij ook avontuurlijk vonden, de mensen die mijn reis waardeerden en die mij niet beoordeelden op iets waar ik Nederland nog nooit bewust op was beoordeeld?

Die mensen verbleven in de low-budget hotels – zij waren de andere jonge, avontuurlijke jongens en meisjes. Onder elkaar konden we zijn wie we wilden zijn, we konden samen werken aan de mythe van de avontuurlijke jonge mensen die zich niet vastpinden op het bekende rijtje geld, carrière, kinderen, huis et cetera. Wij waren anders. Hoe schrijnend dat wij door de meeste Indiërs niet alleen als anders werden gezien, maar zelfs als mislukt – geen kinderen, geen carrière, geen partner.

De meeste jonge reizigers vluchten onmiddellijk in elkaars gezelschap. India wordt het decor van een gezamenlijke constructie van hun identiteit: tegen de achtergrond van Taj Mahal, woestijnen, paleizen, kamelen en al dat exotische dat India te bieden heeft, construeren zij zichzelf: het avontuurlijke zelf. Dát was de rechtvaardiging van hun reis, dus het was van groot belang deze identiteit gezamenlijk tot stand te brengen en te onderhouden. Tussen het bezichtigen van tempels en paleizen door, besteden veel reizigers enorm veel tijd aan het bevestigen van elkaars identiteit als reiziger. Dat gebeurt in restaurantjes waar Coca Cola en tosti's te koop zijn en waar je rustig een paar uur kunt zitten om brieven te schrijven, email te sturen of een boek te lezen.

Want dat is een ander belangrijk aspect van het reizen: verslag doen aan de achterblijvende familie en vrienden en ontsnappen aan het reizen middels dikke boeken. In de tweedehands boekenwinkels die in vrijwel alle centra zijn te vinden waar veel reizigers komen, ligt het gemiddelde aantal bladzijden van een boek rond de driehonderd. Zware Russen zijn geliefde reisliteratuur. Die dikke Russen stellen de avontuurlijke reiziger in staat te ontsnappen aan zijn door de Indiër opgelegde en ongewenste identiteit van 'rijke buitenlander'. En in zijn reisverslagen voor het thuisfront kan de reiziger zijn wie hij wilde zijn voor vertrek: de avontuurlijke reiziger.

Hoe komt deze avontuurlijke reiziger dan tot stand? Vóór vertrek door zich te onderscheiden van iedereen die niet op reis gaat. Na vertrek door zich af te zetten tegen de toeristen. Dat kan hij niet alleen. Wie er waarde aan hecht een identiteit als avontuurlijke reiziger op te bouwen, heeft andere avontuurlijke reizigers nodig. Hij vormt zichzelf samen met de andere reizigers, in de gesprekken die hij met hen voert. Er zijn een paar gespreksonderwerpen waarmee hij zichzelf hoger op de avontuurlijke meetlat weet te plaatsen: de mate waarin lokaal gegeten wordt (hoe onooglijker het tentje, hoe beter het is), het contact met de lokale bevolking (bij iemand thuis logeren scoort heel hoog) en vooral de prijzen die hij weet te bedingen.

Kort na aankomst betaalt vrijwel iedere avontuurlijke reiziger relatief hoge prijzen voor riksja's en voor al het andere waar geen prijskaartje aan hangt. Het hard onderhandelen met winkeliers en riksja-chauffeurs is niet alleen bedoeld om minder geld te betalen, maar vooral laten zien dat je minder buitenlander bent, dat je dichter bij de lokale gewoonten staat, dat je weet hoe het eraan toe gaat en wat de 'echte' prijzen zijn. En een avontuurlijke reiziger betaalt de 'echte' prijzen, niet de toeristenprijzen. De grootste belediging voor de avontuurlijke reiziger is wanneer iemand hem een toeristenprijs wil laten betalen. Er is veel meer dan geld in het geding: het gaat om erkenning als Reiziger. De toerist is de categorie buitenlanders waar hij zich zoveel mogelijk tegen afzet, zowel tegenover de lokale bevolking (die hier meestal geen boodschap aan heeft) als tegenover de andere avontuurlijke reizigers.

Het moge duidelijk zijn dat de reiziger anderen nodig heeft om zijn identiteit te maken en dat zijn identiteit op reis verschilt van zijn thuisidentiteit, waar hij te maken heeft met een heel ander web van relaties, met alle bijbehorende verwachtingen, gedragspatronen en gedachten. Dit onderscheidt de moderne benadering - die doet alsof we onszelf meenemen en zelfs ontdekken wat verborgen was in de druk van werk, relatiepatronen op reis, - van het postmoderne perspectief dat stelt dat we onszelf opnieuw construeren op reis, dat er een nieuwe versie van onszelf ontstaat. Dat uiteindelijk ook benadrukt dat de visie van de lokale Indiër op de toerist niet fout is, maar een andere beeld is dan de toerist/reiziger heeft van zichzelf.

De vrijheid van het construeren is een van de charmes van het reizen: thuis kennen mensen ons, we worden geacht ons op bepaalde manieren in bepaalde contexten te gedragen, we hebben rollen en functies die ons een positie in de samenleving geven. Op reis zijn we hiervan bevrijd, en hoewel die bevrijding soms een andere gedaante aanneemt dan we zouden willen, stelt de reis ons in staat ons te bevrijden uit onze oude rollen en onszelf opnieuw uit te vinden. We hoeven ons niet vast te leggen op een vaststaande identiteit, maar kunnen daarmee spelen. Dat wordt in onderzoek naar reizigersmotieven het vaakst genoemd. Ook in een TV-programma als Expeditie Robinson komt de kandidaat zichzelf juist tegen omdat hij de grenzen van het bekende overschrijdt en zich bevrijd weet van zijn dagelijkse identiteit.

Hoewel dit een spel van vrijheid is, waarin mogelijkheden worden onderzocht, identiteiten worden uitgeprobeerd en verworpen ten gunste van andere identiteiten, ontstaat niettemin bij veel reizigers na enige tijd een gevoel van onvrede. De vrijblijvende houding van de reiziger kan gaan tegenstaan, omdat zijn sociale identiteit steeds meer wordt uitgehold. Hij doet er eigenlijk maar weinig toe voor anderen: de contacten zijn veelal oppervlakkig, zowel met de lokale bevolking als met de medereizigers, wiens verhalen over de laagste prijzen na enige tijd gaan vervelen.

Het gelaat van de kamelendrijver

Net als de postmoderne benadering van identiteit sommigen gaat tegenstaan vanwege het vermeende relativisme dat ermee samenkomt, wil ook een deel van de reizigers méér dan de relatief oppervlakkige identiteit van de avontuurlijke reiziger. Hun onvrede sluit aan bij het denken van Emmanuel Levinas, een denker die wel wordt beschouwd als een bron van inspiratie van het postmodernisme, maar die diep geworteld is in de Joodse traditie en weinig moet hebben van het relativisme dat in de postmoderne traditie zo wordt toegejuicht. Ik denk dat de reiziger op een vergelijkbare tweespalt stuit: aan de ene kant zoekt hij naar het zich bevrijden van zijn vastomlijnde identiteit, en geniet hij van de vrijheid nieuwe rollen te kunnen aannemen. Maar aan de andere kant zoekt hij wellicht ook naar grenzen waar hij níet overheen kan. Die grens kan hij wellicht vinden in de ontmoeting met de Ander. Dat is in ieder geval de overtuiging van Levinas.

Levinas (1906-1995) is tamelijk ondoorgrondelijk, maar niettemin ook bij een breder publiek wel populair. Hij had weinig op met reizen of met niet-westerse culturen, maar zijn ideeën over de Ander kunnen ons wel inzicht verschaffen in de relatie die de reiziger met de Ander heeft. Levinas hanteert twee begrippen die voor ons beeld van de reiziger van belang zijn: het gelaat van de Ander en het appèl van de Ander. Het eerste begrip heeft te maken met de onkenbaarheid van de ander, het tweede met een verantwoordelijkheid die van de ander uitgaat, een ethisch appèl.

De basisvraag in het denken van Levinas is de vraag: wat is de mens? In de eerste plaats een genietend wezen, stelt hij. Deze mens bouwt een woning voor zichzelf en gaat werken om te kunnen genieten. We zouden eraan toe kunnen voegen dat hij zijn recreatieve vakantie heeft uitgevonden om te kunnen genieten van wat in zijn normale wonen en werken ontbreekt: bijvoorbeeld zon, vrijheid, losbandigheid, rust, ruimte, om maar een paar elementen te noemen. Hij gaat naar terrasjes om te genieten en bezoekt zelfs verre landen om er te genieten van de vreemd ogende mensen, de andere natuur of de oude steden. Laten we ons concentreren op die andere mensen, als het ware het gezochte decor van zijn belevenissen. Als we de brochures van reisorganisaties zien, zien we foto's van Afrikaanse Masai met fraaie halskettingen; Indiase mannen uit Rajasthan met felgekleurde tulbanden; Russen met poolmutsen en bontjassen. Die mensen zijn een soort objecten in de vakantiewereld; de toerist bekommert zich niet of nauwelijks om hem en heeft weinig meer interesse in de lokale inwoner dan een herkenning in de zin van: 'Hé, deze man met een tulband is een typische Rajasthaanse man.' Die ene man verwijst naar alle Rajasthaanse mannen.

Levinas spreekt in dit geval over personen – daarmee uitdrukkelijk verwijzend naar de oorspronkelijke betekenis van *persona*: maskers (dus een andere betekenis dan Locke's opvatting van 'persoon'!). De samenleving is geordend, zo ook de toeristische wereld. Mensen in de openbare wereld hebben een positie of status die hen een plaats in de wereld geeft ten opzichte van andere burgers. Dat geldt in ons eigen alledaagse leven, maar het geldt ook in de toeristische wereld, zij het dat de categorieën daar erg grof kunnen zijn. In ons vertrouwde leven putten we uit een heel scala aan gegevens om iemand de maskers te geven die hij opzet om zijn plek in de maatschappij aan te duiden, zoals geslacht, leeftijd, beroep, vrije tijdsbesteding, gewoonten, uiterlijk. Zo creëren we een werkelijkheid van rollen en functies die een gesmeerd lopende samenleving mogelijk maakt.

Op reis doen we dit ook, net als overigens de lokale bevolking dit doet: de toerist is een aanduiding van een bepaalde functie om bepaalde mensen te onderscheiden van andere mensen, zoals mededorpsbewoners, buurtgenoten, landgenoten, geloofsgenoten. Er is een simpele indeling mogelijk: deze man is toerist, die vrouw is lokale bevolking. Deze man komt hier om zich te vermaken, die man, die vrouw, dat kind is het doel of de achtergrond van ons vermaak. Dit maakt voor beide partijen duidelijk hoe zij tegenover elkaar staan. Net zoals we in ons dagelijks leven verwachten dat de fietsenmaker fietsen repareert, en we in verwarring raken als de fietsenmaker opeens in tranen uitbarst en tegen ons over zijn slechte huwelijk begint.

Maar juist daar is Levinas in geïnteresseerd. De mens is namelijk meer dan alleen een genietend wezen. Als hij alleen een genietend wezen zou zijn, zou hij in zijn ogen zowel egoïstisch als naïef zijn. Hij zou alles in het teken van zijn eigen genieten stellen, en hij zou alleen door zijn eigen belangen worden gedreven. Dit volkomen op genieten gerichte egoïsme zou daarmee negatief zijn. Als een toerist of reiziger in Afrika op straat zou lopen en een bedelaar vraagt hem om geld, zou hij vanuit zijn egoïsme kunnen besluiten om door te lopen, omdat het niet zijn probleem is, omdat hij op vakantie is en de bedelaar zijn plezier vergalt.

Maar hij kan ook besluiten om in te grijpen, om iets te doen. Op het moment dat hij de bedelaar ziet, of hij dat nu wil of niet, wordt hij geconfronteerd met een ander mens, of, om met Levinas te spreken, met de Ander. En daarmee stuit hij op een belangrijk aspect van het menszijn. Juist de Ander maakt ons tot mens, door een moreel appèl op ons te doen. Wanneer die ander in mijn aanwezigheid zijn maskers laat vallen, wanneer hij uit zijn rol valt, doet hij een appèl op mij. Of – en daar draait het feitelijk om: op bepaalde momenten zie ik niet zijn maskers, maar een mens, puur en alleen omdat ik ervoor ontvankelijk ben.

De reisorganisatie waar ik voor werkte, had standaard in het reisprogramma van India naar Nepal een kamelensafari opgenomen. Dat betekende dat ik één keer per maand de woestijn in trok met een groepje toeristen, begeleid door een kamelenman en een aantal jongens die met de kamelen meeliepen. Tijdens één van die tochten sprak de man mij aan. Zijn vrouw was ziek geworden en hij had geen geld voor medicijnen. Hij vroeg mij of ik aan mijn groep om wat geld kon vragen, zodat hij met haar naar de dokter zou kunnen gaan. Op dat moment viel hij uit zijn rol van kamelendrijver, en deed hij een appèl op mij. Om dat appèl te begrijpen, moest ik ervoor ontvankelijk zijn, en daartoe zijn mensen in principe in staat. Wij zijn ontvankelijk voor morele kritiek: we kunnen worden aangesproken op goed of slecht gedrag, en we kunnen ons schamen voor de dingen die we doen of nalaten. Dat maakt ons anders dan dieren.

Op het moment dat de kamelendrijver uit zijn rol valt, maakt hij zich los uit het netwerk van betekenissen en rollen die zijn positie als kamelendrijver ten opzichte van de toeristen bepaalt – zijn omgang met de kamelen, zijn tulband, zijn grapjes met de toeristen - hij laat zijn naakte gelaat zien, zou Levinas zeggen. In dit geval maakt de kamelendrijver het mij gemakkelijk, omdat hij een appèl op mij doet, maar in feite kunnen wij in iedere voorbijganger, in iedere vreemdeling, in iedereen die we normaliter achter maskers verbergen, zijn gelaat zien, als we maar kijken.

Het menselijk gelaat is niet hetzelfde als het gezicht, tenzij we het misschien zouden opvatten als 'zijn ware gezicht'. Het gelaat laat de mens in zijn kwetsbaarheid zien, maar het gelaat wordt nooit werkelijk zichtbaar, het is meer dan een beeld van zijn gezicht, het is zelfs transcendent. Dat betekent dat het gelaat niet werkelijk te kennen of te begrijpen is – het duidt op iets hogers in de mens dat zich niet laat vangen, aldus Levinas:

> De ontmoeting met een andere mens bestaat in het feit dat ik hem, ondanks mijn verregaande heerschappij en zijn slavernij, niet bezit. […]
> Ik begrijp hem vanuit zijn geschiedenis, zijn milieu, zijn gewoonten. Wat zich in hem aan het begrijpen onttrekt, dat is hij-zelf, het zijnde.
>
> Levinas, *Het menselijk gelaat*, 1987, p.94

Het naakte gelaat van de ander laat zich niet begrijpen, zegt Levinas: het is juist dát, wat zich niet laat vastleggen in een masker, een functie of rol. Daarmee wordt het wezenlijke verschil tussen mijzelf en de ander geopenbaard: juist door het gelaat is duidelijk dat die ander niet mij is. Hij kan nooit gereduceerd worden tot een functie, hij kan ook nooit louter als een object bestaan, de inwoner van een pittoresk dorpje evenmin als de toerist; beiden zijn 'ook een mens'. Als een van beide partijen de ander louter als toerist ziet, of louter als schattig oud vrouwtje, zien ze de ander niet als mens.

Juist in de toeristische relatie bestaat het risico de ander wél te willen reduceren tot een functie; beide partijen zijn immers passanten in elkaars leven. Waarom zou men de moeite nemen het gelaat te zien achter alle in het oog springende eigenschappen – verschillen in religie, in gewoonten, in kleding, uiterlijk, wellicht een beroep uitoefenend dat voor de ander vreemd en onbegrijpelijk is (ijsvervoerder, of het abstracte 'NGO-consultant'). De schijnwerkelijkheid van de zogenaamde authentieke dorpsbewoner toont zich hier: juist door de kamelendrijver als 'typische bewoner van Rajasthan' te zien, laten we zien dat we hem niet werkelijk zien, met zijn zorgen en verdriet of juist in zijn vrolijke buien die maken dat hij geliefd is in zijn dorp. Zowel de toerist als de lokale bewoner ziet de ander vooral in zijn rol van 'toerist' of 'lokale bewoner'. Er moet iets gebeuren voordat een van beiden de ander als een Mens ziet, als een gelaat.

Dat gebeurt wanneer de ander een beroep op ons doet. Daarin toont iemand zijn kwetsbaarheid. Wanneer de kamelendrijver uit zijn rol valt en de ziekte van zijn vrouw onthult, realiseert de toerist zich dat hij een mens is, een mens waartegenover men niet onverschillig kan blijven. Als hij in tranen uitbarst, toont hij zich in al zijn kwetsbaarheid. Hij raakt de ander, die misschien eerst onverschillig was, maar zich plotseling reali-

foto Piet Hermans

foto Piet Hermans

seert dat deze anders ogende man met zijn donkere huid, zijn tulband en zijn bruine gebit, ook een mens is, evenals hijzelf.

Dat is echter niet het enige dat het gelaat toont. Er gaat ook een moreel appèl van de kamelendrijver uit: zelfs als we onverschillig blijven, en hem niet willen helpen, voelen we dat we hadden kunnen of moeten helpen. Zijn morele appèl geeft ons een verantwoordelijkheid die we niet hebben tegenover dingen. In zijn meest absolute zin komt dit neer op het 'Gij zult niet doden', of 'gij zult geen pijn veroorzaken', dat volgens Levinas een absoluut gebod is, dat in alle tijden en in alle culturen geldt.

Deze absolute norm kunnen we vervolgens op verschillende manieren uitwerken: we weten dát we de kamelendrijver moeten helpen - dat is absoluut - maar moeten wel bedenken hóe we hem kunnen helpen, en dat is relatief – door geld te geven, door zijn baas aan te spreken, door medicijnen te kopen, door een dokter naar zijn vrouw te sturen. En als we hem niet helpen, voelen we ons waarschijnlijk vroeger of later en in meerdere of mindere mate ongemakkelijk of zelfs schuldig over ons in gebreke blijven.

Mensen die langer op reis zijn, gaan zich na verloop van tijd vaak ongemakkelijk voelen achter het masker van de toerist/reiziger. Zij voelen dat ze voor de andei personen blijven, en daarmee niet langer hun gelaat, dus hun menszijn, kunnen laten zien aan de lokale bevolking. Ook zijn ze bereid om achter de maskers van de lokale bevolking te kijken om hún gelaat te ontdekken, en daarmee op hun eigen menselijkheid te stuiten. Misschien beginnen zij het appèl van de ander, dat ons volgens Levinas immers ten diepste confronteert met ons menszijn, te missen.

Lakens wassen in het Moeder Theresa-huis

Wellicht is het daarom dat in een land als India veel reizigers kortere of langere tijd in een sociaal project gaan werken, zoals het Moeder Theresa-huis in Calcutta. Als toerist of reiziger blijf je zelf ook verscholen achter je *persona*, in de Leviniaanse betekenis van maskers voor de ander. Door het nauwe contact met de armen en zieken hopen reizigers wellicht ook te laten zien dat zij een gelaat hebben, een mens zijn. Ze zoeken het appèl van de ander op, door de kwetsbaarheid van de ander te zoeken – zijn naakte kwetsbaarheid zelfs; mensen wassen is een van de taken in het Moeder Theresa huis.

Tijdens een reis van enkele maanden heb ik er ooit enkele dagen doorgebracht, deels omdat het simpelweg mogelijk was en ik korte tijd in Calcutta kon zijn, maar ook vanuit deze behoefte 'iets' te kunnen betekenen voor iemand. In dit geval waren dat de armsten en zwaksten uit Calcutta, broodmagere mensen die vaak op sterven lagen en door de zusters van Moeder Theresa van stations of uit de goot waren gered. Ik hoopte minder een buitenstaander (een derde, zoals Levinas het noemt) te zijn, die van de ene plaats naar de andere trok, maar niet opgemerkt, gemist of gewaardeerd werd door de mensen op straat, en meer betrokken bij de wereld waarin ik me begaf.

Ik moet bekennen dat mijn ambities niet helemaal vervuld werden. Hoewel de nobele arbeid van het schoonschrobben van de bekers en borden met as en krantenpapier, en het handmatig wassen van met urine doordrenkte lakens zeker nuttig was, was het ontbreken van mogelijkheid tot verbale communicatie door de andere talen die de bewoners van het huis en ik spraken voor mij een te grote hindernis. Daarbij stond het expliciete, gezochte karakter van het geïnstitutionaliseerde appèl mij tegen. Niettemin sprak ik er diverse mensen die beter waren in het maken van nonverbaal contact, die minder moeite hadden met het georganiseerde karakter van de "ontmaskering" van de vreemden in het tehuis en er redelijk goed in leken te slagen om voor kortere of langere tijd meer diepgang aan hun 'menszijn' in India te geven, een land waar de behoeftigen alom tegenwoordig zijn.

Maar juist omdat de behoeftigen overal zijn, is het niet per se nodig een Moeder Theresa huis op te zoeken, en kan de ontvankelijke mens overal op het gelaat van de Ander stuiten. Er hoeft evenmin een lange periode van toeristische oppervlakkige contacten aan vooraf te gaan – in principe kan iedereen op elk moment het gelaat van de ander zien, en de ander als mens zien. Wel is het zo dat toeristen veelal hun wereld bezien vanuit een perspectief van buitenstaander, en er vaak alles aan doen om in hun niet-betrokkenheid bij deze vreemde wereld te volharden, omdat ze op vakantie zijn en vermaak zoeken. Wellicht zoeken veel toeristen juist tijdens hun vakantie naar manieren om te ontsnappen aan het appèl van de ander, die ook een zware last voor de mens is, waarin hij niet alleen de Ander ziet, maar door dit zien ook de verantwoordelijkheid voelt om bij die ander betrokken te zijn.

Sociologen omschrijven toerisme soms als een zeer onnatuurlijke wijze van met anderen omgaan – de leeftijd van de leuke jonge meisjes die een dansje uitvoeren voor toeristen wordt niet opgemerkt, of wordt weggeredeneerd met een simpel "Ach, zo doen ze dat hier nu eenmaal". Maar iedere toerist kan overvallen worden door het gelaat van de ander, het zicht op bijvoorbeeld de kringen rond de ogen van het jonge danseresje en plotseling het kind in haar zien.

Omgekeerd kan de betrokkenheid ook vele malen verder gaan dan een paar dagen werken in een Moeder Theresa-huis. De entree in het Moeder Theresa-huis is betrekkelijk eenvoudig, het werk nederig. Maar ik ken ook een Nederlandse vrouw die zich inzet voor de slachtoffers van aangestoken keukenbranden, jonge vrouwen die vaak gruwelijk verminkt zijn en verstoten door hun schoonfamilie en familie. Tijdens haar studie culturele antropologie belandde ze in Varanasi; naarmate ze nauwer betrokken raakte bij de vrouwen kon ze uiteindelijk niet meer níet ingaan op het appèl van de Ander en heeft inmiddels een opvangtehuis in Varanasi opgezet. Zij is niet de enige die op vergelijkbare wijze steeds meer bij een groep kanslozen of hulpelozen wordt betrokken, getuige de grote hoeveelheid kleinschalige projecten in allerlei landen ter wereld – voor het appèl dat uitgaat van het gelaat van de Ander is in principe iedereen gevoelig.

De meeste 'gewone' toeristen en reizigers vermijden dit, door de lokale ander vooral als vreemdeling te (blijven) zien. Maar ook veel toeristen vinden het in hun georganiseerde rondreizen boeiend of belangrijk om op reis een weeshuis of een hulpproject te bezoeken: niet alleen buitenstaander zijn, maar een deel van hun wereld. Diverse reisorganisaties bieden de mogelijkheid om deel te nemen aan zo'n project, daarmee ook op managementniveau gehoor gevend aan de roep van het gelaat van de Ander. Wie cynisch is, kan ook zeggen dat dergelijke bezoeken vooral het bestaande beeld van het land bevestigen – bezoeken aan weeshuizen in Zuid-Afrika, India of Roemenië passen in het beeld dat een toerist van dat land heeft, terwijl hij het raar zou vinden om een weeshuis in Frankrijk of Australië te bezoeken.

Tot slot: het gelaat van de Ander hoeft zich niet te beperken tot de lokale bewoners. Ook medetoeristen of –reizigers kunnen hun gelaat tonen of het gelaat van de andere toerist zien. Toen ik als reisbegeleidster na een lange tocht over de Tibetaanse hoogvlakte, na dertig uur vrijwel continu braken in een benauwde bus, aankwam in Lhasa, was het niet mijn reisgroep die me thee bracht, maar een Nederlandse vrouw die in hetzelfde hotel verbleef. Zij zag niet mijn functie, maar mijn naakte en hulpeloze gelaat. We zijn nog steeds bevriend. De Ander is soms dichterbij dan je denkt. Op reis ontstaan naast allerlei kortstondige contacten niet zelden langdurige vriendschappen, juist omdat beiden elkaars gelaat onmiddellijk zien in de uitzonderlijke situaties die reizen nu eenmaal kunnen brengen, situaties waarin het vernis van gewoonten en verwachtingen niet langer bestaat, en iemand zowel een appèl op de ander moet doen, als waarin de ander dit als zodanig kan herkennen.

Een nieuw zelf

De identiteit van de reiziger wordt dus voor een belangrijk deel bepaald door de achtergrond waartegen allerlei, veelal gewone ervaringen als eten, slapen, een boek lezen of een brief schrijven, plaatsvinden. Maar door het veelal onverwachte en soms overrompelende contact met de Ander verandert er iets fundamenteels in de wijze waarop hij in het land is en tegen de bewoners van dat land aankijkt. Voor wie een land van extremen als India meerdere malen bezoekt, gaat dit gepaard met zeer uiteenlopende gevoelens: de frustratie van de net aangekomen toerist slaat om in de trots om het beter kunnen onderhandelen; er ontstaat wellicht enige minachting die vervolgens vervlakt tot een gevoel van onverschilligheid jegens 'toeristen'; de verbazing over de mooie monumenten verschuift naar een gevoel van verbijstering over armoede en onverschilligheid, die op haar beurt weer kan leiden tot vreugde om het contact met de Ander, enzovoorts.

Wie meer relaties aangaat met anderen, misschien op dezelfde wijze als Levinas stelt, door aan het appèl van de Ander te beantwoorden, misschien door de 'gewone', functionele relaties, ziet beetje bij beetje een nieuwe identiteit tot stand komen, een nieuw web van relaties waarbinnen hij zich bevindt. Die relaties geven richting aan nieuwe gedragspatronen, omgangsvormen en denkwijzen. Dat kan beginnen met het leren van de lokale groetgebaren (bijvoorbeeld het Namaste-gebaar, met voor de borst gevouwen handen), het op juiste wijze wiebelen met het hoofd, een punjabi-suit kopen, wat Hindi leren. Het kan verder gaan met het overnemen van bepaalde omgangsvormen, zoals het normaal of zelfs goed gaan vinden dat vrouwen zich moeten bedekken, of het vanzelfsprekend gaan vinden dat je niet met schoenen aan een huis betreedt of met je voeten naar iemand wijst als je zit.

Wie langere tijd op één vreemde plek verblijft, houdt langzaamaan op met 'reiziger' zijn en wordt beetje bij beetje 'buitenlander die hier woont'. Wanneer de reiziger langere tijd onderweg is, verschuift zijn aandacht: aanvankelijk definieert hij zich in relatie tot wat hij ziet, maar hoe langer hij onderweg is, hoe meer het erom gaat wie hij is in relatie tot anderen. Net zoals de dokter langzaamaan zijn identiteit als dokter ziet vervagen wanneer hij enkele jaren met de VUT is, kan ook de reiziger zijn vertrouwde identiteit niet eindeloos volhouden. Wie langer in het buitenland verblijft, verandert onherroepelijk.

De gestresste manager die een jaar op een sabbatical gaat, kan de identiteit die hij had in zijn stressvolle bestaan, waarin hij zich als onmisbaar, belangrijk, dynamisch en efficiënt profileerde, niet langer volhouden na enkele maanden op reis. Enkele maanden in een heel andere omgeving verkeren is genoeg om aan de vaste identiteit te tornen. Maar de manager zal na een jaar als een ander mens terugkomen, en vervolgens moeten kijken in hoeverre hij in zijn werkrelaties zijn "oude ik" weer herontwikkelt en de persona van de reiziger laat vallen, of zijn leven juist op een andere manier wil inrichten. De hippie die al vanaf de jaren '70 in India woont, is noch een Engelsman, noch een Indiër, maar bestaat als ontheemde hippie in een enclave van andere ontheemde hippies, waarin hij kan zijn wie hij is geworden.

De reiziger die langer op reis is, is bereid een deel van zijn oude identiteit op te geven; hij maakt zich ten dele de aanvankelijke vreemdheid van het land eigen door bepaalde gewoonten te begrijpen en over te nemen, door zich de taal eigen te maken, door een diepgaander contact te hebben met andere inwoners van het land in plaats van alleen maar met mede-reizigers. De vraag wie hij is, wordt lastiger te beantwoorden – toerist, reiziger, buitenlander, geassimileerd, geïntegreerd? Nederlander, Indiër? Misschien is het antwoord minder belangrijk dan sommigen geneigd zijn te denken. Het zoeken naar een vaste kern heeft iets krampachtigs. Uiteindelijk bestaat iemand vooral in het web van relaties om hem heen en wordt zijn identiteit veel breder gedragen dan alleen door hemzelf, of hij dat nu wil of niet. In de nieuwe woonplaats geven de anderen hem of haar betekenis, wordt hij omringd door nieuwe mensen, spullen en ideeën over zichzelf. Er ontstaat een nieuwe versie, of, zo men wil, een nieuwe persoon.

IV. Over de grens

Op zoek naar het paradijs

God, de HEER, legde in het oosten, in Eden, een tuin aan en daarin plaatste hij de mens die hij had gemaakt. Hij liet uit de aarde allerlei bomen opschieten die er aanlokkelijk uitzagen, met heerlijke vruchten. In het midden van de tuin stonden de levensboom en de boom van de kennis van goed en kwaad.

Genesis, 2:8-9

De reiziger wordt gedreven door een heel scala aan beweegredenen. De historische rugzak van zijn voorgangers bepaalt deels zijn bestemming, de maatschappij die hem omringt bepaalt deels wat hij zoekt. Reizen wordt vaak ingegeven door een verlangen naar een prettiger wereld dan de alledaagse wereld, waar het werk onze dagen bepaalt. Weg uit de werksfeer kunnen we zoeken naar een wereld waarin mensen vrij zijn, authentieker zijn, waarin eigen ervaringen 'echter' lijken, waarin de natuur ongerepter is, het weer beter, of waar de cultuur de reiziger verheft. Reizen we misschien op zoek naar het paradijs?

Op zoek naar het paradijs

Volgens de bijbelse mythe uit Genesis verbleven Adam en Eva na de voltooiing van de schepping in het paradijs, met midden in de hof van Eden een boom des levens en een boom van kennis van goed en kwaad, met vier rivieren in alle windrichtingen en alle dieren en planten. Van alle bomen mochten ze eten, behalve van de boom van kennis van goed en kwaad. De slang verleidde Eva tot het plukken van de vrucht van de boom van goed en kwaad. De afloop is bekend: Adam en Eva werden uit het paradijs verdreven.

Los van de bijbelse context, heeft de mythe van het paradijs zowel filosofen als reizigers geïnspireerd. Het is een intrigerende mythe, waarin de mens vóór zijn verdrijving uit het paradijs zowel onwetend van goed en kwaad, als gelukkig was. Zoals we jonge kinderen kunnen benijden om hun houding van onschuld en verwondering, inspireren ook Adam en Eva in hun oorspronkelijke toestand. Pas met het plukken van de vrucht verloren zij hun onschuld: ze werden zich bewust van zichzelf, gingen zich schamen voor hun lichaam en moesten het paradijs verlaten.

Deze mythe kent meerdere interpretaties, waarvan die van Kant een interessant licht werpt op de grote betekenis voor de menselijke vrijheid. Volgens Kant kreeg de mens met de kennis van goed en kwaad de vrijheid. Zijn straf is het moeten kiezen: de mens weet dat hij zijn eigen levenswijze moet kiezen en dat hij hierin fouten kan maken, waar hij op kan worden aangesproken. Dit is zijn vrijheid, maar het is geen gemakkelijke vrijheid. Het is daarom niet verwonderlijk dat het paradijs blijft lonken.

Het zoeken naar het paradijs, al dan niet in fictie, is een oud thema. Naast de bijbelse mythe van het paradijs, bestaan er tal van fictieve paradijselijke bestemmingen. In de oudheid schreven Griekse en Romeinse dichters over Elysium, oftewel de Eilanden der Gelukzaligen, waar 'de aarde ongeploegd jaarlijks graan opbrengt, de ongesnoeide wijnstok eeuwig bloeit en het vee nooit ziek is' (Horatius). De droom van Arcadië, het door Vergilius bezongen herderslandschap, had zijn ideale vorm in deze godeneilanden, waar gewone stervelingen slechts naar konden verlangen.

Ook meer aardse vormen als Luilekkerland of het in de Middeleeuwen bezongen Land van Cocagne zijn de gedroomde antwoorden op de dagelijkse zorgen van mensen. Hier vlogen de gebraden duiven zo je mond in en varkens liepen gebraden rond, met messen in hun rug. Mensen hoefden er niet te werken, het was er eeuwig vakantie en er was eten in overvloed – de omgekeerde wereld dus voor de gewone man uit de

Middeleeuwen, die bij tijd en wijle door enorme hongersnoden werden geteisterd.

De droom van Cocagne laat zien waar de toenmalige Europeaan behoefte aan had: ten tijde van de grote hongersnoden was het land van Cocagne een wens voor velen. En net als de huidige vakantieparadijzen, hoopte men dat een dergelijk land misschien wel echt bestond. De Nieuwe Wereld was voor de late Middeleeuwen een mogelijke plek waar het paradijs misschien zou zijn. Columbus schrijft over zijn derde reis naar Zuid-Amerika dat hij in een "waarlijk Cocagne" is beland. In het oosten riep India met al haar rijkdommen associaties met Cocagne op, en ook Borneo en Oost-Afrika leken waargeworden Cocagnes, waar de naakte mens in vrede en tot op hoge leeftijd leefde en er aan voedsel geen gebrek was.

Maar ook in de moderne tijd zijn er paradijzen beschreven, zoals het mythische Shangrila, dat in de jaren '30 door schrijver James Hilton werd beschreven in een roman over een vliegtuigkaping die in een afgelegen Tibetaans klooster in de bergen eindigde, en waar aardige mensen, goed eten, comfort en bibliotheken waren. Duizenden reizigers trachtten hun eigen Shangrila te vinden, er is een hotelketen met de naam Shangrila, en er werd een film over gemaakt. De roman *The beach* van Alex Garland heeft hetzelfde effect gehad in de jaren '90, maar dan met het afgelegen strand in de rol van paradijs. Ook hier was aanvankelijk voldoende eten, goed gezelschap en een ideaal klimaat. Opmerkelijk is de overeenkomst tussen het authentieke en het paradijselijke: de hof van Eden is blijkbaar een oord dat aan beide idealen appelleert.

Hoe fictief zijn dergelijke bestemmingen? Kunnen we in onze vakantie geen poging doen om het paradijs te vinden? En wat zoeken we in dit paradijs? Het is meer dan alleen een plaats waar palmbomen wuiven en waar men niet hoeft te werken. De aantrekkingskracht ligt eerder nog in de toestand van onschuld die de mens ooit had. Het paradijs staat model voor een plek waar de mens onwetend is van het kwaad, waar hij bevrijd is van zijn moeten kiezen en waar hij zich over kan geven aan de zorgeloze toestand van Adam en Eva vóór hun intrede in de wereld van sterfelijkheid, lijden, schaamte en werken.

Veel mensen geven hun vrijheid met opmerkelijke graagte op tijdens hun vakantie. Moe van de verantwoordelijkheid van het moderne bestaan dat een grote druk op hem legt, met de dwang van carrière, huis, gezin, vrienden en hobby's, wil men op vakantie bevrijd zijn van alle keuzes. Dat kan in het alles-inclusief hotel: hier wordt hem alle noodzaak tot keuze ontnomen, hij is volledig vrij van verantwoordelijkheid voor zijn daginvulling. Voor de volledig georganiseerde rondreis, waar de reisorganisatie voor hotels, maaltijden, een dagprogramma en een reisleider zorgt, geldt hetzelfde. De reiziger kan zich even overgeven aan een zekere onschuld en onwetendheid, en terugkeren naar een toestand die deels een kinderlijke onbezonnenheid met zich meebrengt, en deels een paradijselijk ideaal in zich bergt.

Let wel, de reiziger vindt hier allerlei prettige vormen van vermaak en kennis: zorgeloze ontspanning of een cultureel interessant programma, maar vrij om zijn dag in te vullen is hij niet. Reisorganisaties lassen dan ook niet zelden een 'vrije ochtend' of 'vrije middag' in, of schrijven in hun brochure dat de avond 'ter vrije besteding' is. De betrekkelijke onvrijheid van de rest van de vakantie wordt hiermee subtiel onderstreept. De tragiek van de vakantieganger is dat hij vrijheid zoekt, maar dit doet door onvrijheid te kiezen. De vrijheid weegt zwaarder dan menigeen vermoedt.

Het lijkt erop alsof reizen voor veel mensen er niet zozeer gericht op is om een land te leren kennen, maar om een droom te kunnen leven. Niet gehinderd door kennis over armoede, sociale misstanden, etnische spanningen, corruptie, vuil of honger, wil een bepaald soort toeristen het liefst een veilige, afgebakende ontsnapping uit de dagelijkse stress. Niet alle toeristen zijn over één kam te scheren, noch wil ik voorbijgaan aan het feit dat iemand de ene keer meer op zoek is naar het ideale, het paradijs, dan de andere keer. Maar feit is ook dat het paradijs in trek is bij toeristen en dat veel vakanties een tamelijk eenzijdig beeld presenteren van de werkelijkheid.

Over mogelijke diarree, ongelukken, of confrontaties met armoede en vuil wordt nauwelijks gesproken. De foto in de brochure laat de stoffige weg niet zien; het onderschrift maakt geen gewag van de pijn die een hobbelige weg veroorzaakt bij de reiziger met buikkrampen. Een belangrijk deel van de werkelijkheid wordt buitengesloten en alleen het paradijselijke blijft over. De feitelijke ervaring, met de lijfelijke aanwezigheid die zijn eigen wil oplegt aan de reiziger, kan ver afstaan van het paradijselijke ideaal. De kloof tussen het gedroomde paradijs en de harde realiteit is groot.

Niettemin is het paradijs, samen met het droomoord, een van de laatste bestemmingen in een lange reeks van voorstellingen van 'ideale oorden' en samenlevingen. Als gezochte utopie neemt het de religieuze vorm aan van een hemel of paradijs, of de sociaal-politieke vorm van een hemel of een paradijs op aarde. De stap naar de vakantiereis is snel gemaakt: het woord paradijs wordt in de reiswereld vaker gebruikt dan in de kerk.

Het lijkt erop dat de *recreatieve vakantie* bij uitstek een poging is om paradijselijke compensatie voor het werkzaam leven te verschaffen. Misschien heeft Lefebvre gelijk; zoeken wij op vakantie of op reis dát wat in ons dagelijks leven ontbreekt. Uitspraken van toeristen als "Ik heb het hele jaar hard gewerkt om nu in de zon te liggen"; "Ik geniet van de rust en de ruimte hier in de Alpen; even weg uit de drukte van de stad" onderstrepen dit motief.

De huidige vakantieganger zoekt actief naar zijn eigen moderne Cocagne. Het internet geeft een aardige inkijk in de omvang van de behoefte aan paradijzen tijdens de vakantie. De combinatie 'vakantie' en 'paradijs' levert in april 2005 ruim 91.000 Nederlandstalige verwijzingen op – in november 2004 ca. 20.000. Reisorganisaties spelen daar op in: wanneer men de woorden 'reisorganisatie' en 'paradijs' intypt verschijnen er 750 verwijzingen, wat betekent dat er dus alleen al in Nederland door commerciële reisorganisaties zo'n 750 ingangen tot het paradijs worden aangeboden, waarbij zowel naar verre landen, natuur, als oude culturen wordt verwezen.

Met behulp van Google kan ook een reconstructie van het moderne paradijs, zoals dat wordt aangeboden door reisorganisaties, worden gemaakt. Binnen de eerste selectie is op trefwoorden verder te zoeken. 'Paradijs' in combinatie met 'strand' levert in april 2005 bijna 400 hits op. Dat is misschien wat opmerkelijk gezien de afwezigheid van zee en strand in het oorspronkelijke paradijs, maar past bij een paradijs opgevat als 'oorspronkelijke natuur' – de Hof van Eden. Want natuur moet zeker aanwezig zijn (ruim 400 verwijzingen) – een nadere specificatie is grotendeels overbodig; zoeken naar 'planten' bijvoorbeeld leverde ruim 100 verwijzingen op. In het paradijs moeten wel dieren aanwezig zijn, liefst in wilde vorm, zolang ze niet levensbedreigend of eng zijn. Vogels worden speciaal genoemd (ca. 95 keer), net als vissen – hoewel het niet altijd even duidelijk is of je er tussen moet zwemmen of ze moet vangen. In de ideale vakantie wordt cultuur ook veel genoemd, maar bij nader speuren blijkt het paradijs meestal niet samen te vallen met cultuur: nadat eerst de paradijselijke natuur is opgehemeld, volgt daarna nog een wervend stukje voor de mens die ook wat cultuur wil tijdens zijn vakantie.

Natuurlijk is dit slechts een klein onderzoekje, maar niettemin geeft het een aardig beeld van de Nederlands(talige) voorstelling van het paradijs. Vooral als daarna de combinatie 'hel' en 'vakantie' wordt ingetypt: van de ruim 15.000 hits (waaronder overigens veel misspellingen van 'heel' of 'het') blijkt een groot deel van de genoemde 'hellen' te verwijzen naar ofwel grotten, vulkanen of andere hel-achtige natuurverschijnselen, die we als moderne invullingen van het 'sublieme' kunnen opvatten, of naar het verleden (Vietnam - "het moet hier een hel zijn geweest"; een idyllische vroegere Franse strafkolonie, ooit een 'groene hel') of naar Nederland! Men gaat op vakantie om de eigen hel van het drukke leven in het volle land te ontvluchten. Opmerkelijk is ook dat de hel als aanprijzing wordt gebruikt, zoals bij het tv-programma Peking Express (voorjaar 2004), waarbij de deelnemers van Moskou naar Peking moesten liften: "De hel heeft een naam: Peking Express". De opvolger uit 2005 reist van Peking en via Tibet naar Mumbai (Bombay): wat voor de een het paradijselijke Shangrila is, is voor de ander een potentiële hel.

De goede reisbestemming

Het lijkt erop dat de reis niet per se een neutrale onderneming is, louter gericht op mooie plaatjes, maar althans ten dele een morele zoektocht – paradijs en hel zijn niet neutraal, het weglaten van een belangrijk deel van de werkelijkheid elders (namelijk de ongewenste aspecten) evenmin. Paradijs, hemel en hel hebben per definitie een ethisch aspect: ze verwijzen respectievelijk naar de onschuldige staat van de mens vóórdat hij van de boom van goed en kwaad at en naar de toestand na de dood waarin de vergelding van goede en slechte daden volgt. Juist de keus voor dergelijke begrippen doet vermoeden dat de vakantie wellicht niet zo'n ethisch neutrale, vrijblijvende onderneming is als we in onze onschuld geneigd zijn te denken.

Het paradijs, waarin goed en kwaad nog niet bestaan en de mens onschuldig en onwetend is, oefent een grote aantrekkingskracht op de vakantieganger uit – in zijn paradijselijke vakantieoord is hij verlost van morele verantwoordelijkheid en kan hij zich overgeven aan onwetendheid in de hoop zijn onschuld terug te krijgen. De onschuldige, "nergens-over-na-hoeven-denken"-toestand van de vakantieganger ontheft eenieder van de verantwoordelijkheden van het dagelijks bestaan. In die zin kleeft er een onvermoede diepere lading aan de vakantie.

Die overgave aan onwetendheid begint al met een bewust de ogen sluiten voor bijvoorbeeld de milieuvervuiling die vliegvakanties met zich meebrengen, een eventuele ontwrichting van lokale economieën door massatoerisme, de immorele aspecten van seksvakanties. Maar ze strekt zich ook uit op het gebied van zinzoeking tijdens de vakantie of reis. De oude betekenis van 'ethisch' had niet zozeer betrekking op het goede *doen*, maar op het goede *zijn*: een goed mens zijn. Daarmee refereert het onmiddellijk aan een idee van wat zinvol is.

Volgens de filosoof Charles Taylor is de mens een wezen dat bestaat in zelfinterpretatie, met andere woorden, hij maakt zichzelf in zijn eigen interpretaties van zichzelf. Een goed mens zijn betekent zo opgevat dat hij een zinvolle interpretatie van zichzelf geeft, die aansluit op betekeniskaders waarin hij zichzelf kan interpreteren. In de loop van de geschiedenis zijn verschillende kaders gegeven waarin de mens zichzelf kan plaatsen, en van waaruit hij kan begrijpen of hij een "goed" mens is. Zo kan hij een goed strijder zijn, een goed denker of een goed burger. Zijn denken en doen plaatst hij tegen de maatstaf van de moed die hij betracht, de wijsheid die hij beoogt of het stichten van een gezin. De mens oriënteert zich op deze kaders: de strijder wil moedig zijn, de filosoof wijs, en de burger een goed vader.

Op vakantie gaan wordt niet als zinloos gezien vanuit de optiek van de moderne burger. Als dat zo zou zijn, zouden de buren ons raar aankijken als we vertelden dat we op vakantie gingen, of we zouden ons schamen voor het feit dat we een week weggaan. Dat is niet het geval, sterker nog, we horen ons eerder te generen indien we nooit op vakantie gaan. De vraag is vervolgens waarom vakanties dan enige zin hebben?

We kunnen beginnen met de eenvoudige constatering dat we op vakantie iets zoeken dat we in ons alledaagse leven niet kunnen vinden: onszelf, de natuur, een ongerepte cultuur, et cetera. Voorzichtig gezegd zoeken we een zin in onze vakantie die we niet in ons dagelijks leven kunnen vinden. Voorheen zouden mensen die zin hebben gezocht in een hogere bestemming, in een hemel bijvoorbeeld, maar het lijkt erop dat hier een verschuiving is opgetreden. Taylor wijst er reeds op dat mensen zichzelf voorheen vooral richtten naar een ideaal dat ver buiten henzelf stond: een groter kader van de kosmos, waarin de mens zijn eigen plekje had; het grotere kader van de samenleving, waarnaar het individu zich moest schikken; het kader van het gezin, waarin eenieder een vaste plaats had. In de oriëntatie op die kaders is een verschuiving opgetreden: de moderne mens richt zich naar binnen. Die ontdekking is in de Romantiek gedaan en heeft in brede kring postgevat, met alle gevolgen van dien.

Een van die gevolgen is dat de mens zijn eigen paradijs zoekt, in plaats van zich te schikken naar een hemels paradijs dat door de Kerk is ingevuld en aangedragen. Het paradijs op aarde is een geduchte concurrent van de hemel geworden. De hedendaagse Nederlander verbindt de zin van zijn bestaan niet langer aan een leven na de dood. Ontkerkelijking en secularisatie hebben het geloof in een hogere zin ernstig uitgehold.

Hemel en hel zijn geen maatstaven meer voor zijn bestaan. De moderne Nederlander is in hoge mate tevreden met zijn huidige bestaan, blijkt keer op keer uit onderzoeken naar geluk.

Maar zijn geluk is niet compleet – en dat creëert een noodzaak voor vakantie. Wat hij niet vindt in zijn dagelijkse leven, zoekt hij tijdens zijn vakantie. Deze vakantie is daarmee bij uitstek de vakantie van de tevreden en misschien zelfs vaak (maar niet noodzakelijk) geseculariseerde samenleving, waarin het paradijs op aarde gerealiseerd kan worden en de hemel overbodig is.

Deze bewering sluit niet alleen aan bij mijn kleine Google-onderzoekje, maar ook bij studies naar hemelbeelden uit diverse tijden. De theologen Colleen MacDannell en Bernhard Lang vergelijken in hun studie *Heaven, A History* uit 1994 talloze voorstellingen van de hemel vanaf het begin van het jodendom tot hedendaagse christelijke verbeeldingen. Het blijkt dat de voorstellingen die mensen maken van de hemel sterk afhangen van hoe zij hun leven op aarde ervaren.

In tijden van tegenspoed is het beeld van de hemel heel abstract: een beeld van het Lam Gods waar omheen mensen in aanbidding knielen, of een kring van licht die voor het Goddelijke staat. Individuen lossen op in een massa gelovigen, geuren en kleuren zijn afwezig, en alles is gericht op dat vaak zeer abstract ingevulde Goddelijke.

In tijden van voorspoed daarentegen hanteren mensen een zeer aards vormgegeven hemelbeeld: er zijn parken of tuinen met fraaie fonteinen, mooi vormgegeven natuur, een gecultiveerde Hof van Eden, waar mensen picknicken op het gras, genietend van elkaars gezelschap, muziek en ontspanning. Kortom: de hemel wordt dan veelal op dezelfde manier voorgesteld als de hedendaagse mens zich zijn ideale vakantie voorstelt.

Dit paradijselijke beeld blijkt opmerkelijk constant in de loop van de geschiedenis, met soms een stadse tegenhanger (De nieuwe stad Jeruzalem, naar voorbeeld van het Bijbelse boek Openbaringen), maar dan wel een ideale stad, zonder de chaos en stank die de meeste steden eigen zijn. De cultuurpracht van Florence is zodoende ook een ideaalbeeld te noemen, en de volmaakte Taj Mahal, de schoonheid van de piramiden en de fraaie tempels van Thailand zijn zo bezien elementen uit de ideale stad. Waarbij meteen opgemerkt moet worden dat er maar weinig steden zijn die door de inwoners of buitenstaanders werkelijk als de ideale stad worden gezien: drukte, verkeerslawaai en overbevolking maken de meeste steden tot plekken waar men in de vakantie graag vandaan vlucht.

Uitgaande van deze dichotomie in hemelbeelden ontstaat inzicht in de rol die de vakantie in onze huidige samenleving vervult. Is onze tijd niet zo vervuld van welvaart, dat het paradijs in onze ogen ook op aarde gerealiseerd kan worden, en wel in die korte perioden van vakantie waar we volgens de wet recht op hebben? Hoewel het geloof in de maakbare samenleving aan het eroderen is, lijkt het geloof in een maakbaar paradijs – buiten onze Nederlandse samenleving – in brede kring post te hebben gevat. We geloven in de maakbaarheid van het paradijs, wellicht niet meer in alle opzichten in eigen land, maar toch zeker op deze wereld, weg van de zorgen van het dagelijks bestaan. Zonder het idee dat het elders beter kan zijn, heeft het geen enkele zin om de ongemakken die iedere reis en vakantie met zich meebrengt, te willen doorstaan. Uitgangspunt van de paradijselijke vakantie is dat het paradijs wel degelijk bestaat, en wie ervoor betaalt kan zich hier inkopen. Dat kan heel eenvoudig door met een reisorganisatie mee te gaan naar het paradijselijke Bali, Thailand of Mexico. Het kan ook door een huisje in Frankrijk te kopen – en als een God in Frankrijk over een persoonlijk paradijsje te heersen.

De aanslagen op Bali en het WTC hebben de gedachte aan het aardse paradijs ruw verstoord, en het toerisme zakte onmiddellijk na de aanslagen in, maar is sinds 2004 weer op gang gekomen. De tsunami van december 2004 werpt eveneens een smet op het paradijs – de ongerepte stranden zijn niet per se onschuldig. Een reactie op de aanslagen is om het paradijs dichter bij huis te zoeken – het aantal binnenlandse vakanties steeg sterk. De reactie op de tsunami laat zien hoe sterk het verlangen naar het ongerepte paradijs leeft, en hoezeer ze aanwezig is in de strandparadijzen: na een korte dip direct na de tsunami, steeg het aantal boekingen in maart 2005 sterk, in een tsunami-achtig proces van terugtrekking van de toeristengolf en een verwachte overspoeling na enkele maanden. De mythe van het paradijs is sterk genoeg om een eenmalige verwoestende golf te overleven.

De twijfel over de paradijselijke toestand van Nederland na de moorden op Pim Fortuyn en Theo van Gogh is groot genoeg om de onschuld van het paradijs elders nog steeds te willen. Naast alle bekende paradijsbestemmingen, worden er soms opmerkelijke initiatieven genomen om het maakbare paradijs aan te bieden. In dezelfde week dat Theo van Gogh werd vermoord en Nederland op zijn grondvesten schudde, stond er een grote advertentie in de krant waarin een nog op te leveren vijfsterren hotel aan de Turkse kust stond aangeprezen.[19] Dit hotel is geheel gebouwd in stijl van Amsterdamse grachtenhuizen, de winkeltjes zijn

Volendamse huisjes, er staat een molen aan de kust. De ontvangsthal is gemodelleerd naar het Centraal Station, de oprit lijkt op de Dam - een Dam zonder demonstraties en een Stationshal zonder dreiging van terroristische aanslagen. Het ideale vakantieparadijs als vlucht uit een ingewikkelde samenleving. Het opgeven van de vrijheid van keuze voor een tijdelijke onschuld in een veilige omgeving. Grondtoon blijft die van een geseculariseerde samenleving, die gelooft in de zinvolheid van het bestaan van alledag en de realisatie van een zinvol bestaan in dít leven en in déze wereld. De Nederlander hoopt het paradijs reeds bij leven te vinden. De jaarlijkse vakantie speelt zeker een rol in de geluksbeleving van de gemiddelde Nederlander. De vraag naar een hogere zin kan gemakkelijk naar de achtergrond verdwijnen voor hen die opgaan in het leven van werken en vakantie, in het ritme dat de samenleving aandraagt. De paradijselijke vakantie lijkt zo op het eerste gezicht het antwoord van de seculiere mens naar een zinvol bestaan. Maar schijn bedriegt.

De ultieme verveling

Wie langer dan een week of een paar weken in een aards paradijs zit, of enkele maanden in een prachtig, maar afgelegen huis in de Franse Pyreneeën, stuit naar alle waarschijnlijkheid op de grootste vijand van het paradijs: de verveling. Een bekend risico – Schopenhauer stelde zich de hemel al voor als een plek van ultieme verveling en daarmee van ultieme zinloosheid. Het vakantieparadijs lijkt eenzelfde lot beschoren. Hoe zinvol is een volmaakt paradijs?

Het boeiende proefschrift van filosoof Ello Paul uit 1997 behelst een studie naar de betekenis van avontuur en verveling, en plaatst deze tegen de achtergrond van het zoeken naar zin. Volgens Paul streven mensen naar twee dingen: *beheersing* en *zin*. Aan de ene kant zijn wij behoeftige wezens, om met Marx of Maslow te spreken, die voedsel, veiligheid en menselijk contact nodig hebben. Daartoe streven we naar beheersing van onze omgeving, zoals het uitschakelen van gevaar, het zeker stellen van voedsel, het uitbannen van ziekte, en het reguleren van contacten tussen mensen om hiermee veiligheid en comfort zeker te stellen. Dat was tot de Middeleeuwen maar in zeer beperkte mate mogelijk, maar door de invloed van de Verlichting (de Rede en ontwikkeling van wetenschap), de Franse revolutie (politieke scheiding tussen kerk en staat), en de industriële revolutie, zijn we steeds beter in staat ons bestaan te beheersen: voedsel, een dak boven ons hoofd, medische verzorging zijn voor vrijwel iedereen in de Westerse wereld vanzelfsprekendheden (waarbij ik de onzekerheid over de stapsgewijze afbraak van het sociale stelsel buiten beschouwing laat, omdat haar effecten nog onvoldoende merkbaar zijn).

Daarnaast streven we naar zin: we ondernemen een poging opgenomen te worden in een ruimer geheel, en wel op dusdanige wijze dat we onszelf van belang weten voor dat geheel. Met andere woorden: we streven ernaar 'ertoe te doen' in een geheel dat groter is dan wijzelf. Vóór de moderne tijd werden doel en zin vooral religieus uitgedrukt. De mens kon slechts in beperkte mate zijn bestaan beheersen, maar zijn zin ontleende hij aan iets anders. Paul haalt in dit verband het streven van de kerkvader Augustinus aan, die de mens als een wezen van twee werelden ziet: de aardse wereld en de Stad van God. Tijdens zijn aardse leven moest hij zijn leven op aarde zo goed mogelijk inrichten, door beheersing van ongewenste factoren, maar zijn zin ontleende hij aan de Stad van God, dus aan het bestaan na de dood.

Die twee doelen, beheersing en zin, werden echter langzaam in elkaar geschoven, betoogt Paul. Met het succesvoller worden van de beheersing, richtte de mens zich meer en meer op zijn aardse leven. Beheersing is vanaf dat moment beetje bij beetje het doel van het leven geworden, waarmee beheersing en zin zich naar elkaar toe lijken te bewegen. Dit is gepaard gegaan met een groot vooruitgangsoptimisme, dat we bijvoorbeeld terugzien in het denken van Marx en van Maslow.

Marx' onderscheid tussen het Rijk van de Noodzaak, dat getypeerd wordt door de behoeften van de mens (geen honger, geen kou lijden), en het Rijk van de Vrijheid, waarin mensen na het winnen van de strijd tegen de natuur klaar zijn met de socialistische revolutie en waarin men dan niet langer overheerst zou worden of zou overheersen, is illustratief. Zijn ideaalbeeld is: 's morgens werken, 's middags vissen en 's avonds zich met cultuur bezighouden. Men zou dus vanzelf tot ontplooiing komen. Uit beheersing zou als vanzelf de zin volgen.

Ook bij Maslow lijkt beheersing naadloos over te gaan in zin. Zijn onderscheid tussen hogere en lagere behoeften is vergelijkbaar met dat van Marx. De lagere behoeften – voedsel, veiligheid, sociale waardering – dienen eerst bevredigd te worden voordat de zelfontplooiing mogelijk is: het bekende streven naar zelfactualisatie is de hoogste stap in zijn behoeftenpiramide.

Nu is de vraag natuurlijk of het wel terecht is dat de behoefte aan zin zo gemakkelijk wordt gereduceerd tot de mogelijkheid van manipulatie. Wie hierover nadenkt, stuit al snel op ongemakkelijke voorbeelden, waaruit blijkt dat beheersing niet automatisch tot zin leidt. Paul haalt twee romans aan, waarin het falen van deze gedachte al snel komt bovendrijven. De Britse schrijver Aldous Huxley (1894-1963) zocht levenslang naar een ideale wereld en werkte meerdere sporen uit om die ideale wereld te bereiken: door reizen (*Along the Road*), met behulp van drugs (*Doors of Perception*) of door een spirituele ontwikkeling (*The Perennial Philosophy*). In *Brave New World* onderzocht hij de mogelijkheid van de ideale wereld als utopie van ultieme beheersing. In deze roman krijgen we een perfecte wereld voorgeschoteld waarin alles beheerst is, zowel lijden als geluk.

Maar die wereld voelt ongemakkelijk aan; de lezer veroordeelt hem en de hoofdpersoon eveneens. De reden hiervoor is in eerste instantie lastig te geven, omdat de hoofdpersoon een opeenvolging van 'heerlijke, nieuwe ervaringen' beleeft. Maar juist daarin ligt het ongemak – meer dan die heerlijke nieuwe ervaringen heeft hij niet. Hij kan niets in zijn leven en in zijn toekomst veranderen. Hij doet er op geen enkele manier toe: zijn leven ligt vast. Het hebben van toekomst betekent dat het er iets toe doet dat je er bent, en dat je in je streven naar zin iets aan je lot kunt veranderen. Dat valt weg in *Brave New World*, omdat er alleen sprake is van perfecte beheersing. Hoewel het in eerste instantie moeilijk is aan te geven waarom de 'heerlijke nieuwe wereld' helemaal niet heerlijk is, vormt het verlangen van de mens naar zin de vinger op de zere plek. In de 'heerlijke nieuwe wereld' heeft de mens geen zin; hij kan niets aan zijn lot veranderen. In die zin maakt het niet uit of hij er wel of niet is, de wereld gaat net zo goed door met hem als zonder hem, zijn bestaan maakt hierin geen verschil. Ultieme beheersing als zinverschaffer blijkt daarmee te hebben gefaald, toont Huxley aan.

Het andere voorbeeld is de roman *Alle mensen zijn sterfelijk* van Simone de Beauvoir. Ook hier blijkt de perfecte beheersing ongewenst: de hoofdpersoon is onsterfelijk, maar tevens diep ongelukkig. In een kernpassage uit de roman wordt dit als volgt verklaard: niets wat hij onderneemt, doet er iets toe. Hij kan zijn leven nooit in de waagschaal stellen, hetgeen al zijn acties niets waard maakt. Hij kan oorlogen beginnen, liefdesaffaires hebben, verre reizen maken, zonder ooit het gevoel te hebben dat hij hiermee andere dingen niet kon doen. Hij vervloekt zijn onsterfelijkheid. De beheersing van de dood geeft niet automatisch meer zin aan het bestaan, integendeel, het haalt de bodem onder de zin vandaan. Het falen van beheersing als zinverschaffer lijkt hiermee onmiskenbaar. Het lijkt erop alsof de mens de sterfelijkheid nodig heeft, alsof hij uit het paradijs verdreven móest worden om mens te worden, en in een onsterfelijk leven een zinloos leven zou leiden.

Hoe is dit toepasbaar op de *compleet verzorgde paradijselijke vakan-tie*? Voor veel mensen is de volledig verzorgde vakantie een paradijs waar de verveling al snel in doorsijpelt. De vakantieganger die werkelijk drie weken op het strand ligt, wordt door niets meer geprikkeld, hetgeen zich zelfs schijnt te uiten in een significante daling van de intelligentie. Na drie weken paradijselijke strandvakantie willen de meeste mensen maar al te graag weer naar huis. De vraag die rijst bij een documentaire over tweede huizen in Frankrijk, in 2005 uitgezonden bij de VPRO, is of een luxe huis op een veilig, ommuurd resort nu het recept voor ultieme ver-veling is, of dat het de ultieme ontspanning oplevert. Wanneer we dro-men van ons eigen paradijsje op aarde, fantaseren we misschien over een ultieme beheersing in termen van een veilige, mooie plek, waar perso-neel voor de natjes en droogjes zorgt, en mensen de hele dag de tijd heb-ben om … - en daar stokt het. Om cocktails te drinken? Om met vrien-den te praten? Om boeken te lezen? Kunnen we dan niet net zo goed thuisblijven en daar een paradijsje creëren?

Elders zijn en *Fernweh*

In de hele geschiedenis roepen filosofen de mens op zijn veilige stoel niet te verlaten. Reizen heeft vele tegenstanders gekend. Lucretius (ca. 96 - 55 v.Chr.) verzuchtte dat men met reizen altijd zichzelf tegenkwam, en van plaats veranderen geen enkele zin had om ons te verlossen van verveling:

> Wie thuis zich dodelijk verveelt, gaat vaak op reis
> uit 'n groot paleis en komt daarin weer gauw terug,
> omdat het elders hem niet beter blijkt te gaan.
>
> Lucretius, *De rerum natura*

Al twee millennia geleden deed hij een waarschuwing uitgaan die de hedendaagse verveelde, cocktail nippende jetset van Marbella en ande-re luxe badplaatsen zou moeten horen: het is daar wellicht niet zoveel beter dan thuis. De vraag is natuurlijk of hij helemaal gelijk heeft – juist het verzetten van de zinnen kan de mens tot rust brengen. Sene-ca (3 v.Chr. – 65), niet bij voorbaat tegen reizen - wijst vanuit dat oog-punt een zwaarmoedige vriend erop dat hij zijn landschappen goed moet uitzoeken en dat hij zichzelf altijd meeneemt op reis.

Je moet van mentaliteit veranderen, niet van klimaat. Al steek je de eindeloze zee over, al 'wijken', zoals onze Vergilius zegt, 'landen en steden achter je', je problemen zullen met je mee gaan waar je ook heen gaat.

Seneca, *Brieven aan Lucilius*

Daarmee lijkt het reizen nog steeds weinig zinvol te zijn, hetgeen ook Pascal (1623-1662) beaamt, wanneer hij schrijft:

Ik heb ontdekt dat al het ongeluk van mensen uit één enkel feit voortkomt, namelijk dat ze niet rustig in hun eigen kamer kunnen blijven. Een mens die genoeg heeft om door te leven, zou, als hij wist hoe hij met plezier thuis kon blijven, dit niet verlaten om naar zee te gaan of een plaats te veroveren.

Pascal, *Pensées, I, 139*

Is dit zo? Niet alle filosofen zijn het met hem eens. Tegenover de sceptici stellen onder anderen Montaigne, Schopenhauer, Nietzsche en Kafavis juist dat we moeten reizen om te leren, dat het thuisblijven minder leert. De Griekse dichter Kafavis begint in zijn gedicht Ithaka zijn verbeelding van Odysseus' reis als volgt:

Als je de tocht aanvaardt naar Ithaka,
wens dat de weg dan lang mag zijn,
vol avonturen, vol ervaringen.

Tijdens de reis leert men over andere culturen en het culturele verleden en komt men zichzelf tegen. Niet dat dit reizen altijd aangenaam hoeft te zijn, die menselijke onrust is zelfs te zien als een van de vloeken waarmee de mensheid behept is, maar de reis kan wel degelijk zin hebben vanwege de mogelijkheid die ze biedt om de grenzen van het bekende op te rekken en de mens daardoor een nieuwe vrijheid te geven door een nieuw bewustzijn van zichzelf en de wereld. Weliswaar is de paradijselijke vakantie uiteindelijk onbevredigend vanwege de verveling die er een onderdeel van is, maar er is meer mogelijk.

Ingekleed risico

Een eerste poging om zin te bieden in de reis, is de avontuurlijke vakantie. Wat houdt die in? De deelnemer gaat op kamelensafari met vijf gidsen, zeven kamelen, een kar waar degenen die moe zijn van het kameelrijden op kunnen meerijden, en overnacht in de open lucht in een woestijn waar volgens de gids geen slangen en schorpioenen zijn. Of gaat raften in Nepal; doet aan canyoning in Frankrijk of bungeejumpen in Nieuw Zeeland. Of trekt in een rammelende jeep door Tibet, gaat per schuddende vrachtwagen naar Zuid-Amerika, maakt een drieweekse tocht door de jungle. Zelfs reizen per lokale bus – in de ogen van de lokale bevolking geen avontuurlijke onderneming, maar simpele noodzaak – kan worden aangeboden onder de noemer 'avontuur'.

De avontuurlijke vakantie is een antwoord op het probleem van de verveling in het paradijs, in de hoop met het avontuurlijke – opgevat als het niet totaal beheersbare en voorspelbare - op zin te stuiten. We zoeken namelijk niet alleen naar beheersing (het compleet verzorgde vakantieparadijs), maar zetten de deur op een kier om het onverwachte toe te laten. Het ideaal van de avontuurlijke reis is dat de klant een authentieke, unieke vakantie heeft, waarbij de boze en moeilijke buitenwereld van zijn scherpe kantjes wordt ontdaan door de reisorganisatie en de reisbegeleiding ter plaatse, die onverwachte problemen oplost, een dokter regelt en soms urenlang in hete wachtkamers zit om tickets te kopen.

In het volledig verzorgde vakantieparadijs is de ruimte voor eigen initiatief minimaal. Net zoals we Brave New World een nachtmerrie vinden, vinden veel mensen het vakantieparadijs niet ideaal. Afgezien van degenen die het in hun dagelijkse bestaan zwaar en druk hebben en tijdens hun vakantie nergens meer aan willen denken en vooral willen uitrusten en bijkomen, willen veel mensen iets meemaken, iets beleven tijdens hun vakantie. De toerist/reiziger wil niet alleen toeschouwer en

Paul Voorthuis

passant zijn in den vreemde en wil evenmin het vreemde totaal vertrouwd hebben gemaakt in het onbedreigde vakantieparadijs, maar wil ook deelnemer worden. De vraag is of dit mogelijk is in een georganiseerde reis.

De reiziger die boekt voor de avontuurlijke vakantie voelt dat er iets ontbreekt aan de beheerste vakantie, dat die uiteindelijk geen zin verschaft. Hoewel de vakantie rust en ontspanning geeft, stelt ze het bestaan niet op scherp. De avontuurlijke reis biedt meer ruimte voor het onverwachte, omdat niet alles van te voren is vastgelegd, en de deelnemers veelal op eigen gelegenheid hun excursies maken. Er kunnen dingen 'mis gaan' – variërend van de weg kwijtraken of een gesloten museum aantreffen, tot urenlange vertragingen of juist in positieve zin, overnachtingen bij de lokale bevolking en ontmoetingen met onbekenden.

De avontuurlijke vakantie zit daarmee echter in een lastige spagaat: enerzijds wil de organisatie de klant een veilig product aanbieden – het is tenslotte vakantie, dus het moet niet al te dol worden – en aan de andere kant belooft de organisatie iets onvoorspelbaars en risicovols, zodat de klant het gevoel heeft dat zijn handelen een verschil maakt. Hij levert zich niet volledig over aan een compleet bedacht en ingevuld reisprogramma.

De avontuurlijke reis is daarmee een schijnavontuur, iets waar ook Ello Paul op wijst. De deelnemer gaat er altijd vanuit dat hij heelhuids terugkeert, dat de reis niet werkelijk gevaarlijk is, en dat wat voor hem onbekend is, voor de organisatie en reisbegeleiding wel bekend is. Een werkelijke confrontatie met het gevaar wordt door de groepsreiziger niet alleen als gevaarlijk, maar ook als ongewenst ervaren. Hij wil wel enig risico lopen, maar binnen de grenzen van het beheersbare: een vertraagde trein mag, hoewel ik heb meegemaakt dat deelnemers gingen uitrekenen hoe duur die uren vertraging waren, afgezet als verloren tijd tegen de reissom. Een lekke band is te doen, een beetje diarree is ook nog wel te overleven, maar het moet niet écht gevaarlijk of risicovol worden, laat staan dat de beheersing op losse schroeven komt te staan.

Een voorbeeld, afkomstig van een bevriende reisbegeleider: een reisgroep is onderweg van het bergachtige noorden van Pakistan naar China en wordt overvallen door grote aardverschuivingen. De bus kan hier niet overheen, de groep moet wachten tot de volgende dag, en dan 's ochtends, wanneer het gevaar op nieuwe landverschuivingen het kleinst is, met rugzakken over de landverschuiving klimmen. De reacties van de groep variëren: sommigen vinden het niet meer leuk, omdat het opeens 'echt' wordt; anderen zien het nog steeds als een soort spel en gaan ervan uit dat er niks echt mis kan gaan, omdat een reisorganisatie anders niet zo'n soort reis zou aanbieden. Deze mensen gaan er dus vanuit dat de wegen al gebaand zijn, en laten daarmee zien dat ze zelf ook niet werkelijk geloven dat hun reis echt avontuurlijk is. De beheersbaarheid wordt altijd voor vaststaand aangenomen, bij iedere georganiseerde reis.

Dergelijke reizen, of ze nu wel of niet onder de noemer 'avontuurlijk' worden aangeboden, bieden weliswaar een heel scala aan fraaie zaken: kennis van een vreemde cultuur, ontspanning, spanning, gezelschap, maar het blijft de insteek van de reis om binnen de vertrouwde grenzen van de beheersing te blijven. Als die grenzen werkelijk in zicht komen, moet de reisbegeleider het oplossen en wordt daarmee de illusie doorgeprikt. De avontuurlijke groepsreiziger durft de stap naar een reis 'met losse handen', zonder de veiligheid van organisatie, reisbegeleiding, de van te voren beproefde route en de zoveel mogelijk uitgebannen risico's, niet te nemen. Wat overigens eveneens ten dele geldt voor de Lonely Planet reiziger, die in plaats van een reisleider een boek meeneemt – het woord 'gids' slaat immers zowel op een mens als op een boek.

Zinvolle belevenissen

Misschien omdat de toerist inmiddels zelf door begint te krijgen dat de avontuurlijke vakantie per definitie niet werkelijk avontuurlijk is, maar toch het een en ander wil meemaken, zien we recentelijk de opkomst van de belevenisvakantie. Ook reisorganisaties die een verleden hebben als avontuurlijke reisorganisatie, zien zich inmiddels door de markt gedwongen om hun concepten om te buigen.

De belevenisvakantie begon als sportieve vakantie, met raften, parapenten en klettersteigen, maar schuift inmiddels op van een zuiver fysiek naar een meer mentaal of sociaal fenomeen. Daarvoor hoeven we niet eens naar Nepal of Peru. In Amsterdam kunnen mensen de Amsterdamse liquidatietour boeken, die langs plekken voert waar "beroemde" misdadigers geliquideerd zijn, of de al eerder genoemde Tulpentour. In Parijs kunnen vervelde managers enige tijd onder een brug slapen om de zin van hun bestaan te ontdekken. In New York kan de liefhebber een walkman huren en op persoonlijke wijze worden toegesproken wanneer hij de Bronx ingaat, om aan de hand van deze onzichtbare vriend plekken te bezoeken waar hij anders niet binnen zou durven treden. In tv-reisprogramma's zijn de jonge presentatoren vooral gericht op het meemaken van gebeurtenissen – de stad die ze bezoeken is veelal een decor voor hun persoonlijke belevenissen.

Belevenissen beloven zin. Iets meemaken in plaats van alleen iets bezichtigen lijkt waardevol, omdat de aandacht verschuift van de objectieve wereld naar de subjectieve beleving en daarmee meer raakt aan de persoonlijke identiteit van de reiziger. En in de Westerse, individualistische cultuur, is de eigen identiteit van groot belang.

In de reiswereld vertaalt dit zich als volgt. Niet langer adverteren reisorganisaties met alleen de cultuurschatten of natuurmonumenten, maar ze beloven unieke ervaringen. Dat benoemt cultuursocioloog Gerhard Schulze in zijn boek *Die Erlebnisgesellschaft* (1989). Volgens hem leven we tegenwoordig niet meer in een industriesamenleving, die gericht is op doelen buiten zichzelf, maar voor een belangrijk deel in een belevenismaatschappij, gericht op doelen in onszelf. Daarmee bedoelt hij dat we voorheen vooral in termen van de doelmatigheid van producten keken, bijvoorbeeld naar een auto die het doet; maar nu vaak in termen van onze beleving, bijvoorbeeld naar een moderne of mooie auto – onze ervaring van de auto is belangrijker dan of hij goed rijdt. Ieder mens maakt zijn eigen belevenisproject, zoekend naar ervaringen die bijdragen aan een 'zinvol' bestaan – waarbij zin al snel op het vlak van beheersing ligt.

Vakanties zijn bij uitstek in zo'n belevenissamenleving te plaatsen – een 'unieke ervaring' is wel het minste wat we verwachten van een vakantie. Het ideaal van de beleving komt tot uitdrukking in reizen maken – de populariteit van de tv-serie Expeditie Robinson in zijn eerste twee seizoenen onderstreept dit, maar ook de populariteit van het *sabbatical year* om op wereldreis te gaan, laat zien dat mensen een verschil willen maken: ze willen zichzelf op de proef stellen, het niet-voorspelbare en onverwachte meemaken en daarbij (enig) risico lopen.

Maar het is natuurlijk altijd de vraag of vakanties wel echt die belevenissen opleveren die men ervan verwacht: zowel onzekerheid als teleurstelling liggen op de loer. We weten nooit precies of de vakantie ons wel echt die beloofde ontspanning, romantiek, en echtheid geven als waar we op hopen, en we kunnen op allerlei fronten teleurgesteld worden, zeker wanneer we de lat hoog leggen en niet alleen romantiek en ontspanning willen, maar ook authenticiteit.

De vraag is ook of van te voren bedachte belevenissen inderdaad de zinvolle ervaringen verschaffen waarnaar de reiziger op zoek is. Is zinvol niet onderscheiden van beheerst? En biedt de reisorganisatie die belevenissen verkoopt niet net zo zeer schijnbelevenissen als de avontuurlijke reisorganisatie schijnavontuur? Het schijnkarakter heeft niet alleen te maken met de objectieve of subjectieve aspecten van de beleving, maar vooral met een perspectief van keuze en verantwoordelijkheid en risico.

Alle reizen – van individuele bergtocht tot alles-inclusief pakketten aan de Turkse kust – zijn te kenschetsen aan de hand van een aantal factoren, die vanuit psychologisch perspectief draaien om de as 'nieuw en onbekend' versus 'veilig en vertrouwd', maar tevens een opvallende economische pendant hebben in *waar* iemand zijn geld uitgeeft. Of iemand zijn vakantiegeld zoveel mogelijk in het land van herkomst uitgeeft of juist in het land van bestemming, heeft grote gevolgen voor de ervaring van de reis. Wie thuis een alles-inclusieve reis boekt, geeft tegelijk met zijn geld ook zijn verantwoordelijkheid weg: hij hoeft niet meer te kiezen aan wie hij zijn geld uitgeeft – in lokale restaurantjes, aan een straatverkoper van vruchtensap of in het restaurant van een hotel. Wie zijn geld ter plaatse uitgeeft, zal ook meer gedwongen zijn zich enigszins te verdiepen in lokale normen: hij heeft de lokale ander meer nodig dan de toerist die alles al betaald heeft en in een veilige omgevingsbubbel van comfortabele hotels en airconditioned bussen het land bereist.

Tot slot reist degene die zijn geld ter plaatse uitgeeft op eigen gelegenheid en niet in groepsverband. Ook hier geeft geld hem vrijheid, en hoe eerder in het proces van op reis gaan iemand zijn geld aan een ander afstaat die dingen voor hem regelt, hoe meer hij ook zijn vrijheid afstaat. Oftewel: schaf ik mijn eigen kameel aan om een woestijntocht te maken (zoals reizigster en schrijfster Arita Baaijens deed in Egypte), spreek ik een gids aan op straat die me sympathiek en deskundig voorkomt, loop ik langs een reisbureautje ter plaatse dat kamelensafari's aanbiedt, of laat ik dit over aan de reisorganisatie in Nederland?

Het risico voor de reiziger ligt erin dat de zelf aangeschafte kameel oud en ziek is, dat de gids wegloopt, het reisbureautje ter plaatse minder waarmaakt dan beloofd, of de Nederlandse reisorganisatie de boel oplicht. De kameel is niet aanspreekbaar op zijn gedrag, noch aansprakelijk en de verkoper is allang verdwenen – de reiziger moet het probleem zelf oplossen. Een ingehuurde lokale gids is nauwelijks aansprakelijk, het lokale reisbureautje kan misschien iets meer klappen opvangen en een andere kameel of een andere gids regelen. De Nederlandse reisorganisatie is wel aansprakelijk en zelfs aan te klagen voor wat ze aanbiedt – op een schaal van veel naar weinig risico.

Op vergelijkbare wijze draagt de reiziger die in zijn eentje een trektocht door de bergen maakt veel risico, kan hij op een ingehuurde gids een deel van het risico afschuiven, en gaat hij er vanuit dat als hij bij een Nederlandse organisatie boekt dat het risico eigenlijk grotendeels is ingedekt. Want anders zouden ze het toch niet aanbieden?, denkt de toerist. Dat zoiets niet per se het geval is, bewijst het ongeval in het voorjaar van 2004 in de Spaanse Sierra Nevada, waarbij een groep wandelaars werd overvallen door slecht weer en twee deelnemers van de reisgroep overleden. Er ontstond commotie over het feit dat de reisleidster geen gediplomeerde berggids was. Door gebrek aan kennis kon zij de verantwoordelijkheid niet dragen die de reisorganisatie wel suggereerde in de werving.

Het zoeken van zin lijkt in hoge mate verbonden te zijn aan het maken van bepaalde keuzes, waarbij iemand bereid is meer verantwoordelijkheid te nemen voor wat hij onderneemt. Hoe meer hij overlaat aan een organisatie, hoe minder vrijheid hij zichzelf gunt en hoe minder hij bereid is het werkelijk onverwachte tegen te komen. Hoewel veel mensen de grens tussen beheersbaarheid en zin voelen, is het een kunst om een reis te maken op het scherpst van de snede. Om met Nietzsche te spreken: zet het leven op het spel.

> Dit is de overgave van het grootste, dat het waagstuk en gevaar is en een dobbelen om de dood.
> [...]
> En dit geheim vertelde me het leven zelf: 'Zie', sprak het, 'ik ben datgene wat zichzelf steeds overwinnen moet'.
>
> Friedrich Nietzsche, *Aldus sprak Zarathoestra*, p.116

In het paradijs zet het leven zich niet op het spel, integendeel. Het levert zich geheel over aan de bedachte werkelijkheid van derden. Juist daarom gaat met de realisatie van het paradijs wellicht de zin verloren. Juist het vakantieparadijs roept de vraag op of het bestaan niet wat meer scherpe kantjes moet hebben, of iemand zichzelf niet meer op de proef kan stellen, zodat het leven anders kan verlopen dan van te voren bedacht, en met het onverwachte ook de zin komt.

De demonen van het reizen

> Om onze Europese moraliteit eens uit de verte te bezien [...] moet je te
> werk gaan zoals een reiziger te werk gaat die wil weten hoe hoog de torens
> van een bepaalde stad zijn: daarvoor *verlaat* hij die stad.
>
> Friedrich Nietzsche, De vrolijke wetenschap, §380

Hoe kan men op de grens van de beheersing zin vinden? Naar mijn idee
zijn er in eerste instantie drie gebieden waar mensen op grenzen van
zichzelf stuiten. De waarneembare grenzen van het overschrijden van
het bekende brengen ons bij drie andere grensgebieden van ons zelf: de
grenzen van gevaar, angst en menselijkheid.

Het gevaar tegemoet: de ridder herleeft

De ontmoeting met het gevaar is populair. Ze stelt, meer dan het paradijs, in staat om grenzen op te zoeken waarin de beheersbaarheid op de
proef wordt gesteld in de hoop zin aan te treffen, wellicht vanuit die
confrontatie met de laatste grens – de dood – tot een hernieuwde invulling van zin te komen. In de oorlogsfilm of – roman zien we de confrontatie van de mens met de rauwste grens van zijn bestaan, de vroeg-
tijdige dood.

We kunnen beginnen met de constatering – die met name in het
existentialisme is gemaakt – dat de dood een grote invloed uitoefent op
ons leven, doordat ze de ultieme beperking van onze menselijke vrijheid
is. Uiteindelijk maakt de dood een einde aan al onze verlangens, projecten, liefdes, carrière, mislukkingen en successen. De dood fungeert
als een grens die het leven op scherp stelt: ze maakt een einde aan alles
wat ons zelf betreft, maar we weten niet wanneer ze komt en in welke
gedaante. Dat betekent dat we één grote zekerheid hebben – het feit dat
we dood gaan – en tenminste twee angstwekkende onzekerheden, namelijk hoe en wanneer.

De dood stelt daarmee onze keuzes op scherp: we hebben geen onbe-
perkte tijd om ons leven vorm te geven. Ooit komt er een einde aan, en
dat betekent dat de keuzes die we nu maken andere keuzes uitsluiten.
We kunnen niet én naar Australië emigreren, én voor onze zieke ouders
in Nederland zorgen; niet zowel chirurg worden als ontdekkingsreizi-

ger. De dood als grens beperkt ons bestaan – zonder de dood zouden we eerst chirurg, daarna ontdekkingsreiziger kunnen worden, eerst voor onze kinderen en later voor onze ouders zorgen en daarna wellicht emigreren. Dat dit niet de gewone gang van zaken is, lijkt een akelige inperking van onze vrijheid, maar tegelijkertijd brengt de dood daarmee een bijna prettig te noemen bijkomstigheid met zich mee, namelijk een gevoel van gewicht van onze daden. De dood geeft het gevoel dat onze keuzes ertoe doen, dat ze niet volstrekt arbitrair zijn, al is het maar omdat ze andere keuzes uitsluiten. De dood brengt zo een gevoel van verantwoordelijkheid voor ons eigen leven mee.

In die zin heeft ook het gevaar, dat de dood als gedachte dichterbij haalt, iets aantrekkelijks in zich. Flirten met het gevaar doet het besef te leven scherper naar voren komen. Dat gebeurt op kleine schaal in kermisattracties, waar we opgelucht uitstappen na een angstaanjagende rit vol duizelingen, en de gewone grond eventjes zeer bewust en zeer intens waarderen. Het gebeurt op een ingrijpender schaal in oorlogen, waar jonge soldaten hun moed en mannelijkheid kunnen betrachten. Ook reizigers zoeken grenzen op.

In existentiële zin is het dichterbij brengen van de ultieme grens aantrekkelijk. Hoewel slechts weinig reizigers de ultieme grens van de dood zélf willen opzoeken, wordt uit de monden van allerlei reizigers opgetekend dat ze willen weten wat levensgevaar betekent. Ook na de tsunami van december 2004, waarin het paradijs in korte tijd veranderde in een levensbedreigende situatie, voelen de vakantiegangers die het overleefden, zich voorgoed veranderd door deze onverwachte confrontatie met de dood.

Een reguliere reisorganisatie zoekt dit niet op. En geen enkele reisorganisatie biedt reizen aan waarin levensgevaar voorop staat – de emotionele belasting van de reisbegeleiding, het gedoe een lijk vanuit het buitenland te repatriëren, de slechte naam die de organisatie aan het avontuur kan overhouden hebben inmiddels ook steeds meer zogenaamde 'avontuurlijke reisorganisaties' op hun schreden doen terugkeren van het al te avontuurlijke: ze kunnen de verantwoordelijkheid niet dragen. Klanten blijken uiteindelijk niet bijster gelukkig met de gevaarlijke tochten door de bergen, waar in de regentijd niet zelden rotsen naar beneden storten – op jeeps of bussen, en waar landverschuivingen wegen onbegaanbaar maken en de reisschema's danig in de war brengen. Ze klagen wanneer een bus het begeeft en ze urenlang moeten wachten.

Terwijl de medewerkers van een avontuurlijke reisorganisatie het als een ultiem avontuur beschouwden toen een groep toeristen enkele dagen bij nomaden in Mongolië moest verblijven, omdat een busonderdeel uit de hoofdstad Uulanbaatar moest worden gehaald, bleken diverse deelnemers het avontuur geenszins te waarderen vanwege de primitieve omstandigheden.

Daarom zal degene die avontuur zoekt, dat in het algemeen op eigen houtje doen. Soms worden zelfs expres oorlogsgebieden bezocht, omdat er dan geen andere toeristen zijn, maar vaak wordt het avontuur gezocht in het fysiek zware, zoals klimtochten, trekkings door afgelegen gebieden, raften over wilde rivieren, et cetera. De kwetsbaarheid van het menselijk lichaam wordt ingezet om op zin te stuiten – balancerend op de rand van beheersbaarheid.

Daarbij rijst de vraag of de confrontatie met de grens van wat het lichaam aankan uiteindelijk ook zin oplevert, of alleen kennis van wat beheersbaar is. Degenen die er het verst in gaan zijn bergbeklimmers, hoewel zij niet per definitie reizigers zijn. Hun zoeken naar grenzen is echter wel illustratief voor het verlangen van sommige reizigers om de fysieke grenzen van hun kunnen op te zoeken. Bergbeklimmer Joe Simpson is ervan overtuigd dat de confrontatie met de dood een manier is om zin te vinden. Wat zou bergbeklimmen zijn wanneer die ultieme grens de dood – zou ontbreken?

> Zonder de aanwezigheid van de dood zouden de meeste bergbeklimmers hun ijsbijlen en klimschoenen inpakken en naar huis gaan. Zonder bergbeklimmers zouden de bergen nog steeds eenzaam en van een etherische schoonheid zijn, de hoog oprijzende, messcherpe graten bedekt met winters glazuur en de maagdelijke uitgestrektheid van de enorme sneeuwvelden, afgezet met de blauwgrijze schaduwen van de fluten, zouden niet minder volmaakt zijn. Maar zonder de loerende dreiging en de maagverkrampende angst voor de dood zouden ze ook niet méér zijn dan dat: mooie plaatjes voor op de koektrommel.
>
> Joe Simpson, *Dit schimmenspel*, 1988, p.274

In *Dit schimmenspel* onderzoekt hij de vraag waarom hij, nadat hij zelf meerdere malen bijna dood is geweest door ongelukken in de bergen en diverse klimvrienden verloor, toch blijft klimmen. Koektrommelplaatjes geven hem geen zin, de gedachte de dood te slim af te zijn blijkbaar wel, vooral waar hij op de rand van leven en dood balanceert. In *Over de rand* beschrijft hij uitgebreid zijn confrontatie met en overwinning op de dood.

Veel boeken over bergbeklimmen gaan vooral over beheersbaarheid. Al vanaf het moment dat mensen bergen gingen beklimmen, schrijven ze over het 'bedwingen' en 'overwinnen' van de bergen, en ook veel hedendaagse boeken over bergbeklimmers zijn in dezelfde trant geschreven: redelijk oppervlakkige verslagen van voorbereidingen, het opzetten van de kampen, acclimatiseren, de toppoging, de terugkeer en hier en daar wat problemen en (soms ernstige) ongelukken onderweg. Enige ijdelheid en verlangen naar status is veel schrijvende bergbeklimmers eigen, dus hun taal in termen van beheersbaarheid is niet helemaal vreemd. Klimmers die intekenen op commerciële expedities, zoals bijvoorbeeld naar de Mount Everest, doen soms drie of vier pogingen om de top te halen. De voor vijf klimmers fataal afgelopen expeditie uit 1996, opgetekend door John Krakauer in *De ijle lucht in*, waar twee commerciële teams een aantal soms onervaren klimmers naar de top moesten begeleiden, is een bekend en tragisch voorbeeld. Het zoeken van het gevaar lijkt hier in belangrijke mate ingegeven door het streven naar beheersing, niet zelden in de hoop op zin te stuiten.

Joe Simpson is zich als bergbeklimmer zeer bewust van het zoeken naar zin die meer omvat dan beheersing, al is ook het aspect van beheersing bij hem sterk aanwezig. Hij verbindt zijn voortdurende tochten naar hoge toppen ook met het zoeken naar zin, wat onder meer blijkt uit de volgende passage uit *Dit schimmenspel*.

Terwijl de klimmer langs de breekbare grens tussen de werelden van dood en leven schuift en voorzichtig naar de overkant tuurt, is het alsof hij onsterfelijk is, noch levend noch werkelijk dood. [...]
Wanneer de knagende angsten en onzekerheden van het leven zich weer aan hem opdringen, herinnert hij zich deze ongrijpbare toestand waarin de perspectieven waren verschoven naar een andere levensdimensie, en dan snakt hij ernaar terug te keren.

Joe Simpson, *Dit schimmenspel*, 1988, p.322

In *Verlangen naar onsterfelijkheid* verbond ik Simpsons zoektocht aan een ervaring van onsterfelijkheid op aarde, een ervaring die iemand blijvend een gevoel van zin geeft. Tijdens de ervaring op de berg verliest Simpson zichzelf, hij vergeet dat hij bestaat, de tijd wordt opgeheven en hij lost volledig op in zijn ervaring. Dit geeft een groot gevoel van bevrijding en een diepe ervaring van zin. Voor hem is dit de enige reden om steeds weer terug te keren naar de bergen, ondanks de meerdere bijna-dood ervaringen die hij hier had en het verlies van diverse vrienden en klimmaten.

De vraag is echter of Simpson niet toch blijft steken in zijn overwinning op de berg. Is zin niet veel meer te vinden in juist het subjec-

Paul Voorthuis

tieve aspect? Zoals Kant schreef over de sublieme ervaring van de oceaan, met de nadruk op de ervaring van degene die de oceaan ondergaat, en niet op de oceaan, zo kunnen ook de bergen een subjectieve ervaring geven aan het subject die niet alleen met het objectieve beheersen van de berg gepaard gaat. Zonder een berg te hebben beklommen, kan een mens ook overweldigd worden door de schoonheid ervan – de top is beter zichtbaar vanaf een lager punt dan wanneer je erop staat. Een gevoel van verbondenheid met de wereld – bij uitstek een ervaring van zin, als opgenomen zijn in een groter geheel, hoeft niet per se te ontstaan vanuit een bedwinging van de top.

De loutere bedwinging van de top staat de ervaring van het sublieme zelfs in de weg. Kant schreef vol ergernis over de Alpinisten, die in zijn tijd de bergen voor het eerst trachtten te veroveren, dat zij hun inspanningen louter op de prestatie richtten in plaats van op de overweldigende ervaring van iets dat groter was dan de mens kon vermoeden, iets dat in het samenspel tussen mens en berg bestond.

De Franse bergbeklimster Chantal Mauduit beleefde de bergen vanuit een besef van de schoonheid ervan zonder dit op schrift te stellen, zoals de meeste bergbeklimmers. Wie de soms zelfingenomen boeken van met name mannelijke bergbeklimmers leest in hun verslagen van beheersing, bedwinging en overwinning van hoge toppen, vergeet dat de meeste klimmers helemaal niet geïnteresseerd zijn in boeken, maar alleen in bergen. In een documentaire van National Geographic is deze vrouw te zien wanneer ze een vlinder probeert te vangen, met een bloem achter haar oor, lachend en mooi. Na een aantal moeilijke toppen te hebben beklommen, sterft ze tijdens een beklimming van de Nepalese berg Dhaulagiri. Na haar dood schrijft een bevriend bergbeklimmer over haar:

> Chantal was bezeten door de schoonheid van de wereld en ze keek er overal naar uit, iedere dag. Daar boven uitte ze zich in het koninkrijk dat ze zich eigen had gemaakt. Ze was daar oprecht gelukkig, in perfecte harmonie met de natuur en zeer op haar gemak.
>
> Frederique Delrieu,
> zie *http://classic.mountainzone.com/news/mauduit.html*

Als gezegd kan worden dat Mauduit de bergen 'beheerste', is dit een beheersbaarheid in een meer basale zin van "in de vingers hebben", zoals men de kunst van het fietsen of traplopen beheerst. Dat legt precies de vinger op de zere plek van de "zinvolle beheersing". Bergbeklimmen is moeilijker dan fietsen, maar eveneens iets dat te leren valt (mits het lichaam meewerkt). Maar sublieme schoonheid, zoals Mauduit zocht en vooral zag, reikt naar iets dat boven de beheersing uitstijgt. Wie de zin blijft zoeken in de beheersing, zal niet dartelen over bergweiden, zal nooit zijn ogen kunnen openslaan bij de zonsopgang, zal niet ontvankelijk zijn voor wat zich aandient. Zelfs de mooiste wervende tekst voor een verre bestemming komt nooit tot leven vanuit een eenzijdig perspectief van beheersing. Dan houdt de reis niet meer in dan een toetsen van de werkelijkheid aan de verwachtingen, en zal teleurstelling niet zelden het resultaat zijn.

Het lijkt een onmogelijke opgave: in een wereld waarin het dagelijks bestaan beheerst is, een groot deel van de mensen in het 'penthouse van Maslow', zoals psychologe Suzanne Piët het noemt, leeft en overleven geen kunst maar vanzelfsprekend is, je overgeven aan het loslaten van de beheersing. Piët beschrijft in haar boek *De emotiemarkt* uit 2004 de op hol geslagen beleveniseconomie en kijkt een stap verder: mensen willen niet alleen beheersing, maar vooral zin. Zin en beheersing lijken oppervlakkig gezien weliswaar in elkaars verlengde te liggen, maar dat is niet *au fond* het geval. Het voortdurend najagen van prikkels maakt niet gelukkig, alles beheersen evenmin. In het streven naar beheersing wordt vaak de duistere kant van het leven ontkend, de kant van pijn en lijden die zich niet zo gemakkelijk laten beheersen. Maar juist aan die duistere kanten van het bestaan kan zin worden ontleend. De mogelijkheid dat iets niet goed afloopt, dat iets pijn doet of verdriet geeft,

geeft mensen een besef dat ze leven. Dat besef is in onze tijd nauwelijks meer voelbaar in het dagelijks bestaan.

Zo bezien geeft wellicht de bereidheid om risico's te nemen zin aan een reis, waarbij risico nemen wordt opgevat als het opzoeken van grenzen. Deze bereidheid betekent een vrijheid van keuze, omdat het risico niet van te voren wordt ingedamd door de verantwoordelijkheid aan anderen over te laten. Dat betekent niet dat mensen zich als dwazen in het ongewisse moeten storten – dat is zinloze vrijheid. Bij vrijheid hoort ook verantwoordelijkheid: degene die zelf een kameel aanschaft om door de woestijn te trekken, of degene die in zijn eentje een bergtocht maakt, hoort zich te vergewissen van de risico's, en gaat deze willens en wetens aan.

Meerdere filosofen wijzen erop dat vrijheid van keuze niet bestaat zonder verantwoordelijkheid. Spinoza verbindt vrijheid aan de macht die een mens heeft over zijn natuurlijke aandoeningen, bijvoorbeeld zijn emoties. Indien ik de wereld om mij heen beter begrijp, hoef ik me niet te laten leiden als een speelbal door wat zich aandient, maar kan ik zelf mijn keuze maken. Kant ziet de vrijheid als een opgave aan de mens waarin de rede zich moet veroveren op de aandrang van het instinct en van de natuur. Ook hier gaat vrijheid gepaard met een besef van verantwoordelijkheid voor iemands keuze. Sartre en andere existentialisten verbonden vrijheid uitdrukkelijk met verantwoordelijkheid – zonder dat laatste is de vrijheid gespeend van enige betekenis. Daarin onderscheidt de zinvolle reis zich van domme avonturen, al kan de onnozele avonturier wel door schade en schande wijs worden.

Demonen van angst

De vrijheid bestaat onder meer in het bewust aangaan van het nieuwe: in onbekende situaties wordt de mens op de proef gesteld te kiezen. Dat geldt voor het kopen van een huis, de beslissing een relatie te beëindigen, en het maken van een reis. Maar die vrijheid komt niet zonder prijs. Wanneer reizen gaat om het opzoeken en zelfs overschrijden van grenzen, speelt angst per definitie een rol. Dat is de prijs die ieder mens betaalt voor zijn vrijheid. Kant heeft erop gewezen dat de mens die keuze heeft, ook verantwoordelijk kan worden gehouden voor zijn keuzes. De vrije mens beseft dat hij zelf een levenswijze moet uitkiezen, maar dat brengt een zware last mee. Hij kan zich vergissen, hij kan zelfs fatale fouten maken. En daarom komt noodzakelijk met de vrijheid ook de angst mee. Dit thema is later door de existentialistische filosofen uitgewerkt, maar vindt een psychologische vertaling in het denken van Maslow, dat voor de reiziger zeer herkenbaar is. Naast zijn bekende behoeftenpiramide, schreef hij over het dilemma van de kiezende mens. Om te beginnen zijn mensen volgens Maslow wezens die zowel een behoefte hebben aan veiligheid, als aan groei en verandering. Mensen zoeken in de eerste plaats veiligheid en zekerheid. Dit toegepast op vakanties, kiest degene die veiligheid zoekt voor luxe hotels met vertrouwd eten, een betrouwbare reisorganisatie en een niet al te avontuurlijke bestemming. Thuisblijven scoort het hoogst op de schaal der dingen, een vakantiebungalow van Landall Parks scoort hoog op de schaal van veiligheid, een reis met netjes bij de ANVR aangesloten organisaties als SRC, OAD of Arke naar Griekenland kent al meer onzekerheden (de beruchte olijfolie) en aan het andere uiterste vinden we zeven maanden durende expedities naar Afrika, zoals diverse reisorganisaties ze aanbieden, of een geheel zelfstandig ondernomen voettocht door Australië of China.

Nu zijn veiligheid en zekerheid zeer prettig – een vakantiehuisje met eigen sauna en bubbelbad is een prima plek om een weekje bij te komen van een drukke baan - maar slechts tot op zekere hoogte. Teveel veiligheid is uiteindelijk een hindernis om tot groei te komen: wie zich wil ontwikkelen, zal grenzen moeten durven opzoeken en verleggen. Dat is geen optioneel extraatje in ons leven, maar van fundamenteel, existentieel belang. Mensen hebben groei nodig: de hoogste behoefte in de hiërarchie van Maslow is de behoefte aan zelf-actualisatie. Daarbij is het onmogelijk om niet vroeger of later een grens tegen te komen in de vorm van een nieuwe partner, baan, huis, een kind, et cetera. Mocht het al mogelijk zijn om nooit in een nieuwe, verrassende situatie te belanden, dan is gelukkig oud worden misschien voor een enkeling wel mogelijk, maar veel mensen, zeker mensen die voorzien zijn in hun basale levensbehoeften, hebben behoefte aan ontwikkeling en, in het verlengde daarvan, verandering.

Dit kunnen we interpreteren als een behoefte aan uitdaging – de populariteit van dit begrip laat zien dat Maslow hier een gevoelige snaar heeft geraakt en in de jaren '70 van de twintigste eeuw een belangrijk stempel drukte op de toen opgroeiende generatie en hun kinderen. In ieder geval sommige mensen willen groeien, willen zich ontwikkelen, willen zichzelf actualiseren en ontplooien. Dit moet niet worden verward met het "Peter Pan" syndroom, in de psychiatrie gebruikt om mannen te beschrijven die zich commiteren aan het niet-commiteren, oftewel het uit de weg gaan van vaste verbintenissen en verantwoordelijkheden. Het zou voortkomen uit een te grote mate aan vrijheid, aan een overdaad van keuzemogelijkheden. Reizen is een prima manier om aan een verantwoordelijke levensstijl te ontsnappen, en in die zin kunnen reizigers levenslang escapist zijn.

Maslows interpretatie is echter anders. Hij doelde op de psychologische groei die niet zonder horten en stoten plaatsvindt. Dat kan alleen wanneer men openstaat voor verandering, en dat vraagt prikkels die hen uitdagen om zelf na te denken, om problemen op te lossen, om onverwachte gebeurtenissen tegemoet te treden. De reis is een levensgebied dat alle gelegenheid biedt om het onverwachte tegemoet te treden.

Volgens Maslow gaat het (steeds) kiezen voor zekerheid uiteindelijk gepaard met een gevoel van spijt over gemiste kansen of het niet hebben aangedurfd van risico's. Maar het kiezen voor groei gaat altijd gepaard met enige mate van angst: immers, als mens wil je blijven leven en wil je misschien wel een beetje veranderen, maar het moet niet teveel zijn of in te gevaarlijke omstandigheden. Het onbekende brengt angst met zich mee, waarbij vooral moet worden opgemerkt dat die angst subjectief is. Er zijn momenten tijdens mijn eigen reizen geweest die feitelijk gevaarlijk waren, maar waarbij ik geen angst voelde. Een klim- en klautertocht over een verlaten bergpad, dat steil omhoog rees langs een steeds dieper wordende afgrond was juist zo riskant dat er geen ruimte was voor angst – beheersing vroeg alle aandacht.

Maar tijdens mijn eigen reizen zijn er verschillende momenten geweest waarop de angst wél overheerste, ook als reisgenoten deze niet voelden en een situatie feitelijk gezien niet gevaarlijk was. Het doorwaden van een snelstromend riviertje durfde ik tijdens een van mijn eerste verre reizen niet aan; mijn reispartner lachte me daarentegen uit en verdween al snel uit zicht terwijl ik op handen en voeten leunde op rotspartijen en visioenen had van meegesleurd worden door het wilde water.

Achteraf blijken dergelijke momenten niet zelden vormend te zijn geweest. Dat heeft alles te maken met het dwingende karakter van angst. Angst kan nooit genegeerd worden; je moet erop reageren. Ofwel door te gaan gillen, of door weg te rennen, door de situatie te aanvaarden of door andere handelingen. Maar als je niet reageert, blijft de angst. Juist door de dwang die van de angst uitgaat, kan ze een mens vormen (of breken, wat eveneens tot de mogelijkheden behoort).

Een voor mij legendarische ervaring was de busrit van Kathmandu naar Bodhgaya, een plaatsje in de armste deelstaat van India, Bihar. Hier wonen vrijwel alleen ongeletterde boeren, het onderwijs en de gezondheidszorg zijn minimaal en er zijn roversbenden actief. Het gebied heeft toeristen weinig te bieden, behalve dat de historische Boeddha in Bodhgaya de verlichting heeft bereikt, in deze deelstaat is gestorven en er nog overblijfselen zijn van de grote boeddhistische universiteit in Nalanda. Ik vertrok vanuit Kathmandu met de lokale bus, zonder het verloop van de reis precies te kennen. Het bleek anderhalve dag reizen te zijn. Na een hele dag in een rammelende bus, die zich slingerend door de bergen bewoog en vele tegenliggers en afgronden net op tijd wist te ontwijken, kwam ik tegen zonsondergang aan in het grensplaatsje Rajkot.

Grensplaatsen zijn doorgangsplaatsen. Niemand blijft er langer dan nodig. Dat betekent dat de hotels slecht en smerig zijn, dat de mensen op straat meer op geld dan op vriendschap uit zijn en dat het voor een vrouw alleen geenszins aanvoelt als een veilige plek om de nacht door te brengen. De modderige, vervuilde straten en de starende blikken van rondhangende mannen gaven me een ongemakkelijk gevoel, een blik in een donkere hotelkamer aan het eind van een even donkere gang eveneens. Gelukkig bleek er een bus naar mijn volgende tussenbestemming te gaan, de grote provinciestad Patna. Een uur later vertrok ik, in een gammele, smerige bus met doorgezakte stoelen en alleen maar mannelijke passagiers, uit deze verlaten grensstreek van India. Op zo'n moment is de angst nabij, demonen van beroving en verkrachting zeuren zachtjes, maar hardnekkig door.

De angst uitte zich als agressie toen mijn dikke buurman tegen mij aanstootte, in wat later bleek een poging een gevallen voorwerp te pakken – ik weerde hem af, hij excuseerde zich heel beleefd in het Engels en zei mij dat hij zich ook ongemakkelijk voelde in de aanwezigheid van een andere vrouw dan de zijne. Door deze menselijke opmerking verdween de angst voor de buurman en voelde ik me iets veiliger.

De reis verliep met veel horten en stoten. De bus stopte regelmatig en stroomde langzaam vol. Ik had een half-transparante sjaal over mijn hoofd getrokken om al te veel starende mannenblikken te voorkomen en slaagde erin half dommelend, half alert de uren door te komen. Om drie uur 's nachts stopte de bus op een groot, maar totaal verlaten busstation – het was de eerste en enige keer in India dat een bus enkele uren eerder aankwam dan de chauffeur had gezegd.

De dikke man bood me thee aan – uit alle verlatenheid had zich toch een theeverkoper losgemaakt; zij zien zelfs midden in de nacht verlaten busstations als plaatsen van potentiële klandizie. De man regelde een riksja voor me naar het treinstation. Gelukkig las ik pas later dat op dat station regelmatig toeristen werden bedwelmd door slaapmiddelen in de thee, en uren later berooid of verkracht ontwaakten. Ik liet me in de riksja naar het treinstation rijden – een vervreemdende ervaring, aangezien er die nacht een festival plaatsvond met veel knipperende licht-kettingen en harde religieuze muziek, maar zonder een enkele bezoeker, een feest dat zichzelf vierde. Het onderstreepte mijn gevoel van verla-tenheid.

Op het station lagen meerdere families onder voddige dekens te sla-pen. Naast hun verzameling tassen leunden hun geweren tegen de muur. Degenen die wakker waren staarden me onverschillig aan. Alle kleur was uit India getrokken; alles was bruin, grijs en vies. Ik vroeg me af of het beter was om uit het zicht te gaan wachten op de trein of juist op het volle perron en bracht uiteindelijk drie lange uren door op het perron. Vanaf het moment dat de trein traag schokkend vertrok, duurde het nog vier lange uren om de laatste tachtig kilometer per trein af te leggen, en nog ruim een half uur om per riksja totaal door elkaar geschud het dorp te bereiken en nog een half uur lopen voordat ik een slaapplaats had gevonden en ik me in alle veiligheid kon overgeven aan een heel diep middagslaapje.

Was ik in gevaar geweest? Niemand had me concreet bedreigd. Maar de gedachte in deze arme deelstaat, met haar reputatie op het gebied van berovingen en dergelijke, alleen door de nacht te reizen, maakt genoeg demonen wakker. Angst vergezelde me, en al slaagde ik erin haar te beperken tot een vage angst en niet tot panische angst, een prettige erva-ring was het niet. Maar vormend was ze wel: ik moest mijn angst onder ogen zien, en ik moest de situatie aanvaarden zoals ze was. Ik leerde op scherp te staan, te anticiperen, en ik leerde dat ik een dergelijke reis zelf-standig kon maken.

Talloze reizigers hebben vergelijkbare ervaringen gehad, en zijn door hun eigen angsten voortgedreven en gegroeid. Ze hebben een sprong in het diepe gewaagd en zich overgegeven aan voorheen niet in te schatten situaties. Die ervaringen hebben zin. Ze rekken het bekende op omdat ze niet langer op het vlak van beheersing plaatsvinden: juist de onze-kerheid over de goede afloop maakt dat ze potentieel zin kunnen geven. Ik werd op de proef gesteld, niet alleen door werkelijke gevaren, maar juist door de ontmoeting met mijn angsten.

Angst en beheersing

Angst voor wat mensen mogelijk kunnen doen, is één ding; de ont-moeting met de ander brengt deze confrontatie nabij, zonder dat er per se een concrete aanleiding voor is. Concreter en van een andere orde is de angst in het verkeer, in grote delen van de wereld zeer reëel. De India-se rijstijl is berucht, zeker bij degenen die de tekens die de chauffeur en bijrijder voortdurend geven en ontvangen van tegenliggers (handgebaren, lichtsignalen en niet te vergeten de claxon), nog niet kennen.

Ook de angst voor natuurverschijnselen is een stuk concreter dan de angst voor mensen. Tijdens veel ritten door de bergen is er sprake van acute doodsangst, wanneer een bus net op het nippertje ravijnen en tegenstanders ontwijkt, of wanneer je onder overhangende rotsen klem staat omdat ergens voor je een rotsblok op een jeep is terechtgekomen. Het helpt dan niet wanneer de chauffeur plat in de auto gaat liggen, naar eigen zeggen om de eventuele val van een rotsblok te overleven.

Aanvankelijk zag ik reizen als een manier om mijn angsten te boven te komen: de angst voor eenzaamheid, voor busritten door de bergen, voor het vreemde. Na enkele jaren besefte ik dat sommige angsten gezond zijn, en dat je dergelijke angstaanjagende activiteiten kan vermijden waar mogelijk, en wanneer het niet mogelijk is om die situatie te vermijden, proberen om zo rustig mogelijk te blijven, proberen na te denken over mogelijke oplossingen bij problemen en het voorkomen van echt gevaarlijke situaties.

Daarmee sloop de beheersing mijn reizen binnen. Ik hoefde minder op het spel te zetten, omdat ik het spel beter kende. Niet in diepe slaap vallen in de nachtbus, in de bus door de bergen niet pal achter de chauffeur gaan zitten en in de stad je moneybelt onder je kleren te verstoppen en wat reservegeld ergens in je rugzak verstoppen voor het geval je beroofd wordt. Veel van wat ooit beangstigend was, werd beheersbaar. Deze vorm van low budget reizen verloor daarmee ook deels zijn zin voor mij. Tegenwoordig hoef ik niet meer per se de meest gevaarlijke route te kiezen, maar is een veiliger en gemakkelijker alternatief ook goed.

Een reis naar het Noord-Indiase Ladakh legde ik een paar jaar geleden af per vliegtuig in plaats van de gevaarlijke bus. Ik moest een beetje lachen om de rugzakreizigers die in het hotel op mij neerkeken omdat zij wél met de bus waren gegaan – gevaarlijker en daarmee 'echter'. Maar ik heb inmiddels zo vaak in dergelijke bussen gezeten, dat ik geen behoefte meer voel het gevaar te trotseren om mezelf op die manier te overtreffen en tegen te komen. Als er geen andere manier is om van A naar B te gaan, zal ik het niet uit de weg gaan, maar ik zal het niet meer opzoeken.

Er zijn andere grenzen, in zekere zin confronterender dan de grens van de natuur met in zijn meest extreme verlengde, de grens van de dood. Wat doet de ontmoeting met de grens van de menselijke beschaving met een reiziger?

De beschaving weggeschaafd

Wat gebeurt er wanneer we de grens van het menselijke overschrijden? Wanneer we niet, zoals Levinas, geroerd zijn door het gelaat van de Ander, maar juist vol afgrijzen met de duistere kanten in onszelf worden geconfronteerd door de ontmoeting met de vreemdeling, de ander, die we buiten de fatsoensgrenzen van onze beschaving tegenkomen? Niemand heeft dit beter beschreven dan Joseph Conrad, in zijn roman *Hart der duisternis* - een verhaal dat gebaseerd is op de tocht van de schrijver zelf over de rivier de Kongo, naar het hart van duister Afrika en naar het hart van zijn eigen duistere aspecten.

De verteller Marlow krijgt de taak om de rivier de Kongo op te varen en zo de jungle van Afrika in te gaan om een kolonel te zoeken. Deze kolonel Curtz was welbespraakt en intelligent, maar vreemde geruchten doen de ronde over hem. De binnenlanden van Afrika waren nog grotendeels onontgonnen gebied, en van de velen die ze binnentrokken keerden slechts weinigen terug, en dan niet zelden krankzinnig. Vanwaar deze krankzinnigheid? Volgens *Hart der Duisternis* omdat de primitieve wilden de westerling met zichzelf confronteerden. Terwijl Marlow op reis gaat met de negentiende eeuwse gedachte van de superieure blanke en de primitieve wildernis van Afrika als tegengestelde, krijgt hij inzicht in de verschrikkelijke waarheid:

> Nee, ze waren niet onmenselijk. Tja, weten jullie, dat was het ergste – dat vermoeden dat ze niet onmenselijk waren. Het drong maar langzaam tot je door. Ze krijsten en sprongen en draaiden wild rond en trokken afschuwelijke gezichten, maar wat je deed huiveren was enkel en alleen de gedachte aan hun menselijkheid – als die van jezelf – de gedachte aan je verre verwantschap met dit woeste en uitgelaten rumoer. Afstotelijk. Ja, het was afstotelijk genoeg, maar als je een kerel was zou je jezelf bekennen dat er in jou een zweem van gevoeligheid was voor de gruwelijke vrijmoedigheid van dat kabaal, een vaag vermoeden dat het een betekenis bevatte die jij – zo ver verwijderd van de nacht der vroegste tijden – toch kon begrijpen. En waarom niet? De geest van de mens is tot alles in staat – omdat hij alles bevat, het hele verleden zowel als de hele toekomst.
>
> Joseph Conrad, *Hart der Duisternis*, p. 63

Conrad laat zien wat er gebeurt met het overschrijden van de gebaande paden in de menselijke geest en de confrontatie met diepere en duistere regionen in de geest. In zijn roman zien we de reiziger die de grens volledig overschrijdt. Hier worden we geconfronteerd met het overschrijden van grenzen die we in ons dagelijkse bestaan nooit tegenkomen, dankzij de maatschappij die corrigeert en op tijd ingrijpt.

Mensen op reis zullen zelden zo ver gaan als Kolonel Curtz, die in een wilde krabbel onderaan een zorgvuldig opgestelde nota over zijn verblijf in de wildernis, schrijft: 'Uitroeien die beesten!' Maar hoe onbekender de regionen waar wij naar toe reizen, hoe meer mensen geneigd kunnen zijn de ander als vreemde te zien en als bedreiging. Dat proces is wederzijds. In Bangladesh had ik de akelige ervaring dat mensen op straat mij niet eens als mens (h)erkenden. Ze staarden met een haast dode blik dwars door mij heen, alsof ik een steen was, een ding. Om met Sartre te spreken: ik was een *en-soi*, een op zichzelf staand ding zonder enige relatie tot henzelf; geen *pour-soi*, iets dat voor iemand betekenis heeft.

In dit proces van vervreemding ten opzichte van andere mensen is het gemakkelijker om de grenzen van het betamelijke te overstijgen. Dit kan gebeuren in stress-situaties, zoals oorlogen, conflicten, situaties waarin iemand zich geen deel voelt van de hem omringende samenleving, waarin hij niet gecorrigeerd wordt door zijn eigen maatschappij, door buren of vrienden. Hij staat alleen, geconfronteerd met zijn grootste angsten, zijn diepste haatgevoelens, zijn duisterste kanten.

De reiziger moet, om geestelijk gezond te kunnen blijven, de mensen die hij ontmoet, basaal kunnen vertrouwen. Maar dat doet hij niet altijd, ook omdat nu eenmaal niet iedereen te vertrouwen is. Op reis zijn we bang voor concrete gevaren, deels uit gebrek aan kennis over de plek en de cultuur waar we zijn, deels uit gebrek aan zelfvertrouwen, dat zich al te gemakkelijk laat projecteren naar een gebrek aan vertrouwen in de ander.

Ik heb meegemaakt hoe een toerist in het jongerenhotel in Amsterdam waar ik ooit werkte, me zo wantrouwend bejegende, dat ik hem uiteindelijk niet kon helpen. Hij had teveel geblowd, en een combinatie van suiker en beweging zou de hasj sneller uit zijn bloed verdrijven. Maar hij was bang voor mij, voor de lantarenpalen op straat, wilde niet verder dan vijftig meter lopen. Zijn eigen spookbeeld van de Vreemde stond hem in de weg deze vriendelijk tegemoet te treden. Hij werd buitengesloten van juist datgene waar hij naar hunkerde, simpelweg omdat hij niet durfde te vertrouwen. Maar dit is nog een gematigd geval. Waar Conrad op doelt zijn dieper liggende duistere gevoelens die aan de oppervlakte komen wanneer de omstandigheden de rationele ketenen waar ze normaliter mee in bedwang worden gehouden, doorbreken.

Uit mijn eigen reisverleden diep ik de herinnering aan een schaamtevolle gebeurtenis in Delhi op. Ik bevond mij in een auto-riksja, was moe van de warmte, ziek van de diarree en zat van de bedelaars. Wachtend bij een verkeerslicht strompelde een bedelaar met één been naar me toe. Net voordat hij mijn riksja had bereikt, sprong het stoplicht op groen en reed de riksja weg. Mijn onmiddellijke gedachte was een honend "Ha, ha, lekker puh!" Op hetzelfde moment schrok ik van mijn hardheid. Ik had hem ook geld of eten kunnen geven. Maar de vreemdeling, in dit geval de bedelaar confronteerde mij met diepliggende gevoelens van haat of minachting – die zeker niet persoonlijk bedoeld waren jegens de bedelaar, maar die blijkbaar wel latent in mij aanwezig waren.

Een grens werd overschreden. Dat is een zelfconfrontatie, die niet alleen plezierig hoeft te zijn. Wanneer mensen op reis gaan om 'zichzelf te leren kennen', stuiten ze óók op dit soort kennis. Hoewel het meestal niet dit soort zelfkennis is waar mensen op hopen te stuiten, hoort die er blijkbaar bij. Conrads verhaal is een huiveringwekkende vertelling over het overschrijden van alle grenzen van de beschaving. Kolonel Curtz gaat eraan onderdoor, zo welbespraakt als hij was. Zijn laatste woorden zijn: 'The horror, the horror' - afgrijzen ten aanzien van waartoe een mens in staat is zonder het laagje vernis van de beschaving.

Ook de reiziger kan kanten van zichzelf tegenkomen die hij nooit had vermoed. Voorbijlopen aan verminkte, klagende bedelaars; een man slaan die al te opdringerig wordt, woede vol frustratie wanneer de taal geen woorden biedt, diepe eenzaamheid, een verbazingwekkend gebrek aan gemis van dierbaren – reizen haalt niet alleen het beste in een mens naar boven, maar ook het slechtste: als de omstandigheden tegenzitten, kan een mens zichzelf onaangenaam verrassen.

Aan de andere kant van de grens
Waarom, blijven we, laverend tussen angst en risico, toch reizen? Moeten we niet thuisblijven? Nee. Het elders zijn, het onderweg zijn maken voor een belangrijk deel de charme en essentie van het reizen uit. Al maakten zowel Biesheuvel als de schrijver Xavier de Maitre een reis door hun woonkamer respectievelijk slaapkamer; degene die op reis snelheid, stof en vreemdheid vindt zal hier tegenin brengen dat reizen meer is dan alleen een andere blik op het vertrouwde, hoe belangrijk die blik ook is. Wie gelooft dat internet en TV het werkelijke reizen overbodig maakt, gaat voorbij aan alle grenzen die de reiziger tegenkomt, voor zichzelf opwerpt, overschrijdt.

In talloze sprookjes trekken prinsen, schoenmakers, dochters de wijde wereld in om avontuur en geluk te vinden, en altijd moeten ze obstakels overwinnen. Dat vereist moed, de keerzijde van de angst. Reizen naar het onbekende betekent altijd een doorbreking van de bestaande patronen, het opgeven van vertrouwde zeden en een kennismaking met andere gewoonten, stelt Ton Lemaire terecht. Eenzaamheid, verlatenheid en gevaar liggen op de loer, maar nieuwe ervaringen, rijkdom en de liefde behoren tot de mogelijkheden – zoals de sprookjes beloven. Wie reizen beperkt tot het met nieuwe ogen kijken naar de zeer vertrouwde omgeving van de eigen kamer, ontkent het aspect van vernieuwing, risico en verandering dat reizen teweeg brengt.

Het vertrouwde zelf lost op wanneer familie, werk, vrienden, een vertrouwde omgeving, taal en eten worden achtergelaten. In de ontmoeting met de ander, en met het andere, is een crisis van het ik niet ondenkbaar. Ton Lemaire noemt het reizen een *rite de passage*. Er gaat een zelfgezochte pijn mee gepaard in een nieuwe ruimte te worden ingewijd, een ruimte die zowel die van het onbekende landschap of land is, als van de bewoners ervan. Die onbekendheid confronteert ons met onszelf.

> De tocht naar buiten is ook een tocht naar binnen. […] De reis die de mens onderneemt, is niet slechts passage van het ene naar het andere landschap, maar ook overgang van een naïef zelf naar een ik dat zich door tijdelijk zelfverlies pas werkelijk heeft leren ontdekken. Het reizen is juist als inwijding in het ander, inwijding in zichzelf. Reizen betekent zich van zichzelf bewust worden door zich te laten vervreemden van zijn oude ik om er een nieuw ik voor in de plaats te krijgen. Dat de reis moeilijk en pijnlijk kan zijn, wil zeggen dat de zelfbewustwording een moeizame is en dat het traditionele ik zijn vernieuwing op zichzelf moet veroveren. De reis demonstreert de discontinuïteit die er bestaat tussen het naïeve en het ontwikkelde ik; het demonstreert een crisis van de onmiddellijke identiteit.
>
> Ton Lemaire, *Filosofie van het landschap*, p.117

Door je in onbekende situaties te werpen, wordt een dergelijke crisis eerder opgeroepen, juist omdat het vertrouwde zelf geen raad weet met de situatie en desnoods in angst oproept tot een nieuwe reactie.

Het opzoeken van de grenzen van het lichaam, namelijk in het gevaar, is een van die situaties. In het verlengde van het gevaar ligt de angst; en ook die leidt ons naar de grenzen van beheersing en zin. Op het punt waar beheersing bijna niet meer mogelijk is, het uiterste van een mens vergt, ontstaat een mogelijkheid om uit het beheerste en het beheersbare te stappen, en niet op beheersing maar op zin te stuiten.

De vrijheid tegemoet

Betekent het bovenstaande dat de grenzen alleen in risico's, gevaar, angst en andere negatieve emoties, ervaringen en situaties zijn te vinden? Nee, zeker niet. Van die gedachte neem ik graag afstand. De in sommige kringen heersende gedachte dat zin alleen merkbaar is in het duistere, onaangename, lijden, of gevaar is misleidend en berust naar mijn idee op een echo van een calvinistische inslag. Niet het gevaar van de bergen of de schijngevaren van de avontuurlijke reis verschaffen zin, noch de beheersing ervan, maar vooral de dwang open te moeten staan voor iets dat onbekend en onbegrepen, en daarom potentieel onbeheersbaar is.

'Kennis is macht' heeft zijn schijnbare tegenhanger in 'onwetendheid is machteloosheid'. Dat klinkt negatief, maar is het niet. Machteloosheid en de daaraan grenzende hulpeloosheid zijn niet per se een teken van zwakte, maar ook van onbevangenheid, zoals het onwetende kind in zijn onbevangenheid in een wereld leeft waar volwassenen soms jaloers op zijn. Niet de adrenaline van het gevaar verschaft zin maar de ongerichte openheid, waarin het besef van individualiteit zelfs oplost. De beleving van schoonheid die bergbeklimster Chantal Mauduit onderging, is illustratief. Juist omdat zij het kunstje van het bergbeklimmen beheerste – en dit kunstje waarschijnlijk louter als middel beschouwde om in die bergen te komen, en niet als einddoel zag – kon ze een gevoel van zin hebben. Ook reizen is tot op zekere hoogte een "kunstje": de ervaren reiziger heeft veel minder moeite met het onbekende tegemoet treden, omdat hij simpelweg het een en ander heeft geleerd: waar moet je op letten, hoe pak je iets aan, hoe verzin je een route, et cetera. En kan zo zijn ogen openen en zich op de wereld richten in de ontvankelijkheid die Merleau-Ponty voor ogen had.

Het idee dat 'lijden loutert' – bij de reis vertaald naar de gedachte dat moeilijke omstandigheden ervoor zorgen dat je 'jezelf tegenkomt' – is maar één kant van het verhaal. Als reizen alleen maar moeilijk en zwaar zou zijn, zouden de meeste mensen er niet aan beginnen, laat staan dat ze het nogmaals zouden doen. Ook vreugde loutert, en juist door het openstaan voor het vreemde kan ze soms makkelijker doordringen en bestendigen. Schoonheid en geluk louteren, met name in de sublieme ervaring, vanwege het niet bevattelijke en vanwege de vrijheid en onthechting die reizen ook met zich meebrengen.

De psycholoog Csikszentmihalahyi, bekend vanwege het begrip *flow* geeft een wat mij betreft waardevolle aanvulling op het door Lemaire geschetste perspectief van een groeiende identiteit, waarin bij hem niet, zoals bij Lemaire, het moeilijke en pijnlijke aspect de nadruk heeft, maar juist het verlossende en vrijmakende aspect dat reizen ook verschaft. *Flow* duidt op het opgaan in wat zich aandient, op activiteiten die omwille van zichzelf worden verricht en op zich lonend zijn. Kenmerkend hiervoor is dat iemand hierin dusdanig opgaat in wat hij doet dat er geen besef van het zelf meer aanwezig is.

Reizen draagt niet alleen bij aan het vormen van een nieuwe identiteit door het overwinnen van obstakels, maar gaat ook gepaard met het oplossen van de bestaande identiteit. Dat laatste is bij uitstek voelbaar in de flow. In de flow heerst het zelf niet, het zelf beheerst de situatie of de ervaring niet, maar schuift naar achteren om plaats te maken voor een zuiverder vorm van ervaring. Dat kan in de zuivere waarneming van wat zich aandient, in de overgave aan nieuwe situaties, in een onthechte verwondering. Die wordt niet alleen in mystieke benaderingen gezocht, maar is in de meest simpele bezigheden te vinden. De reis opent daarin onze ogen.

Het 'gevoel van vrijheid' is een veel genoemde reden voor wereldreizigers om zich in het onbekende te begeven. Nu heeft de vrijheid van de reiziger meerdere aspecten – in zijn meest basale vorm de vrijheid van "al mijn vrienden zijn nu aan het werk, ze zouden eens moeten zien wat ik doe" of de vrijheid van "even weg uit de drukte van de dagelijkse stress". Maar dat zijn – om met Aristoteles te spreken - schijnvrijheden, die weliswaar een vrijer gevoel geven dan de tredmolen van de werkkring, maar hier nog volledig op betrokken zijn. Dit is een "vrij zijn van", een negatieve vrijheid; geen werkelijke, positieve vrijheid, die ontstaat door een wegvallen en opheffen van de grenzen. Die positieve vrijheid, is vrijheid in de zin van flow, van ontvankelijkheid, van een in het hier en nu zijn – een vrijheid die ruimte biedt.

Deze gezochte vrijheid is pas werkelijk vrij, als ze gepaard gaat met enige mate van onthechting van het thuisfront. Met onthechting bedoel ik niet dat we onze familie en vrienden compleet moeten vergeten of negeren, maar dat we aan ze kunnen denken zonder ze intens te missen. Moeilijke reismomenten zijn de geboorte van een kind in de naaste omgeving, het overlijden van een familielid, de bruiloft van een goede vriendin. Op dergelijke momenten voelt een reiziger zich zeer gehecht aan die vertrouwde wereld, die op dat moment zo onbereikbaar is. Met dergelijke intense gevoelens van gehechtheid is de vrijheid ver te zoeken, het ver weg zijn vertaalt zich dan onmiddellijk naar een gevoel van verloren zijn en gevangen op een plek aan de andere kant van de wereld. Maar de plezierige en vertrouwenwekkende gedachte dat er na terugkomst vrienden en familie zijn, of een huis met een schoon bed, hoeven een onthechte reisstijl niet in de weg te staan.

Welke vrijheid leeft dan wel op reis? Wat we thuis meemaken, is gewoon, het potentieel bijzondere ervan zien we vaak niet, omdat we het kennen en beheersen. Maar op reis staan we – mits we vrij zijn - open voor het nieuwe, wonderbaarlijke, sublieme – in de vorm van eindeloze woestijnen, prachtige uitzichten, die ene verbijsterende bedelaar die midden op een pleintje in Kashgar zat met een grijns van oor tot oor en pas op het tweede gezicht geen benen meer bleek te hebben.

De crisis van het vertrouwde "ik" breekt allerlei grenzen open, soms na angstige crises, maar ook in momenten van overweldigend geluk. Het intense geluk dat ik op reis heb gevoeld heb ik in Nederland niet vaak gekend. De sublieme extase om overweldigende landschappen en zonsondergangen over de woestijn, gezien vanuit een doorboemelende trein, waar ik in de deuropening zat en de warme avondlucht over mijn huid voelde, deed me haast ontploffen van geluk. Ik werd verrast door ontmoetingen met vreemden die buitengewoon aardig, behulpzaam of bijzonder bleken te zijn. Verrast door mezelf in bizarre omstandigheden, of door mijn eigen reacties op het gelaat van de vreemdeling en het appèl van de ander. Het sublieme toont zich in de schoonheid die de cultuur aandraagt in de vorm van de Taj Mahal, de David van Michelangelo, de kanalen van Venetië. En ze is zichtbaar in de ontmoetingen op reis; met onbekende redders, kleine kinderen die zomaar je hand willen vasthouden, in intense maar kortstondige liefdes, in terloopse vriendschappen. Deze ervaringen van het sublieme doen een reiziger buiten zichzelf treden in een samensmelting van subject en object.

Heeft reizen zin? Ja en nee. Reizen kan slechts een verplaatsing van A naar B zijn, een vlucht uit een alledaags bestaan die tegelijkertijd nog volledig past binnen vertrouwde kaders. Zo'n reis kan leuk en ontspannend, zelfs leerzaam zijn, maar of ze zinvol is durf ik niet te zeggen. Maar reizen kan ook de weg openleggen voor een nieuwe identiteit, soms in eenzame worsteling gemaakt - want welke reiziger kent niet de lange avonden in duistere steden zonder nachtleven; de eenzaamheid van het omringd zijn door onbekenden; het verlangen naar een gesprek met een vertrouwd mens. Dat openstaan voor het nieuwe en onbekende, het durven loslaten van de vertrouwde identiteit, het leren vertrouwen dat het goed komt, maakt reizen een gebied waarop we zin kunnen ervaren, waarbij zin voor mij in het verlengde ligt van groei of ontwikkeling.

De spinnende kat

Een kat spint wanneer hij blij, bang of boos is. Dat laatste weten veel mensen niet (met soms akelige gevolgen: zie spinnen niet altijd als teken van vreugde!). Maar dat zijn gebieden waarop de grenzen van het 'normale' worden overschreden. Een mens op reis overschrijdt zijn grenzen verrassend genoeg op dezelfde gebieden. Mijn meest waardevolle reiservaringen zijn ontstaan wanneer ik werd overweldigd door schoonheid (het sublieme), meegevoerd door de extase van de kick, verlamd van angst, zoals tijdens al die enge ritten door de bergen. Zinvol bleek de confrontatie met de eenzaamheid in het vreemde land, waarin de vertrouwde identiteit verdwijnt en plaatsmaakt voor een bestaan als reiziger, dat weliswaar wordt gekleurd door prachtige ervaringen, mooie landschappen en aardige ontmoetingen, maar waar vaak genoeg tijd is om je behoorlijk eenzaam te voelen.

Zinvol bleek ook de ervaring van voor mezelf kunnen opkomen, opgeroepen door de woede op een handtastelijke man. Ook het intense gevoel van opkomen voor anderen heb ik tijdens het reizen leren kennen: praten als Brugman om voor mijn reisgroep zitplaatsen in een overvolle trein te bemachtigen op een manier die ik nooit had kunnen doen als het voor mijzelf was. Dat zijn ervaringen die herinneringen achterlaten, gebeurtenissen die zich dankzij de sterke emoties die eraan te pas kwamen hebben vastgeklonken in mijn identiteit en die de grenzen van mijn identiteit oprekten naar terreinen die ik niet had kunnen vermoeden en die voorheen ook niet aanwezig waren.

Zin heeft ook zeker met geluk te maken. Het gelukkig zijn op reis vereist open kunnen staan voor wat zich aandient en een bereidheid tot verwondering. Indien reizen een manier is om geluk te vinden, zijn het vermogen tot verwondering en aandacht twee noodzakelijke basisvoorwaarden. Welke motieven we ook aandragen voor het reizen: ontspanning, nieuwsgierigheid, zoeken naar het exotische, of naar het verhevene - zonder ontvankelijkheid en aandacht voor wat zich aandient, zal geluk niet gevonden worden. Maar wie open staat voor wat zich aan gene zijde van het 'normale' ligt, kan de vreemdste mensen ontmoeten, de meest bijzondere ervaringen hebben, de grootste angsten beleven en de interessantste feiten leren kennen. De reiziger maakt zich de wereld eigen door haar toe te laten, door bereid te zijn er deel van uit te maken, door in te zien dat de wereld groter is dan hijzelf en anders dan hij dacht. Hij is ontvankelijk voor het toeval en is in staat om aandacht te hebben voor het hier en nu en stuit in dat proces uiteindelijk, via het andere en de ander, op zichzelf: een kleine reiziger in een grote wereld.

V. Thuiskomst

Over bergen en meren

Een mens kan lange reizen maken, naar verre, onherbergzame landen. Wie lange reizen maakt, komt vele grenzen tegen. Fysieke grenzen, in de vorm van kale, ruwe bergen doorsneden door hoge passen, in gammele jeeps onder overhangende rotsen die langzaam worden losgeweekt door aanhoudende regenval. Onmetelijke grenzen van woestijnen, die bussen met lekke banden verzwelgen in hun immense, ruwe leegte. Grenzen van geduld, wanneer een trein in de hete, zwarte nacht urenlang stilstaat zonder enige hoop op beweging. Wanneer reisgezelschap ontbreekt en je langzaamaan een steen wordt temidden van levende wezens. Die onzichtbare maar oh zo voelbare grenzen van angst en ongeduld, van onbegrip en eenzaamheid vormen een mens.

De grenzen van sublieme schoonheid, van die ene pelgrim die neerknielt bij de monding van de heilige rivier om wierook te ontsteken, van diepe blauwe meren op de hoogvlakten van Tibet, van schaterende kinderen in een rijstveld.

Wat gebeurt er wanneer die grenzen wegvallen? Wanneer de reis voorbij is, de landing ingezet? Wanneer het landschap plat wordt, de weiden groen en vol kwetterende lentevogels die in paren neerstrijken om hun nest te bouwen? Wanneer er iemand opstaat en neerligt bij wie grenzen traag wegsmelten in een eindeloos durende lome lentezon? Wat kom je tegen?

Ik voel de kruimels van croissantjes plakken aan mijn huid, ik voel zijn warme lichaam in de nacht. De grenzen worden zachte vlakken die niet gaan over moed en angst, maar uitnodigen tot ontvankelijkheid en overgave. Soms lijken ze zulke warme badjes, dat ze nauwelijks meer waarneembaar zijn, maar ze bestaan, deze meren van gesmolten kristal. Voor een goed waarnemer zijn ze overal. Niet over het hoofd zien, deze zachte kant van het bestaan. De hoge bergen maken weliswaar veel herrie, maar ze vertellen maar één verhaal.

Noten

1 Vertaling uit de Engelse editie *Phenomenology of Perception.*
2 Peter Delpeut, *De grote bocht. Kleine filosofie van het fietsen* (2003), p.75
3 In: Niels Löfgren, *On Holiday* (1999), p.58
4 De termen verschijnpunt en verdwijnpunt zijn geïnspireerd op het onderscheid van James Gibson in 'emerging point' en 'vanishing point'.
5 Bron: Orvar Löfgren, *On Holiday* (1999), p.17
6 Forbes, geciteerd in Fergus Fleming, *Killing Dragons* (2000), p.128
7 John Urry is uitgebreid ingegaan op de vorming van de 'toeristische blik' in zijn boek *The Tourist Gaze* (1990)
8 Zie onder meer Lucas Reijnders, *Reislust* (2000) voor een beschrijving van de rol van vervoersmogelijkheden in de opkomst van het toerisme.
9 Bron: Luc Rademakers, *Filosofie van de vrije tijd*, p.36
10 Luc Rademakers, *Filosofie van de vrije tijd*
11 Luc Rademakers, *Filosofie van de vrije tijd* (2003, p.11)
12 Timo Slootweg (red.), *Bij tijd en wijle* (2004, p.12)
13 Kierkegaard, *Die Krankheit zum Tode*, geciteerd in Pieper, *Rust en beschaving* p.38
14 Zie Luc Rademakers, *Filosofie van de vrije tijd* (2003) en het proefschrift van Ello Paul, *De avontuurlijke mens* (1997), die beiden ingaan op de vrije tijd resp. *acedia.*
15 Spinoza-lezing Universiteit van Amsterdam, mei 2005 door Bruno Latour
16 Luc Rademakers. *Filosofie van de vrije tijd* (2003), p.141
17 Ik gebruik hier en in het volgende deel van de tekst de term "reisbegeleider" of "reisbegeleiding", en niet "reisleider", omdat reisleiding veelal geassocieerd wordt met meer georganiseerde reizen waar de mate van zelfstandigheid van de deelnemers in principe minder is dan die van deelnemers aan de wat meer avontuur-lijke reizen, waar mijn eigen ervaring ligt.
18 Bijvoorbeeld de cultureel antropoloog Clifford, in zijn boek *Routes: Travel and translation in the late twentieth century* (1997)
19 Zie www.orangecounty.nl

Aanbevolen literatuur

Hoofdstuk 1 – Het trage lichaam ziet

Merleau-Ponty, Marcel *Fenomenologie van de waarneming* (or. 1945). Vertaling René Vlasblom en Douwe Tiemersma. Ambo, Baarn (1997)

Nietzsche, Friedrich *Aldus sprak Zarathoestra* (or. 18..). Vertaling Wilfred Oranje. Boom, Meppel (1996)

Thoreau, Henry. *Walden* (or. 1854). Complete tekst is te vinden op internet.

Hoofdstuk 2 – Het versnelde lichaam in beweging

Baudrillard, Jean, *Sideraal Amerika.* Uitgeverij 1001Nacht, Amsterdam (1988)

Delpeut, Peter, *De grote bocht. Kleine filosofie van het fietsen.* Augustus, Amsterdam (2003)

Lemaire, Ton, *Filosofie van het landschap.* Ambo, Amsterdam (1977/2002)

Peters, Peter, *De haast van Albertine.* Uitgeverij de Balie/Peter Peters (2003)

Hoofdstuk 3 – Op weg naar de horizon
Voedseljagers, pelgrims, ontdekingsreizigers en dolende ridders

Reijnders, Lucas. *Reislust.* Van Gennep, Amsterdam (2000)

Maczak, Anton. *De ontdekking van het reizen.* Het Spectrum, Utrecht (2001)

Leed, Eric. *The Mind of the Traveller.* Basic Books, New York (1991)

Pleij, Herman. *Dromen van Cocagne, Middeleeuwse fantasieën over het volmaakte leven.* Prometeus, Amsterdam (2000)

Herwaarden, Jan van. *Een profane pelgrimage naar de Middeleeuwen.* Onder redactie van Paul van de Laar, Peter Jan Margry & Catrien Santing. Uitgeverij Verloren, Hilversum (2005)

Taylor, Charles, *Sources of the Self.* Harvard University Press, Cambridge (1989)

Hoofdstuk 4 – Kennis en ontwikkeling – boekenwijsheid de wereld in

Lemaire, Ton *Met open zinnen.* Ambo, Amsterdam (2003)

Reijnders, Lucas. *Reislust.* Van Gennep, Amsterdam (2000)

Whitney, Lynne, *Grand Tours and Cook's Tours.* Aurum Press Ltd, Londen (1998)

Hoofdstuk 5 – 'Nu even niet' - werk en vrije tijd
Rademakers, Luc *Filosofie van de vrije tijd,* Damon, Budel (2000)
Urry, John, *The Tourist Gaze* (1999/2002)
Aristoteles, *Ethica Nicomachea.* Vertaald en toegelicht door Charles Hupperts en Bartel Poortman. Damon, Budel (2005)
Whitney, Lynne, *Grand Tours and Cook's Tours.* Aurum Press Ltd, Londen (1998)
Pieper, Josef *Rust en beschaving.* Vertaling, in- en uitleiding Timo Slootweg. Aspekt, Soesterberg (2004)
Slootweg, Timo (red.) *Bij tijd en wijle. Essays over rust als ethos.* Aspekt, Soesterberg (2004)

Hoofdstuk 6 – De stad in
MacCannell, Dean *The Tourist.* Schocken Books, New York (1976/1989)
Löfgren, Orvar, *On Holiday. A History of Vacationing.* University of California Press, Berkeley (1999)

Hoofdstuk 7 – De heilige attractie
MacCannell, Dean *The Tourist.* Schocken Books, New York (1976/1989)
Lemaire, Ton, *Filosofie van het landschap.* Ambo, Amsterdam (1977/2002)

Hoofdstuk 8 – Toeristen en reizigers
Suzanne Piët, *De emotiemarkt.* Pearson Education Benelux BV, Amsterdam (2004)
Whitney, Lynne, *Grand Tours and Cook's Tours.* Aurum Press Ltd, Londen (1998)

Hoofdstuk 9 - Ontmoeting met de vreemdeling
Clifford, John *Routes: Travel and translation in the late twentieth century.* Harvard University Press, Cambridge (1997)
Levinas, Emmanuel *Het menselijk gelaat.* Ambo, Baarn (1987)
Locke, John *An Essay Concerning Human Understanding.* Book II - Chapter XXVII Of Identity and Diversity (1690). Complete tekst is te vinden op internet.
Visker, Rudi, "De Goede Ander". In: Jansen en Oudejans (red.), *De vreemdeling.* Damon, Budel (2003).

Hoofdstuk 10 – Op zoek naar het paradijs

Pleij, Herman. *Dromen van Cocagne, Middeleeuwse fantasieën over het volmaakte leven.* Prometheus, Amsterdam (1997)

Hilton, James. *Lost Horizon* (1937)

Paul, Ello *De mateloze mens. Wijsgerig-antropologische studie over avontuur en verveling* Academisch proefschrift UvA, Amsterdam (1997)

Hoofdstuk 11 – De demonen van het reizen

Maslow, Abraham. *Towards a Psychology of Being.* Litton Educational Publishing, New York (1968)

Conrad, Joseph, *Hart der duisternis.* Vertaling Bas Heijne. Veen, Amsterdam (2001)

Suzanne Piët, *De emotiemarkt.* Pearson Education Benelux BV, Amsterdam (2004)

Csiksezentmihalyi, Mihaly *Flow. Psychologie van de optimale ervaring.* Amsterdam, Boom (1999)

Illustraties

Foto's

Foto's op p. 110, 168,196 Piet Hermans
Foto's op p. 45, 92, 152 André Homan
Foto's op p. 219, 229 Paul Voorthuis
Foto achterflap: André Homan

Dankbetuiging

Ik wil graag iedereen bedanken die mij in woord, beeld en daad terzijde heeft gestaan: Henk Weltevreden, Timo Slootweg en Josephien van Kessel voor hun tekstuele en filosofische ondersteuning, Jeanet Snijders en Grady Breukel voor het meelezen en becommentariëren. Ik wil de fotografen Piet Hermans, André Homan en Paul Voorthuis uitdrukkelijk bedanken voor het afstaan van hun fotomateriaal. Verder dank aan de HOVO-cursisten die de cursus "Over de grens" volgden, vrienden die waardevolle commentaren gaven en met wie ik niet zelden reiservaringen deel, en de toeristen en reizigers die ik in Amsterdam en daarbuiten ontmoette en met wie ik soms heel kort optrok, soms langere perioden reisde. Tot slot zeer veel dank aan Rene Seure, mijn trouwste lezer, die tevens het omslag ontwierp.

Over de auteur

Carolien van Bergen studeerde Theoretische psychologie aan de Vrije Universiteit Amsterdam en is docent wijsbegeerte. Ze heeft jarenlang door Azië en Europa gereisd, onder meer als reisbegeleidster voor een avontuurlijke reisorganisatie. Momenteel is ze als projectleider en docent wijsbegeerte verbonden aan de Erasmus Academie (Erasmus Universiteit Rotterdam), waar ze onder meer studiereizen organiseert voor HOVO.

Eerder publiceerde ze bij Uitgeverij Damon *Verlangen naar onsterfelijkheid* (2002) en *Leven door de dood* (2003).

website www.carolienvanbergen.com